Estética del cinismo

Pasión y desencanto en la literatura centroamericana de posguerra

Beatriz Cortez

Beatriz Cortez

Estética del cinismo

Pasión y desencanto en la literatura centroamericana de posguerra

Estética del cinismo
Pasión y desencanto en la
literatura centroamericana de posguerra
Beatriz Cortez

Primera edición

Ilustración de portada: Beatriz Cortez, sin título, 30 x 36 pulgadas, óleo sobre tela, 2009
Diseño de portada: F&G Editores

Impreso en Guatemala
Printed in Guatemala

F&G Editores
31 avenida "C" 5-54, zona 7
Colonia Centro América
Guatemala, Guatemala
Telefax: (502) 2439 8358 y (502) 5406 0909
informacion@fygeditores.com
www.fygeditores.com

ISBN: 978-9929-552-04-3

Guatemala, julio de 2010

A mis padres
y a mis hermanos

Estás navegando en un mar oscuro

Galleta de la fortuna

Contenido

Agradecimientos

Escribí este manuscrito mientras mi vida seguía su trayectoria desde El Salvador a Tempe, Arizona, luego a Detroit, Michigan, y más adelante a Los Ángeles, California. Este recorrido comenzó amargamente cuando durante la ofensiva de noviembre de 1989, sentí que no tenía otra opción que dejar mi país, El Salvador, y me encontré en Arizona, en medio de una celebración del día de Acción de Gracias que parecía burlarse de mí. Afortunadamente, a medida que la guerra fue terminando en El Salvador, también dio fin mi separación con ese país al que ahora puedo regresar y al que siempre regreso. Para ser justa, la experiencia de migración no ha sido sino beneficiosa, enriquecedora, creativa, y devastadora para la visión de mundo y las sólidas tradiciones que yo me llevaba conmigo en 1989, a pesar de mi juventud. Este volumen no hubiera sido posible sin esa experiencia de migración.

Desde que escribí la primera versión de este manuscrito y en todas las versiones subsecuentes, Beatriz de Cortez, mi madre, lo leyó y corrigió meticulosamente, le estoy muy agradecida por su interés, su tiempo y dedicación. Gracias también a Kathy Kozar y a Ricardo Cortez por sus lecturas de gran parte de este texto, particularmente en su versión al inglés, pues sin duda ayudaron a clarificar mi escritura. Finalmente, agradezco a mi colega Alexandra Ortiz Wallner, quien leyó y comentó de manera cuidadosa los primeros capítulos de este volumen.

No hubiera sido posible para mí escribir este texto si no hubiera sido por el interés que han generado en mí los escritos de varios autores centroamericanos quienes trabajando bajo condiciones difíciles han creado obras literarias que retratan nuestro momento, nuestro desencanto y nuestro cinismo. He tenido acceso a obras publicadas e inéditas de Horacio Castellanos Moya, Rafael Menjívar Ochoa, Róger Lindo, Miguel Huezo Mixco, Rodrigo Rey Rosa y Claudia Hernández, les agradezco por su confianza. He sido afortunada de poder conversar con ellos en El Salvador, Guatemala, Honduras, Belice, Nicaragua, Costa Rica, Panamá, Estados Unidos y Alemania; así como con Manlio Argueta, Jacinta Escudos, Tatiana Lobo, Dante Liano, Franz Galich, Alfonso Quijada Urías, y Álvaro Menén Desleal. Me siento afortunada por contar con la amistad de varios de ellos. A Horacio Castellanos Moya le agradezco por tomarme en serio, incluso cuando yo era muy joven, y por la influencia que ha tenido su pasión por la lectura en mis propias lecturas durante los últimos diez años. Rodrigo Rey Rosa ha sido un amigo con quien hablar de literatura durante mi estancia en Guatemala y desde el espacio virtual, y sin duda he aprendido mucho de él. Con Róger Lindo he podido sentarme cualquier día en Los Ángeles a hablar de literatura centroamericana como si estuviéramos en un café de San Salvador y eso ha aplacado mi nostalgia muchas veces. Dante Liano ha sido un buen amigo con el que he podido contar en las buenas y en las malas, a pesar de la distancia, y ha sido una fuente de alegría y de inspiración para mí. Y Franz Galich, contador de chistes sin igual y querido amigo, ha dejado para siempre un vacío en nuestros viajes literarios, y una novela fabulosa, *Y te diré quién eres, Mariposa traicionera*, como un mapa cifrado con el que he podido responder a muchos de los interrogantes que dieron inicio a esta investigación.

Mientras trabajaba en la primera versión de este manuscrito, conté con el apoyo constante de David William Foster, Manuel Hernández y Carmen de Urioste en Arizona State University en Tempe. Ellos leyeron cuidadosamente mi manuscrito y compartieron conmigo sus comentarios e ideas. David Foster creyó en el campo emergente de los Estudios Centroamericanos cuando muchos todavía pensaban que no era una buena idea especializarse en este campo, y se negó a trabajar conmigo si no seguía mi pasión y analizaba la literatura que me interesaba y en la que yo de alguna forma me veía retratada.

He sido privilegiada al contar con amigos e interlocutores que han contribuido de manera importante a mi labor académica. Ricardo Roque Baldovinos es un ávido lector y un crítico inteligente. A través de los años me ha llamado la atención hacia textos interesantes y nuevos autores y me ha contagiado con su pasión por hacer investigaciones de archivo. Ha sido muy generoso conmigo tanto con su saber como con su tiempo. Su amistad ha sido como un baúl de donde se desbordan lecturas, ideas, proyectos, discusiones, carcajadas y viajes. También con Héctor Leyva he tenido la suerte de compartir una amistad de viajes y correos que nos han permitido conversar muchas veces sobre nuestro trabajo, compartir nuestras preocupaciones intelectuales y nuestras investigaciones y organizar proyectos juntos. Nuestra amistad se ha construido a lo largo de casi una década y en diferentes espacios donde hemos podido confirmar que nuestras afinidades no son sólo críticas sino también políticas, culturales y humanas. Esta experiencia se extiende a un grupo formado alrededor del proyecto de investigación interinstitucional "Hacia una Historia de las Literaturas Centroamericanas" (HILCAS). Este grupo incluye a Alexandra Ortiz Wallner, quien comparte conmigo sensibilidades e intereses, perspectivas críticas y gustos literarios. Durante el tiempo que escribía este manuscrito tuve la suerte de trabajar con ella en varios proyectos y de intercambiar con ella ideas, escritos e inquietudes. También Valeria Grinberg Pla ha sido una amiga de viajes y proyectos, una presencia generosa con quien he explorado diferentes ciudades, ideas y textos. Ha sido además una importante interlocutora para mí y mis escritos. Werner Mackenbach ha sido un buen modelo para mí, pues he podido ver el impacto en términos humanos y literarios que su trabajo y sus proyectos han tenido en las vidas de muchos críticos y autores centroamericanos. Su trabajo ha generado espacios donde he podido conversar sobre muchas de las ideas contenidas en este volumen. Este grupo ha incluido también a varios otros colegas y amigos como Verónica Ríos Quesada, Claudia Ferman, Patricia Fumero, Jeff Browitt, Ligia Bolaños, Ethel García, José Cal, y Carlos Lara Martínez. La amistad y colaboración con todos ellos, así como con muchos otros amigos y colegas con quienes he trabajado en otros proyectos como Edgar Esquit Choy, Emilio del Valle Escalante, Leonel Delgado Aburto, ha enriquecido mi labor crítica. A través de los años, mi trabajo se ha beneficiado de las conversaciones que he tenido con todos ellos, al igual que con muchos otros colegas y amigos, demasiado numerosos para mencionar aquí.

En California State University, Northridge, mis colegas en el Programa de Estudios Centroamericanos me han brindado un espacio de discusión e intercambio académico que desde los inicios de nuestro programa me ha llevado a apreciar el trabajo interdisciplinario, y me ha ayudado a aprender sobre la realidad cotidiana en Centroamérica desde diversas perspectivas. Debo agradecer de manera particular a Douglas Carranza por su generoso apoyo, así como por sus contribuciones a mi labor crítica y por las numerosas conversaciones compartidas que, sin duda, han transformado este manuscrito. Gracias también a los estudiantes que han participado en mis seminarios sobre literatura centroamericana contemporánea desde mi llegada a Northridge, por sus acuciosas discusiones sobre la ficción centroamericana contemporánea, particularmente a Jennifer Gómez y a Ronald Nibbe, quien fue mi estudiante y ahora es también mi colega. He recibido también el apoyo de la decana de Humanidades, Elizabeth Say, quien ha financiado en varias ocasiones mis viajes a Centroamérica y mis investigaciones en California, así como de la Oficina de Investigaciones y Programas Patrocinados en California State University, Northridge, que me ha brindado apoyo financiero durante diversos momentos en el desarrollo de este proyecto. Sheena Malhotra me ha animado a producir mi trabajo y su amistad ha sido una fuente de apoyo e inspiración. He tenido también la suerte de contar con la amistad de mi colega Susan Fitzpatrick-Behrens con quien he podido intercambiar impresiones sobre Centroamérica, compartir viajes, proyectos y textos. Mayra Baietto ha seguido una trayectoria similar a la mía de El Salvador a California y Arizona, y ha sido desde mi infancia como una hermana para mí.

En otros círculos, el crítico salvadoreño Rafael Lara Martínez ha sido un modelo a seguir para mí por su compromiso con la literatura salvadoreña. Ana Patricia Rodríguez ha compartido conmigo numerosas discusiones sobre la experiencia de la diáspora centroamericana en Estados Unidos. Mi amistad con la crítica salvadoreña Yansi Pérez también me ha llevado a compartir viajes, experiencias de migración, perspectivas críticas e ideas que me han enriquecido. Silvia López ha compartido conmigo a lo largo de conversaciones telefónicas, viajes y correos, su visión práctica y su compromiso con la labor crítica y con la producción de una obra teórica de primer nivel. Le agradezco ser un modelo para mí.

Quiero agradecer además a mi editor, Raúl Figueroa, por la excelencia de su trabajo editorial y por sus contribuciones a mejorar la claridad de este manuscrito. Sobre todo, le agradezco por creer en la necesidad de divulgar la labor de crítica cultural en Centroamérica.

Quisiera también reconocer a las siguientes revistas académicas y volúmenes por la publicación de versiones anteriores de algunos fragmentos de este texto: una versión anterior de un fragmento del capítulo 3 fue publicada en el volumen *Afrodita en el trópico: Amor y erotismo en la obra de autoras centroamericanas* por la editorial Scripta Humanística en Estados Unidos y también en la revista *Cultura* 84 publicada por la Dirección de Publicaciones e Impresos en El Salvador; una versión anterior del capítulo 1 fue publicado en la Revista *Cultura* 85. Este mismo fragmento y algunos fragmentos de los capítulos 3, 4, y 5 fueron publicados en la revista virtual *Istmo* (http://www.denison.edu/istmo); un fragmento del capítulo 2 fue publicado en el volumen *Literaturas centroamericanas hoy: Desde la dolorosa cintura de América* por la editorial Vervuert Verlag en Alemania; un fragmento del capítulo 3 fue publicado en la revista costarricense *Comunicación*; también un breve fragmento del capítulo 4 fue publicado en *Ventana Abierta*, y una versión anterior de un fragmento del capítulo 4 fue publicada en el volumen *Ciudades latinoamericanas y procesos urbanos en el nuevo [des]orden mundial* editado por Marc Zimmerman y Patricio Navia; finalmente, un fragmento del capítulo 7 fue publicado en el volumen *De la guerra a la paz. Perspectivas críticas sobre la literatura moderna centroamericana* en una coedición de Antípodas de Melbourne, Australia y UCA Editores en San Salvador y también en la revista *Cultura* 86 publicada por la Dirección de Publicaciones e Impresos en El Salvador. Breves fragmentos de diferentes capítulos de este volumen fueron también publicados en el suplemento cultural *Áncora* del periódico *La Nación* de Costa Rica el 11 de marzo de 2001.

Mis padres, Jaime y Beatriz, y mis hermanos, Jaime y Ricardo, han sido mis aliados más cercanos y mi sistema de apoyo durante muchos períodos importantes de mi vida, incluyendo todos esos años que compartí con ellos en El Salvador, las dificultades de crecer en una guerra, la aventura de comenzar mi vida de nuevo en Estados Unidos, mis años como estudiante universitaria y los inicios de mi carrera. A través de todo, siempre he contado con su apoyo incondicional y con su amor. Este libro es para ellos. No quisiera terminar sin antes agradecer también a los demás miembros de mi familia por la alegría de compartir nuestras vidas: a Daniel, a Nicolás, a Benjamín, a Kari, a Kathy, y a la feliz memoria que nos dejó en herencia Benjamín Flores Huezo, el abuelo Pipo.

Introducción

Proposición lxvii[1]

Un hombre libre en nada piensa menos que en la muerte, y su sabiduría no es una meditación de la muerte, sino de la vida.

Baruch de Spinoza, *Ética*[2]

Este libro tardó una década en gestarse. Contiene una investigación que dio inicio cuando había ya terminado la época del sandinismo en Nicaragua, y en El Salvador y Guatemala acababan de firmarse los Acuerdos de Paz. Es un proyecto que ha sido informado y posibilitado a través de mis esfuerzos por comprender la sensibilidad que hemos llamado de posguerra. Al respecto quisiera aclarar que cuando hablo sobre una sensibilidad de posguerra, no me refiero a un período definido de forma rígida, sino a uno maleable y cuyos orígenes van mucho más atrás, hacia mediados del siglo XX, como lo discuto extensamente en el capítulo 2 de este estudio. Se trata de una sensibilidad del desencanto que va ligada a una producción cultural que he definido como una estética del cinismo. Es, por lo tanto, una posición que contras-

1. Todos los textos citados del inglés aparecen aquí en mi versión al español.

2. Spinoza, Baruch de. *Ética: Demostrada según el orden geométrico.* Trad. Vidal Peña. Madrid: Ediciones Orbis, 1980, 234.

ta con la estética utópica de la esperanza que ha estado ligada con los procesos revolucionarios. Hago esta aclaración sobre todo porque más de alguna vez he sido acusada de acuñar el término de *la posguerra* con el propósito de definir un período específico, es decir, este momento histórico en el que estamos ahora inmersos.[3] Nada más lejano a mis intenciones. Las críticas principalmente han sido hechas por mis colegas Werner Mackenbach y Alexandra Ortiz Wallner. Mackenbach cuestiona el uso del término "posguerra" para definir la producción literaria centroamericana contemporánea por considerarla como una categoría que se define en lo abstracto. En verdad, su crítica va dirigida de manera particular a quienes al citar mi trabajo[4] hacen uso del término como categoría temporal fija (s. p.). Ortiz Wallner cuestiona la definición de literatura centroamericana de "posguerra" a partir del contexto y de la experiencia de Guatemala, El Salvador y Nicaragua, y no del resto de Centroamérica (s. p.). Es un punto válido que trae a la mesa de discusiones una pregunta importante: ¿cómo aglutinar las experiencias tan diversas de diferentes contextos locales y nacionales en la región?, y al hablar de producción literaria, ¿cómo definir la categoría "centroamericana"? Resulta importante aclarar que la producción literaria en el istmo centroamericano es tan diversa como las diferentes experiencias que esta región aglutina. Por otra parte, me parece también significativo aclarar que si bien el término *posguerra* hace referencia directa a las recién terminadas guerras civiles en Nica-

3. Ver Alexandra Ortiz Wallner, "Transiciones democráticas / transiciones literarias: Sobre la novela centroamericana de posguerra" publicado en *Istmo* 4 (2002) y Werner Mackenbach, "Después de los pos-ismos: ¿Desde qué categorías pensamos las literaturas centroamericanas contemporáneas?" publicado en *Istmo* 8 (2004).

4. Ver Cortez, Beatriz. "Estética del cinismo o la literatura centroamericana de posguerra". MS. 2000.

ragua, El Salvador y Guatemala, al hablar de sensibilidad de posguerra me refiero a una sensibilidad que ya no expresa esperanza ni fe en los proyectos revolucionarios utópicos e idealistas que circularon en toda Centroamérica durante la mayor parte de la segunda mitad del siglo XX, que en gran medida se alimentaron desde la seguridad y el amparo proporcionado para círculos del liderazgo revolucionario en San José, Costa Rica, y que ya sea el final del período sandinista en Nicaragua o la firma de los acuerdos de paz en El Salvador y Guatemala trajo a su final, inaugurando un momento de desencanto, de pérdida de liderazgo y de pérdida de fe en los proyectos utópicos que formaban parte del momento revolucionario en Nicaragua, El Salvador y Guatemala, así como en el resto de países centroamericanos.

Por lo tanto, mi interés no es el de definir la posguerra como un momento cultural e histórico. Mi interés es explorar la sensibilidad de posguerra como una que contrasta con la sensibilidad utópica y esperanzadora que acompañaba la fe en los proyectos revolucionarios.

Debo además aclarar que este texto contiene un argumento que es también cínico. Por tanto, no contiene un argumento romántico sobre la estética del cinismo. Por el contrario, mi objetivo es mostrar la forma en que esta estética del cinismo dio lugar a la formación de una subjetividad precaria en medio de una sensibilidad de posguerra colmada de desencanto: se trata de una subjetividad constituida como subalterna *a priori*, una subjetividad que depende del reconocimiento de otros, una subjetividad que solamente se posibilita por medio de la esclavitud de ese sujeto que *a priori* se ha constituido como subalterno, de su destrucción, de su desmembramiento, de su suicidio, literalmente hablando. En otras palabras, no es mi interés proponer que la estética del cinismo funciona como una alternativa a la utopía que estaba ligada a las sensibilidades revolucionarias. Por el contrario, mi interés es explorar la estética del cinismo como un proyecto fallido, como una trampa que constituye la subjetividad por medio de la destrucción del ser a quien constituye como sujeto.

Sin duda, la posguerra nos permite releer la producción cultural que iba ligada al proyecto revolucionario de manera crítica. Este espacio de perspectiva nos permite ver la forma en que a través de la mayor parte del siglo XX, desde la cultura revolucionaria se le asignó a la producción artística y, el en caso de la narrativa, a la producción de ficción el estigma de la traición. Los diferentes círculos de liderazgo de la insurgencia en la región no han estado interesados en una producción cultural que no contribuya directamente a la lucha popular y, para el caso de Nicaragua sandinista, que no contribuya de manera directa a la construcción del nuevo estado revolucionario. En este contexto, la ficción con frecuencia fue vista como un instrumento de evasión, como una forma de alienación de la urgencia de la realidad centroamericana. Por otra parte, la tradición literaria y cultural que sí se consideraba estaba ligada con la cultura revolucionaria por mucho tiempo tuvo considerable apoyo, tanto al interior de la región, como de manera particular desde fuera del istmo. Como lo verifica en gran medida, para ilustrar este punto con un ejemplo, la crítica académica estadounidense sobre la producción literaria centroamericana durante el último cuarto de siglo, los movimientos de solidaridad internacional dedicaron su atención casi exclusivamente a la producción testimonial del área. De esta forma, estos movimientos, consciente o inconscientemente, ayudaron a relegar a la producción de ficción a un lugar secundario.

El final formal de las luchas revolucionarias en América Central patrocinó, no solamente la reevaluación de aquellos proyectos políticos que antes habían sido incuestionables, sino también la reinvención de la producción cultural en Centroamérica. Este volumen propone el examen de la literatura centroamericana de posguerra bajo esta nueva luz, cambiando el enfoque de lo que pudo ser considerado literatura ligada a la cultura revolucionaria y preocupada con la denuncia de la injusticia social, a una literatura de ficción del período contemporáneo que explora la vida en el espacio urbano y, dentro de este espacio, el ámbito de la intimidad, donde la construcción de la subjetividad también tiene lugar. Al trascender los límites dibujados por los proyectos revolucionarios, estos textos de ficción exploran los secretos más oscuros del sujeto, sus pasiones más fuertes, y su negociación con el caos que le rodea.

A pesar de que el alcance de la escritura testimonial y el de la escritura de ficción son muy distintos, es posible reconocer que también tienen puntos de coincidencia. La ficción, con su retrato desencantado de la vida en los espacios urbanos centroamericanos, busca lograr algo que el testimonio también pretendía: poner en evidencia la inexactitud de las versiones oficiales de la realidad centroamericana. En contraste con el testimonio, la ficción carece del espíritu idealista que caracterizaba la literatura centroamericana ligada al contexto de las guerras civiles. Por el contrario, la ficción de posguerra pone frente al lector un espíritu de cinismo. Este tipo de ficción pinta un retrato de las sociedades centroamericanas en caos, inmersas en la violencia y la corrupción. Se trata de sociedades con un doble estándar cuyos habitantes definen y luego ignoran las normas sociales que establecen la decencia, el buen gusto, la moralidad y la buena reputación. El cinismo, como una forma estética, provee al sujeto una guía para sobrevivir en un contexto social minado por el legado de violencia de la guerra y por la pérdida de una forma concreta de liderazgo. El período de posguerra en Centroamérica es un tiempo de desencanto, pero es también una oportunidad para la exploración de la representación contemporánea de la intimidad y de la construcción de la subjetividad.

El capítulo 1 de este estudio, "Reconsideraciones en la posguerra sobre el testimonio y la ficción centroamericanos", presenta un recuento de la forma en que evoluciona la interpretación crítica de la escritura testimonial y del proceso a través del cual la ficción fue rechazada como una forma de alienación de la realidad centroamericana. Por otra parte, examina la forma en que el testimonio centroamericano fue interpretado desde la academia estadounidense a partir de dos perspectivas opuestas que, en términos generales, pueden ser delineadas bajo la rúbrica de la "representatividad" y de la "veracidad".

En su mayor parte, los movimientos de solidaridad intelectual estadounidense durante los años ochenta se enfocaron en el proceso de representación en sus lecturas de testimonios. A partir de esta perspectiva, el testimonio era visto como un medio para la resistencia de la historia oficial y como una posibilidad para que las masas marginadas obtuvieran acceso al discurso, tuvieran una voz propia. Sin embargo, a pesar de sus buenas intenciones, el énfasis crítico colocado sobre la representación del otro presupuso un tipo de violencia ideológica de tipo fundamental: la imposición de la representación como el eje fundamental del discurso testimonial y, por ende, el silencio del otro.

Santiago Colás ha señalado que la representación puede ser comprendida a partir de dos formas contradictorias. A partir de la perspectiva del realismo, la dificultad de la representación se soluciona por medio de un intelectual que se representa a sí mismo/a como transparente y, por lo tanto, capaz de permitir que el otro hable por medio de él o ella. Por otra parte, a partir del punto de vista de la modernidad, el narrador del testimonio nunca puede representar a la colectividad de su propio origen porque el acto de hablar lo excluye de esa comunidad marginal. Ambas propuestas nos remiten al argumento de Gayatri Spivak respecto a que el subalterno no puede hablar precisamente porque el Occidente no ha renunciado a su obsesión con la representación.

Otro acercamiento al testimonio busca denunciar su veracidad imperfecta y cuestionar su validez histórica. A inicios de 1999, su principal proponente, el antropólogo estadounidense David Stoll, publicó el resultado de una investigación que había llevado a cabo por más de una década entre una serie de comunidades indígenas en el corazón de Guatemala. *Rigoberta Menchú, and the Story of All Poor Guatemalans* (1999)[5] pretendía demostrar que el testimonio de Menchú comunicaba una versión imperfecta de la verdad. Esta posición también representaba a Stoll como un buscador de la verdad carente de los impedimentos proporcionados por las ideologías políticas. La verdad, desde la perspectiva de Stoll, no solamente había sido sacrificada por los intelectuales solidarios con la izquierda y por su interés en una perspectiva posmoderna del mundo, sino también, desde su perspectiva, estaba a su alcance.

Por otra parte, Stoll arguye que si las primeras líneas guerrilleras no hubieran entrado nunca en las comunidades indígenas, los campesinos indígenas que fueron víctimas de genocidio nunca hubieran estado forzados a soportar la violencia a la que los sometió el ejército guatemalteco. Este tipo de argumentación demuestra que las consideraciones de la historia guatemalteca de Stoll son, cuando menos, superficiales, y que carecen de una discusión de la problemática que originó el conflicto, es decir, la injusticia social y la violencia étnica y

5. El título del texto podría traducirse como "Rigoberta Menchú y la historia de todos los guatemaltecos pobres".

económica que la mayoría de la población guatemalteca todavía continúa soportando. Si hay alguna contribución que haga Stoll al análisis del testimonio, es la realización del lector de la problemática e improbable búsqueda de la verdad en un contexto donde la verdad ha sido posible solamente en una medida y con límites establecidos claramente a partir de los acuerdos de paz, es decir, al final del conflicto armado. En esta encrucijada, la ficción proporciona una alternativa a la obsesión crítica con la verdad en un contexto donde las sociedades centroamericanas, en términos generales, no han permitido negociar las condiciones para que surja la verdad.

Este primer capítulo termina en una nota positiva, explorando otras alternativas que surgen hacia finales de los ochenta e inicios de los noventa al análisis crítico polarizado que se hace del testimonio. Específicamente, la discusión teórica respecto a la escritura testimonial se ha desplazado hacia nuevos espacios interpretativos que relacionan al testimonio con el surgimiento de la conciencia social, de la experiencia posmoderna, y de la construcción de una identidad cambiante y fragmentada. Fredric Jameson, por ejemplo, encuentra en la posmodernidad una alternativa a la oposición binaria entre el realismo y la modernidad. George Yúdice, por su parte, rompe con el énfasis en la representación al señalar el papel significativo que el testimonio desempeña en la construcción de la identidad cambiante y fluida de la comunidad. De gran importancia para este volumen es la realización de que estas propuestas alternativas no están exclusivamente reservadas para el testimonio, tal como se hace evidente en los siguientes capítulos donde se explora el papel de la ficción en la construcción de las subjetividades colectivas e individuales.

El capítulo 2, "¿Una cuestión de principios? La pasión, la memoria y el olvido en la Centroamérica de posguerra", presenta una discusión de la visión de mundo desencantada, tomando como modelo el caso de El Salvador contemporáneo, así como también presenta, por medio de la ficción, a la representación de la moralidad como una práctica política corrupta y como una imposición de una sociedad que no está dispuesta a vivir de acuerdo con sus propios estándares. Teniendo en mente que en Centroamérica los proyectos del cristianismo y de la agenda política ligada al marxismo formaron las bases ideológicas para los recientes movimientos revolucionarios, en este capítulo exploro los estándares morales que forzaron al individuo que interactúa con el espacio público a adherirse a ciertos principios para ser aceptado socialmente. En la ficción contemporánea, es la pasión la que mueve al individuo, más allá de la razón o del respeto a valores morales de cualquier tipo. La expresión de esta pasión nos permite formular un proyecto estético para la Centroamérica de posguerra, una estética marcada por la pérdida de la fe en los valores morales y en los proyectos sociales de tipo utópico, en resumen, lo que he llamado una estética del cinismo.

Por otra parte, este capítulo explora los temas de la memoria y el olvido, no sólo como fenómenos sino como derechos naturales que tienen los individuos. La lectura de la producción poética salvadoreña, que aquí presento como caso ilustrativo, busca trazar los límites de la memoria y también del olvido, límites que van marcados por los deseos del poeta: el deseo de sobrevivir, el deseo de ser libre, el deseo de amar, el deseo de partir.

Para sobrevivir, el ser humano necesita una ración de olvido. Friedrich Nietzsche, al hablar de la memoria y del olvido en su ensayo "Sobre la utilidad y confiabilidad de la Historia para la vida", propone que "toda acción requiere del olvido, al igual que la existencia de todas las cosas orgánicas requiere no sólo de luz, sino también de oscuridad" (*Unfashionable* 89). La posguerra le llega al poeta pidiéndole reinaugurar su identidad en un momento en que ya no hay un proyecto colectivo en el que pueda embarcarse. Lo único que le queda al poeta es la existencia y, con ella, sus derechos. Por otra parte, a partir de la perspectiva espinoziana, el derecho natural del individuo es intransferible. Para Spinoza, el derecho natural del individuo no es dictado por la ley ni por la razón, sino por sus pasiones. Así, al final de la guerra el poeta ya no busca darle sentido a su existencia a partir de su lugar en la formación de un nuevo Estado. Por el contrario, para reinventarse, es su derecho natural lo que demanda el poeta guiado nada más por sus deseos y sus pasiones. El poeta se ha transformado pero no toda su materia se ha quedado en el olvido. Es la pasión, lo que Nietzsche define como lo ahistórico, lo que lleva consigo, lo que mantiene de la textura original de su vida. Tiene además, el olvido. "Para vivir –señala Nietzsche– [el ser humano] debe poseer, y de vez en cuando emplear, la fuerza para romper y disolver el pasado; lo logra llevando este pasado ante un tribunal, interrogándolo sin cesar y, finalmente, condenándolo" (*Unfashionable* 106). Sólo dejando atrás este pasado es que el poeta puede vivir de nuevo. Los vaivenes del poeta entre la memoria y el olvido no son sino una expresión de que son las pasiones y no los principios los que gobiernan su vida. Los deseos del poeta, guiados por sus pasiones, son los que marcan la medida de su entrega o la medida de su renuncia y los que lo llevan a navegar entre la memoria y el olvido.

En el capítulo 3, "Una ficción histórica: La construcción de una versión masculina de la identidad nacional", mi objetivo es demostrar que la representación de la subjetividad centroamericana, tanto pública como colectiva, ha sido construida a partir de una perspectiva masculina y, por lo tanto, es una versión incompleta de la identidad istmeña. Por consiguiente, para tener una visión más completa de la subjetividad centroamericana, es necesario examinar la perspectiva femenina y la experiencia de las mujeres dentro del contexto de la nación que se forma. Con este propósito, este ensayo le presta particular atención a la producción artística de escritoras centroamericanas contemporáneas incluyendo a Jacinta Escudos, Tatiana Lobo y Claudia Hernández. Sus propuestas para la construcción de la subjetividad, tanto a partir del ámbito privado como del espacio público, presentan alternativas a la versión oficial.

El capítulo da inicio con un análisis de un texto por el autor salvadoreño Carlos Castro, publicado en 1996. La novela *Libro de los desvaríos*, presenta una reconstrucción ficcionalizada del pensamiento liberal en Centroamérica. Lo significativo de este texto para la discusión que aquí nos concierne es que en la sociedad que nos presenta las mujeres viven al margen de todos los eventos significativos de la historia del istmo. Las mujeres parecen estar excluidas del pensamiento nacional y estar públicamente definidas como seres sensoriales, como personificaciones de la histeria. El proyecto de igualdad y libertad del liberalismo se representa como un proyecto exclusivamente designado para los hombres. Desafortunadamente, la descripción que la novela presenta del lugar de la mujer en las sociedades centroamericanas no está muy lejos de la realidad. Las mujeres en Centroamérica no han recibido reconocimiento por su participación en el proceso de construcción de la identidad nacional, la historia oficial ni tampoco de la historiografía literaria.

Sin embargo, la mujer ha participado activamente en la construcción de la historia, literatura y cultura centroamericanas. Las recientes guerras civiles en Centroamérica le permitieron a la mujer constituirse como un sujeto en el espacio público. La urgencia de la situación generó la necesidad de que la mujer contribuyera a la lucha armada, a la denuncia pública de la injusticia social, y a la búsqueda de solidaridad. Y a pesar de que una vez que el conflicto terminó se esperó que la mujer regresara al lugar del que había salido para apoyar las luchas populares, es decir, al ámbito de lo doméstico, no todas las mujeres lo hicieron. Algunas lucharon por permanecer en la arena pública, por mantener su visibilidad, por alzar su voz. La proliferación de textos literarios producidos por mujeres centroamericanas, la alta calidad de esta producción literaria –y su publicación– es un logro positivo del período de posguerra en la región. Estas obras contienen la representación literaria de la experiencia cotidiana de las mujeres por ellas mismas, tanto en cuanto a sus mundos públicos como privados, sus fantasías y sus deseos. También presentan un reto a las definiciones tradicionales del género y al lugar que la mujer ocupa en las sociedades centroamericanas.

En el capítulo 4, "La destrucción del cuerpo y el lazo pasional con la normatividad social", exploro la idea de que la construcción de la subjetividad podría implicar una contradicción: ser un sujeto es a la vez estar sujeto a los procesos normativos que invalidan la emergencia del sujeto. Este ensayo incluye el análisis de obras de ficción de Rafael Menjívar Ochoa, Álvaro Menén Desleal, Horacio Castellanos Moya, Róger Lindo, Salvador Canjura y Roberto Castillo a la luz de propuestas críticas respecto a la construcción de la identidad por Michel Foucault, Louis Althusser y Judith Butler.

Foucault habla de una fuerza síquica, una especie de alma que habita al sujeto y que le permite el acceso a la existencia. Para lograr adquirir la subjetividad, el individuo debe sujetarse a esa fuerza síquica. En vez de sugerir que es el alma –lo no material– la que está atrapada en el cuerpo –lo material–, Foucault arguye que es el alma la que actúa como prisión del cuerpo. Es más, él juega con la posibilidad de que más allá de este proceso de subordinación, un cierto nivel de destrucción del cuerpo del individuo sea necesario para que éste se constituya como sujeto.

La propuesta de Althusser respecto a la construcción del sujeto se relaciona con el concepto de interpelación, un proceso a través del cual el sujeto se constituye como tal en el momento de ser nombrado o interpelado por otro, quien, a su vez, representa a la ideología y, por lo tanto, a la autoridad. Para Althusser, ese es un proceso de aparente libertad en el que el individuo es interpelado como sujeto libre de someterse a sí mismo a dicho proceso de sujeción. Butler, por su parte, califica este tipo de sujeción voluntaria como un acto auto-interpelativo, como evidencia del lazo pasional que une al sujeto con la autoridad. Para Butler, la única forma en que el sujeto puede sobreponerse a la vulnerabilidad que resulta de este lazo es por medio de su voluntad de dejar de ser, lo que ella llama un proceso de desubjetivación crítica.

Estas perspectivas críticas proporcionan un punto de partida para el análisis de la representación desde el campo de la ficción centroamericana contemporánea del lazo pasional que une al individuo a las normas sociales en el proceso de constitución de su subjetividad. Por lo tanto, en este capítulo exploro las representaciones, desde el campo de la ficción, de la necesidad de manipular, e incluso destruir, el cuerpo del individuo para llevar a cabo la constitución de su subjetividad. Por otra parte, analizo la representación de la libertad como una forma de subyugar al individuo a las normas sociales. En estos textos de ficción, el proyecto del cinismo se descubre como un proyecto fallido, pues el sujeto se representa como libre cuando es más sumiso: cuando cumple con las normas sociales y cuando disfruta de la aprobación de las autoridades sociales y de la opinión pública incluso ante el precio de la destrucción, eliminación o desmembramiento de su propio cuerpo.

El capítulo 5, "Anonimato, visibilidad y violencia en el espacio urbano centroamericano", explora la forma en que por medio de la ficción centroamericana de posguerra, se construye un retrato del espacio urbano, de tal forma que la ciudad aparece como el eje central de la construcción de la identidad nacional. Tanto la violencia que las guerras han llevado al espacio rural como los cambios económicos que propician la transformación de una economía agraria en una economía de servicio, culminan en masivos desplazamientos de población del espacio rural hacia el urbano. A pesar del énfasis que la producción literaria en Centroamérica durante el período revolucionario había puesto en la vida en el espacio rural, los movimientos masivos de población han transportado mayoritariamente la narrativa de la ficción al ámbito urbano. La posguerra es también un momento de movimientos diaspóricos hacia la ciudad, incluyendo la gran metrópolis: Los Ángeles. El espacio urbano, como un área de concentración de las masas, puede ser un espacio de libertad ya que le proporciona al sujeto un cierto anonimato. También puede convertirse en la mirada invisible que aísla y monitorea al sujeto. Por lo tanto, en la ficción de posguerra que retrata el desencanto, el espacio urbano es representado como el lugar donde se satisfacen los deseos más oscuros del sujeto y, sin embargo, es también el espacio donde el individuo, rodeado por multitudes, se encuentra más solo. Este capítulo explora la representación del espacio urbano en textos de Horacio Castellanos Moya.

Este capítulo analiza la representación de la vida en el espacio urbano centroamericano donde el individuo puede negociar versiones fragmentadas de su identidad. En la ciudad también el sujeto debe arriesgar su propia seguridad por la falta de ejercicio de la ley y por el ambiente que se asemeja a un estado de guerra. Es un espacio violento donde el poder del Estado se cuestiona de manera cotidiana y donde hay una completa ausencia del sentido de la seguridad. En este espacio, la posibilidad de que el sujeto resista las normas sociales se convierte en otra guerra. Quizá la contribución más importante de este análisis para comprender el proyecto fallido de la estética del cinismo es la exploración de los motivos que dan origen a la violencia urbana de que es víctima en la actualidad la mayor parte de la población en Centroamérica.

El capítulo 6, "El fin de la estirpe", presenta un análisis de la forma en que la narrativa del escritor guatemalteco Rodrigo Rey Rosa construye a través del medio literario a sujetos que se resisten o que renuncian a la paternidad. En otras palabras, la estética del cinismo nos presenta sujetos que para ser reconocidos como tales se ven en la necesidad de someter a sus cuerpos a un proceso de desmembramiento, a programar su suicidio y, en este caso, a renunciar a la paternidad, a poner fin a su estirpe.

Este capítulo incluye un estudio de varios textos de Rey Rosa, particularmente la novela corta *El cojo bueno* y la colección de textos *Otro zoo*, los cuales proponen una alternativa para escapar de la interminable cadena de sujetos dispuestos a ocupar el lugar simbólico de autoridad de la figura del padre. De tal forma que estos textos proponen como alternativa al destino que les espera, el de reproducir la autoridad tiránica del padre, por medio de la desintegación de la familia, como una especie de desmembramiento simbólico del campo social.

En el último capítulo de este estudio, titulado "Más allá de los confines del cinismo: La cultura de la alegría. Homenaje *in absentia*", propongo, a manera de conclusión, que el cinismo es un proyecto fallido. Tal como lo ilustro a lo largo de este estudio, el cinismo que caracteriza la sensibilidad de posguerra en Centroamérica abre espacios para vivir y para explorar la pasión. También tiene sus limitaciones: aunque le permite al sujeto reírse de sus propias faltas, de sus miedos, de sus deseos, al final, el cinismo lleva al individuo a su propia destrucción. El suicidio, como una forma extrema de escapar la normatividad social, se convierte en el máximo acto de cinismo, en el acto culminante de la irreverencia contra la sociedad y contra uno mismo. Es decir, el proyecto del cinismo llena al individuo de pasiones que no lo llevan a experimentar alegría, sino muy por el contrario, que lo llenan de dolor.

La filosofía de Spinoza sobre la forma en que el individuo puede posicionarse más allá de la normatividad social e incursionar en el ámbito de la pasión para experimentar la alegría tiene relevancia aquí. Spinoza, en vez de creer en los derechos que le son asignados a los individuos a partir de la ley, los cuales son también derechos que le pueden ser quitados al individuo por medio de un proceso igualmente legal, cree en el derecho natural del individuo, el cual no está basado en el concepto del contrato, sino en el deseo y en la pasión. Spinoza hace una clara distinción entre lo que él llama pasiones tristes, que están fuera del control del individuo y que reducen su poder, y las pasiones alegres que incrementan su poder de actuar. Por consiguiente, la culpa, el sacrificio, y la necesidad del reconocimiento social mantienen al sujeto atado a la misma moralidad ante la que se resiste. A partir de lo anterior, la estética del cinismo muestra los síntomas de lo que está ausente en la cultura de la posguerra centroamericana: la experiencia de la alegría, la lucha por defender el derecho que tiene el cuerpo de actuar, el predominio de la vida por sobre la muerte, la inmanencia del poder.

Esto se hace evidente de forma paralela en otros proyectos de la literatura actual. Entre ellos sobresalen aquellos textos que contribuyen a la iniciación simbólica de un proceso de duelo que ha quedado relegado durante la posguerra. Los textos que siguen esta línea no son numerosos y son muy recientes. Un ejemplo es la novela *El material humano* de Rodrigo Rey Rosa. Por otro lado, hay textos que contribuyen a la denuncia de que la posguerra no es más que un espacio donde la guerra sigue, aunque por otros medios y en otros espacios. Entre estos textos sobresale la novela *Y te diré quién eres. Mariposa traicionera* de Franz Galich. Su personaje principal, Pancho Rana, si bien tiene la apariencia de suicida, no lo es. Pancho Rana no es el sujeto cínico de otros textos contemporáneos. No es un individuo en busca del reconocimiento de los demás, no vive esclavo de la mirada del otro. Por el contrario, es un sobreviviente que tiene fundamentalmente dos razones para vivir, ambas pasionales: la venganza y el deseo. Pancho Rana, como civil, está inmerso en una vida que realmente no es parte de un período democrático ni de un proceso de paz. A diferencia de otros textos, la violencia en este texto no es gratuita sino una extensión directa de la guerra. Es así que este sujeto que podría simbolizar el fin del cinismo también encuentra su propia muerte, pero lo hace ya no en ausencia de la alegría, ya no en la ausencia del placer, ya no en un esfuerzo por obtener el reconocimiento de otros. Muere, pero abre la posibilidad de que otros también vean lo que hay detrás del telón de la paz.

1

Reconsideraciones en la posguerra sobre el testimonio y la ficción centroamericanos

El trato era éste:
yo les contaba todo lo que sabía y,
a cambio, ellos me reconstruirían.

Horacio Castellanos Moya,
El arma en el hombre

A inicios de marzo, 2000, asistí al octavo Congreso Internacional de Literatura Centroamericana (CILCA). Tuvo lugar en la Antigua Guatemala. Marc Zimmerman, un reconocido académico en los estudios sobre el testimonio y la literatura testimonial, estaba entre los ponentes; había más de cien personas en el amplio salón colonial del antiguo edificio de la Compañía de Jesús cuando leyó su ponencia sobre Rigoberta Menchú. Era una presentación importante, pensé, porque mostraba el trabajo de reconsideración y de desconstrucción de los escritos tempranos de Zimmerman sobre el testimonio. También fue una experiencia interesante para mí presenciar la reacción del público cuando se hizo la pregunta: "¿A qué nos referimos exactamente al decir testimonio?" Responder esta pregunta a satisfacción de cien académicos e intelectuales centroamericanos y centroamericanistas a la vez puede resultar una labor imposible de lograr.

Responder esta controversial pregunta ha sido el propósito de una larga lista de ensayos cuidadosamente escritos a lo largo de las tres últimas décadas. Sin embargo, no parece haberse alcanzado ningún consenso. La definición del testimonio también ha estado al centro de acaloradas discusiones dentro de los círculos académicos, particularmente, en Estados Unidos. Ahora, más de una década después del fin de las revoluciones centroamericanas, las teorizaciones sobre el testimonio con frecuencia tienen lugar en un ámbito todavía más sensitivo que el espacio en el que existían durante las guerras recientes en Centroamérica debido a las connotaciones políticas que conllevan estas discusiones. La importancia de una lectura poscolonial del testimonio es que nos permite en la actualidad mirar hacia atrás y cuestionar la validez de las lecturas coloniales del testimonio, a partir de las cuales los científicos e intelectuales se autoadjudicaban la autoridad de validar y certificar las prácticas testimoniales. Aún más importante, nos presenta la oportunidad de examinar el *modus operandi* de los bien intencionados académicos de la solidaridad a nivel internacional con respecto al testimonio.

Abordé la discusión crítica sobre el testimonio con el interés de establecer un punto de encuentro entre el testimonio y la ficción de posguerra en Centroamérica. Fue un camino afortunado. La exploración del contraste entre estos dos universos textuales ha resultado doblemente fructífera. Por un lado, he podido clarificar la forma en que las visiones críticas sobre el testimonio, particularmente aquellas producidas desde la academia estadounidense, han evolucionado a través de los años. Por otro, esta investigación me ha llevado a cuestionar los límites interpretativos marcados por la posición del intelectual dentro de las estructuras del poder, particularmente en cuanto a su definición del concepto del poder. Por consiguiente, el problema de la verdad –y su oposición a la ficción– ha adquirido un papel protagónico en este ensayo, pues es el punto convergente de los conflictos que me interesa discutir.

La visión crítica con que he abordado mis lecturas sobre el testimonio puede resumirse en dos propuestas hechas por Michel Foucault. La primera, sugiere que el poder no siempre tiene un carácter represivo, sino también funciona como un sistema productivo generador de placer, del conocimiento y de la palabra. Me interesó de manera particular tener esta propuesta en mente al leer la producción crítica sobre testimonio porque proporciona la posibilidad de establecer un lazo coherente entre la posición de poder del intelectual, de su discurso sobre el testimonio, y la posición marginal del testimoniante que había generado el texto en discusión. En los textos críticos se discute la posición de poder del estado represor, pero muy poco se discutía la posición, muy distinta pero también de poder, que el intelectual que produce este mismo discurso crítico ocupaba. Al respecto, en una entrevista sobre el poder y la verdad, Foucault señala:

> Si el poder en ningún momento fuera nada más que represivo, si nunca hiciera otra cosa que decir no, ¿le parece en verdad que uno se sentiría atraído a obedecerlo? Lo que hace que el poder se mantenga, lo que lo vuelve aceptado, es simplemente el hecho que no solamente coloca sobre nosotros una fuerza que dice no, sino también que recorre y produce cosas, que induce al placer, que genera conocimiento, que produce el discurso. Necesita ser considerado como una red productiva que corre a lo largo de todo el cuerpo social, mucho más que como una instancia negativa cuya función es la represión (1139).[1]

1. If power were never anything but repressive, if it never did anything but to say no, do you really think one would be brought to obey it? What makes power hold good, what makes it accepted, is simply the fact that it doesn't only weigh on us as a force that says no, but that it traverses and produces things, it induces pleasure, forms knowledge, produces

La segunda propuesta de Foucault desconstruye el concepto de la verdad y lo presenta como un concepto ligado directamente al poder y definido por aquellos con acceso al discurso. Por consiguiente, en el campo de la producción de testimonio y de crítica testimonial, la lucha por la verdad no tiene lugar únicamente entre el testimonio y la historia oficial, también tiene lugar entre las propuestas críticas que sobre el testimonio se han generado. Sobre este tema, en esa misma entrevista, Foucault propone lo siguiente:

> La verdad no existe fuera del poder o ajena del poder: al contrario del mito cuya historia y funciones valdría la pena estudiar más, la verdad no es la recompensa de los espíritus libres, la hija de la soledad prolongada, ni el privilegio de aquellos que han logrado liberarse a sí mismos. La verdad es cosa de este mundo: se produce solamente por virtud de múltiples formas de restricción. Y la verdad induce efectos regulares del poder. Cada sociedad tiene su régimen de la verdad, sus 'políticas generales' de la verdad: es decir, los tipos de discurso que acepta y que hace funcionar como verdad; los mecanismos y las instancias que le permiten a uno distinguir afirmaciones verdaderas y falsas, los medios a través de los cuales cada uno es sancionado; las técnicas y procedimientos a los que se otorga valor en la adquisición de la verdad; el estatus de aquellos quienes se encargan de decir lo que cuenta como verdad (1144).[2]

---

discourse. It needs to be considered as a productive network which runs through the whole social body, much more than as a negative instance whose function is repression.

2. Truth isn't outside power, or lacking in power: contrary to a myth whose history and functions would repay further study, truth isn't the reward of free spirits, the child of protracted solitude, nor the privilege of those who have succeeded in liberating themselves. Truth is a thing of this world: it is produced only by virtue of multiple forms of constraint. And it induces regular effects of power. Each society has its régime of truth, its 'general politics' of truth: that is, the types of discourse which

Tener en mente esta propuesta al abordar las discusiones críticas sobre la veracidad del testimonio me ha forzado a desconstruir el concepto de *la verdad* que estaba en el corazón de dicha validación e invalidación del testimonio.

Definiendo el testimonio

John Beverley, en un conocido artículo titulado "The Margin at the Center" (1989), demuestra tener plena conciencia de lo problemático que resulta definir al testimonio, por lo que señala: "cualquier intento por especificar una definición genérica de él, como lo hago yo aquí, debe considerarse provisional en el mejor de los casos, represivo en el peor" (25).[3] A pesar de todo, Beverley pasa a definir el testimonio de la siguiente manera:

> Por testimonio quiero decir una novela o narrativa de extensión novelesca en forma de libro o panfleto (es decir, impresa y no acústica), dicha en primera persona por un/a narrador/a quien es también el/la protagonista real o el/la testigo de los eventos que él o ella narra, y cuya unidad de narración es generalmente una "vida" o una experiencia de vida significativa (24).[4]

---

it accepts and makes function as true; the mechanisms and instances which enable one to distinguish true and false statements, the means by which each is sanctioned; the techniques and procedures accorded value in the acquisition of truth; the status of those who are charged with saying what counts as true.

3. Any attempt to specify a generic definition for [testimonio] as I do here, should be considered at best provisional, at worst repressive.

4. By *testimonio* I mean a novel or novella-length narrative in book or pamphlet (that is, printed as opposed to acoustic) form, told in the first person by a narrator who is also the real protagonist or witness of the events he or she recounts, and whose unit of narration is usually a "life" or a significant life experience.

Beverley añade que "el narrador del testimonio [...] habla por, o en el nombre de, una comunidad o grupo, aproximándose en esta forma a la función simbólica del héroe épico, sin al mismo tiempo asumir su estatus jerárquico y patriarcal" (27).[5] Sin embargo, al tomar en consideración el conjunto de testimonios producidos en Centroamérica, es evidente que este último comentario de Beverley aplica sólo a parte de ellos. Su propuesta nos lleva a pensar que Beverley se refería a aquellos testimonios que han sido producidos por miembros de una comunidad –y que pueden ser leídos como un acto de representación de dicha comunidad– en contraste con otros tipos de testimonios. Y es una distinción importante, ya que a medida que examinamos la variedad de testimonios producidos en Centroamérica durante la segunda mitad del siglo XX, encontramos varias instancias en las que el narrador del testimonio sí llega a desempeñar y auto-adjudicarse un papel patriarcal y hegemónico, tanto en términos de su propia representación textual como a partir del papel que desempeña en la sociedad. Los testimonios *Los días de la selva* (1980) de Mario Payeras y *La montaña es algo más que una inmensa estepa verde* (1982) de Omar Cabezas pueden ilustrar esta práctica.

Dos años antes, Beverley había advertido a sus lectores la dificultad de definir el conjunto tan variado de textos que conforman la categoría testimonio. Para ilustrar su punto, en su artículo "Anatomía del testimonio" (1987) Beverley enumera aquellos textos en su biblioteca personal que por uno u otro motivo podrían clasificarse bajo la categoría de testimonios. Beverley tiene a su crédito, por lo tanto, la práctica de nunca descartar la necesidad de ser flexible a la hora de definir

5. The narrator in *testimonio* [...] speaks for, or in the name of, a community of group, approximating in this way the symbolic function of the epic hero, without at the same time assuming his hierarchical and patriarchal status.

el testimonio o de emitir juicio respecto a si un determinado texto constituía o no un testimonio. A pesar de su advertencia, la definición tentativa propuesta por Beverley a finales de su ensayo publicado en 1987, con frecuencia ha sido ha sido presentada como *la* definición del testimonio por varios estudiosos del tema. Marc Zimmerman, por ejemplo, cuyo trabajo reciente toma una posición poscolonial que busca desconstruir la posición de los primeros textos críticos publicados sobre el testimonio, en 1991 tomaba las definiciones de los especialistas en testimonio al pie de la letra. Así lo indican sus comentarios respecto al texto *Testimonio* (1987) de Víctor Montejo: "El libro de Montejo se apropia del género [testimonial] con su título, pero irónicamente, *no es un testimonio de acuerdo con todas las categorías sugeridas por los especialistas en la materia.* Sin embargo, hay poca duda de su poder y de su valor documental" (el énfasis es mío, 123).[6] En verdad, gran parte de los encuentros y desencuentros en la discusión crítica sobre el testimonio parte del hecho de que nunca se ha llegado a un acuerdo respecto a la definición del testimonio. Para unos, es un texto que representa a una comunidad, para otros contribuye a la construcción de la identidad, otros consideran que contiene la verdad. Otros más, como veremos adelante, creen que el testimonio pretende manipular políticamente a sus lectores extranjeros.

La imposibilidad de establecer una definición rígida del testimonio fue solamente un preludio a otros problemas que estaban por surgir. Desde una perspectiva retórica, uno puede preguntarse si los textos que pueden clasificarse como parte de este género deberían estar sujetos a una definición establecida *a priori.* Sin embargo,

6. Montejo's book co-opts the entire genre with its title, but ironically, it is not a testimonio according to all the categories suggested by the specialists in the matter. However, there is little doubt of its documentary value and power.

los conflictos han escalado a un nivel más dañino, tal como se hace evidente cuando consideramos las acusaciones que recientemente se han hecho en contra de Rigoberta Menchú. Uno podría incluso preguntarse si los sujetos del testimonio deberían ser medidos y evaluados a la luz de los estándares de una definición académica hecha *a priori* de su escritura testimonial.

Cuando se hizo el argumento de que estos textos contenían un cierto conocimiento que al leerlos el lector podía *poseer*, y más adelante se argumenta que este conocimiento estaba *viciado* por las perspectivas propias de su autor, la pregunta surge: ¿A quién debemos culpar por ya no tener las posibilidades de decir que tenemos el conocimiento que en algún momento dijimos que teníamos la posibilidad de tener? ¿Acaso no es nuestra propia estrategia para la lectura de estos textos donde se encuentra el problema? ¿Acaso vamos a juzgar a Menchú como responsable por la obsesión que en el mundo académico hay con la representación?

Doris Sommer da inicio a uno de sus más recientes libros sobre la escritura minoritaria con una advertencia de gran relevancia para esta discusión:

> Tenga cuidado con algunos libros. Pueden morder a los lectores que se acercan a ellos con la certeza de que tienen derecho de saberlo todo, no importa de cuál texto se trate, se acercan a él con la intimidad conspirativa de un compañero potencial. Los lectores que insisten en comprender podrían estar desdeñando otro tipo de interacción [con el texto], uno que haría del respeto un requisito para la lectura. La bofetada del rechazo a la intimidad por parte de libros no cooperantes puede disminuir la velocidad de los lectores, detenerlos en las fronteras entre el contacto y la conquista, antes de que obliguen a

la escritura particularista a renunciar a la diferencia cultural en pos del significado universal (ix).[7]

El conocimiento fue una de las más importantes armas de los movimientos de solidaridad que buscaban obtener apoyo político, económico y social para las víctimas de la violencia y represión en Centroamérica. Sin embargo, desde una perspectiva ideológica, también ha sido una herramienta para la erradicación del Otro centroamericano. El conocimiento está relacionado con la verdad, y como miembros de los movimientos de solidaridad a un nivel internacional se auto-adjudicaban la capacidad de *conocer* al Otro centroamericano a través de su representación por Menchú, María Teresa Tula, o Elvia Alvarado, para nombrar a algunas testimonialistas, también crearon su propia visión de ese Otro centroamericano, uno que aparentemente era su igual, uno al que podían referirse por su primer nombre, es más, uno que era responsable por desnudar su cultura, sus experiencias, su sufrimiento, a la comunidad de solidaridad internacional. No estar dispuesto a hacerlo no solamente sería interpretado como una traición, como pueden ilustrarlo las acusaciones que se han hecho en contra de Menchú. Irónicamente, mientras que los gobiernos centroamericanos de posguerra han permitido de manera oficial la producción de *Reportes de la verdad* por comisiones nacionales e internacionales incluyendo las formadas por las Naciones Unidas, estos reportes han

7. Be careful of some books. They can sting readers who feel entitled to know everything as they approach a text, practically any text, with the conspiratorial intimacy of a potential partner. Readers bent on understanding may neglect another kind of engagement, one that would make respect a reading requirement. The slap of refused intimacy from uncooperative books can slow readers down, detain them at the boundary between contact and conquest, before they press particularistic writing to surrender cultural difference for the sake of universal meaning.

sido leídos por muy pocos centroamericanos, y las recomendaciones que aparecen listadas en dichos reportes han sido mayoritariamente ignoradas, y la política gubernamental ha sido instituir amnistía (o en algunos casos inmunidad ligada a cargos gubernamentales) para erradicar responsabilidades y la memoria de las atrocidades de guerra cometidas. El Otro centroamericano, como en este caso Rigoberta Menchú, sigue siendo acusado a nivel internacional por no decir la verdad, por ser subjetiva, por tener motivaciones políticas, culturales y personales, más allá de desnudar su cultura en un espectáculo para todos nosotros. Hay una cierta ficción sobre la posguerra que no debe considerarse a la ligera. Mientras que en el espacio rural centroamericano ya no llueven bombas ni balas, la guerra continúa en la forma de políticas y prácticas de injusticia social, cultural, racial y económica. Es bajo estas circunstancias que demandamos que Menchú desnude su verdad ante nosotros.

El problema de la representación

Me parece importante analizar más a fondo el problema de la representación con respecto al testimonio. Antes que el testimonio se instituyera desde la academia norteamericana como un aparato de representación del Otro latinoamericano, la representación ya tenía un papel prioritario en el panorama cultural occidental a consecuencia de la institucionalización del concepto de lo literario proveniente de la modernidad. En el caso de América Latina, por un lado, se hace un esfuerzo por representar a las masas marginadas del discurso literario latinoamericano; mientras que por otro lado, se cuestiona la capacidad que pueda tener el intelectual de llevar a cabo dicho proyecto. El testimonio surgió como una alternativa a la representación del Otro por parte del intelectual, en un momento en el que, tal como George Yúdice lo señala, "ya no es posible la postura de, digamos, un Neruda que ejerce la autoridad de hablar por los oprimidos" ("Testimonio y concientización" 208).[8] Entre otras cosas, en la poesía de Neruda hay una tendencia a eliminar la enorme distancia económica, cultural, étnica, social e ideológica que hay entre el poeta y las masas de marginados: "No sufras/ porque ganaremos,/ ganaremos nosotros,/ los más sencillos" (Neruda 118). Por otra parte, el poeta se presenta como capaz de representar, a través de su poesía y de sus palabras, al Otro del que habla: "dadme/ las luchas/ de cada día/ porque ellas son mi canto,/ y así andaremos juntos,/ codo a codo,/ todos los hombres,/ mi canto los reúne" (Neruda 14). La producción testimonial latinoamericana fue interpretada como un elemento desestabilizador de la institución literaria por su cuestionamiento del concepto de literatura y del discurso literario. Beverley señalaba que "el testimonio pone en tela de juicio la existente institución literaria como un aparato ideológico de alienación y dominación al mismo tiempo que se constituye a sí mismo como una nueva forma de literatura" ("The Margin at the Center" 35).[9] Este primer acercamiento al testimonio ha sido debatido incluso en posteriores análisis realizados por el mismo Beverley. Para los propósitos de esta discusión, resulta significativo el comentario que Niel Larsen hace al respecto:

> La ironía aquí es que, a pesar de su anti- o pos-modernismo superficial, la teoría de Beverley de lo testimonial efectivamente le concede al modernismo un derecho

---

8. It is no longer possible to take the posture of, let's say, a Neruda who exercises the authority to speak for the oppressed.

9. *Testimonio* puts into question the existing institution of literature as an ideological apparatus of alienation and domination at the same time that it constitutes itself as a new form of literature.

exclusivo al valor *literario*. Contracanonizar lo testimonial en esta forma simplemente refuerza la hegemonía canónica del modernismo (Introduction 11).[10]

Larsen señala de manera muy acertada, el problema ideológico que sirvió de base para la institucionalización del testimonio como herramienta de representación de la subalternidad y como elemento desestabilizador de lo literario: la aceptación incuestionable de que lo literario se define únicamente a partir del proyecto de la modernidad. Es en este contexto que Larsen aboga por los textos de ficción:

> Por supuesto, son ficciones [...] pero Beverley en ningún lugar ha demostrado que las 'ficciones' no puedan como *ficciones* lograr las mismas cosas que los testimonios. 'The Margin at the Center' [el artículo de Beverley] implica esto, pero sin argumento. La conclusión me parece inescapable aquí que al decir 'literatura' él se refiere a conceptos modernistas e históricamente vanguardistas de lo literario como una autonomía absoluta, o agencia, de la forma. Y en referencia específica a América Latina, 'literatura', para Beverley, seguramente significa el *boom* (Introduction 11).[11]

Este tipo de cuestionamiento generó todo un proceso revisionista de la teoría testimonial de los años

10. The irony here is that, despite its superficial anti- or post- modernism, Beverley's theory of the testimonial effectively concedes to modernism an exclusive claim to *literary* value. Countercanonizing the testimonial in this way merely reinforces the canonical hegemony of modernism.

11. Or course, they are fictional [...] but Beverley has nowhere shown it to be the case that "fictions" cannot as *fictions* do the same things testimonials do. "The Margin at the Center" implies this, but without argument. The conclusion seems to me inescapable here that by "literature" he means modernist and historically avant-gardist conceptions of the literary as an absolute autonomy, or agency, of form. And with specific reference to Latin America, "literature," for Beverley, surely means the *boom.*

setenta y ochenta. Siguiendo esta línea, Yúdice señala que en el caso del testimonio, "la representación –eje del discurso referencial en la modernidad occidental– no ocupa ya el primer plano" ("Testimonio y concientización" 209).

A esta discusión respecto al testimonio se añade una ola de análisis poscolonialistas desde los que se denuncia la tendencia del intelectual a auto-representarse como un ser transparente, sin ningún tipo de carga ideológica, capaz de representar por medio de sus palabras a ese Otro marginado que se encuentra no sólo a una distancia geográfica prudente, sino también al otro lado de la división económica global del trabajo. El testimonio se desplazó hacia nuevos espacios interpretativos, ya no tan centrados alrededor de la idea de la representación, y mucho más relacionados con la idea de la concientización, de la participación en la construcción de la identidad cambiante y dislocada de la comunidad, y más.

Parte del problema de la representación, como lo señala Santiago Colás, es que puede ser entendida de dos formas, ambas cuestionables y contradictorias. Por un lado, desde la perspectiva del realismo –la cual Colás asocia con la postura ideológica que Miguel Barnet toma ante la producción testimonial– "la representación implica transparencia, una puerta abierta que ofrece acceso a lo que se representa" (162).[12] Esta misma línea de pensamiento sigue Larsen al señalar que "el marxismo [...] implica el rechazo intransigente del modernismo como una estética y la promoción concomitante del realismo" (Introducción 19),[13] la cual puede identificarse con la perspectiva realista sobre el concepto de repre-

12. Representation implies transparency, an open door offering access to the represented.

13. Marxism [...] entails an uncompromising rejection of modernism as an aesthetic and concomitant advocacy of realism.

sentación. Desde ese punto de vista, se pretende solucionar el problema de la representación a través de un intelectual, como en el caso de Neruda, por medio de la intervención de otro intelectual –como en el caso de Miguel Barnet en *Biografía de un cimarrón* (1966), el testimonio de Esteban Montejo que él mediatizó– que nuevamente se auto-representa como transparente y por lo tanto capaz de permitir que el Otro se exprese a través de él. Por otro lado, desde una perspectiva modernista, Colás señala que se parte del presupuesto que "cada representación últimamente se refiere a sí misma ya que habla de su propia incapacidad de borrarse para llenar el espacio que existe entre sí y el 'otro', que supuestamente hace presente, representa" (162).[14] A partir de esta última posición, el narrador del testimonio nunca puede llegar a representar a la colectividad de la que proviene "no porque no hace muchas de las cosas que la colectividad hacía, sino especialmente porque hace algo que la colectividad no hace: es decir, aparece como un protagonista/narrador en un testimonio" (162-63).[15]

Ambas posiciones nos remiten al análisis de Gayatri Spivak sobre la representación. Por un lado, Spivak señala la imposibilidad que tiene el intelectual de Occidente de contar con la transparencia ideológica que dice tener. Spivak pone en evidencia la violencia epistemológica que se lleva a cabo a través de lo que ella describe como "el intelectual primermundista disfrazado como el ausente no representante que les permite a los opri-

14. Every representation ultimately refers to itself in that it speaks of its own inability to efface itself by closing the gap between itself and that 'Other,' which it is supposed to make present, to represent.

15. Not because he does not do many of the things that the collectivity did, but especially because he does something that the collectivity does not do: namely, appear as a protagonist/narrator in a *testimonio*.

midos hablar por su propia cuenta" (292).[16] Por otro lado, Spivak señala que la subalternidad no puede hablar como tal, pues al hacerlo deja de ser subalternidad para convertirse en un representante de ésta. Al cuestionar ambas formas de entender la representación, lo que Spivak propone es que la subalternidad no puede hablar precisamente porque "la representación no ha desaparecido" (308).[17] Sommer critica a Spivak por concluir que "el subalterno no puede hablar" (Spivak 308),[18] tildándola como "una deducción desmoralizante, a decir verdad" (Sommer 21).[19] Para Sommer, "la pregunta pertinente es si la otra parte puede escuchar" (20).[20] Bien podría ser que ambos argumentos –que el subalterno no puede hablar mientras que el intelectual primermundista preserve su obsesión con la representación y la verdad; y que el intelectual primermundista no ha aprendido a escuchar a la escritura particularista, insistiendo en darle una lectura a un nivel universal– compartan más puntos de coincidencias que diferencias, a medida que ambos exploran una experiencia de comunicación rota. En esta encrucijada de la lectura crítica del testimonio, las propuestas de Fredric Jameson y de George Yúdice resultan particularmente importantes, ya que la primera presenta una alternativa al binarismo realismo/modernismo, mientras que la segunda propone una alternativa al problema de la representación.

16. [...] the first-world intellectual masquerading as the absent nonrepresenter who lets the oppressed speak for themselves.

17. [...] representation has not withered away.

18. [...] the subaltern cannot speak.

19. [...] a disappointing deduction, to be sure.

20. [...] the pertinent question is whether the other party can listen.

Propuestas alternativas

La alternativa que Jameson propone es el posmodernismo, cuya lección es "la lección posdualista de que el repudio de lo moderno no obliga a aceptar el realismo como la única otra categoría o posición lógica disponible" (123). Hay dos características posmodernas que para Jameson sobresalen en el testimonio: "la despersonalización o el retorno del anonimato [...] y [...] la espacialización en vez de la temporalidad" (128). Como anonimato, Jameson no sugiere la eliminación de la identidad del narrador, sino "su multiplicación" (129). Al hablar de espacialización, Jameson se refiere a que el testimonio se resiste a representar a una colectividad en su momento original y puro, si es que ese momento existe. Para Jameson, el testimonio refleja "el momento de pesadilla en que lo 'moderno' o lo capitalista-occidental coexiste en vívida brutalidad con lo arcaico o la aldea tradicional" (131). Tanto este concepto de espacialización, como la denuncia que Spivak hace de la construcción del Otro por parte del intelectual occidental a partir de su propia perspectiva, problematizan la posición tomada en aquel entonces por críticos como Zimmerman, quien percibe como un problema la diferencia que existe "entre lo que [Rigoberta Menchú] dice que son las creencias mayas y lo que éstas pueden ser en realidad" (112).[21] Zimmerman propone además que "sería importante considerar el grado en el que las visiones de Rigoberta, antes y después de su politización, corresponden a modos originales o transformativos del pensamiento maya *tal como es entendido por las autoridades en la materia*" (el énfasis es mío,

21. [...] between what [Rigoberta Menchú] claims are Mayan beliefs and what they may authentically be.

117).[22] Estas afirmaciones implicarían que son las "autoridades" en la materia, es decir, los intelectuales, quienes tienen la última palabra respecto a si el testimonio de Menchú refleja el pensamiento maya puro –así como al definir dicho pensamiento– o si éste ha sido "contaminado" a través de su contacto con el mundo exterior, la política de izquierda, las comunidades eclesiales de base, o el español. Se trata de una posición que se acerca al esencialismo al asumir la existencia de un "maya esencial" que todavía puede ser "descubierto".[23]

Por fortuna, mucho ha cambiado el tono de la discusión sobre el testimonio desde entonces. Yúdice, por ejemplo, ha señalado que "Rigoberta Menchú tuvo que aprender otro idioma (el castellano) y abandonar su aldea. Ello no quiere decir que haya abandonado su cultura

22. It would be important to consider the degree to which Rigoberta's views, before and after their politicization, correspond to original or transformative modes of Mayan thought *as understood by authorities on the subject.*

23. En el volumen 2 de su estudio, *Literature and Resistance in Guatemala* (1995), Zimmerman continúa poniendo énfasis en la dimensión representativa del testimonio de Menchú, ya que cuestiona "si ella representa más que a sí misma, más que a su familia, un sector de su grupo, de su pueblo, a los Maya guatemaltecos, y demás" ["whether she represents more than herself, more than her family, a sector of her group, her town, the Guatemalan Mayans, and so on"] (51-52). Sin embargo, él también señala que "por un lado Rigoberta quiere contar su historia para obtener simpatía para la causa de su gente, pero por otro lado tiene miedo de decir toda la verdad, porque su gente sabe por experiencia la forma en que otros han usado lo que han podido averiguar sobre ellos" ["on the one hand Rigoberta wants to tell her story to win sympathy to her people's cause, but on the other hand she is afraid to tell the whole truth, because her people know from experience the way others have used what they could find out about them"] (52). Para ser justa con Zimmerman, es importante tomar en consideración sus ensayos más recientes respecto a las acusaciones hechas por David Stoll en contra de Menchú, tal como la ponencia que presentó en marzo de 2000 en el Octavo Congreso Internacional de Literatura Centroamericana (CILCA) en la Antigua Guatemala. La oposición entre Stoll y Menchú ha generado la necesidad de desconstruir teorizaciones anteriores respecto al testimonio.

sino que a través de ella y otros como ella, su cultura fue transformándose conforme a la lucha político-cultural" ("Testimonio y concientización" 225). Es así que la opción –antes mencionada– que Yúdice propone a la representación, está ligada a un proceso dialéctico de formación de la identidad colectiva que le permite al testimonio contribuir a la formación de esa identidad, participar en el proceso de concientización de esa colectividad y, por lo tanto, en su consecuente transformación. Para Yúdice, "la escritura testimonial es primero y antes que nada un acto, una táctica por medio de la cual la gente se involucra en un proceso de auto-constitución y sobrevivencia" ("*Testimonio* and Postmodernism" 19).[24] Yúdice, por lo tanto, descarta la validez de lo que él llama "el discurso representacional", en el cual, "el otro queda excluido de los parámetros de la representación y sólo puede ser rescatado mediante una desconstrucción que reconoce que esa marginalidad es condición de posibilidad para la empresa representativa, es decir, su no ser hace posible ser representado" ("Testimonio y concientización" 220).

Por otra parte, su propuesta rompe con la definición de la identidad como una característica fija de un individuo o de una comunidad, y sugiere la posibilidad de entender la identidad como un concepto plural en constante transformación, y de que el testimonio, a su vez, participe en ese proceso de transformación de la identidad. Siguiendo el señalamiento que Larsen ha hecho respecto a la definición de lo literario, la idea de la identidad como un concepto fijo que define a ciertas comunidades también pertenece a la visión de mundo generada por la modernidad. Si la identidad –entendida como un concepto establecido que debe defenderse a toda costa– es producto de la modernidad, entonces el mo-

24. Testimonial writing is first and foremost an act, a tactic by means of which people engage in the process of self-constitution and survival.

mento histórico actual producido por el final de las guerras civiles en Centroamérica requiere de una reelaboración de dicho concepto. Por consiguiente, es significativo que el testimonio haya desempeñado un papel importante en el proceso desestabilizador de ese concepto fijo de la identidad. Una de las formas en que el testimonio cuestiona la visión de mundo que se construye a partir de la modernidad es, como Yúdice lo señala, por medio de su "rechazo de los discursos maestros o de los marcos prevalecientes para la interpretación del mundo y la creciente importancia de lo marginal" ("*Testimonio* and Postmodernism" 21).[25]

A pesar de que el testimonio es, para Yúdice, un producto de la posmodernidad, él distingue lo que califica como "el discurso posmoderno hegemónico" del discurso posmoderno testimonial, ya que en el primero no hay un proceso de concientización como en el discurso testimonial, sino que en él "se apoteíza la marginalidad excluida en el [discurso representacional] pero sólo para experimentar la sublimidad de no ser que ella desempeña dentro del orden de las cosas imperante" ("Testimonio y concientización" 220). Como ejemplo de esto Yúdice menciona el texto *Salvador* de Joan Didion (1983), en el que "la base estético-ideológica de su reportaje 'testimonial' putativo transforma su testimonio en una auto reflexión de su propia visión alienada" ("*Testimonio* and Postmodernism" 24).[26] Por el contrario, la alternativa que Yúdice propone a la representación, es decir, la concientización, se refiere particularmente a

25. [...] rejection of master discourses or prevailing frameworks of interpreting the world and the increasing importance of the marginal.

26. [...] the aesthetic-ideological underpinnings of her putative 'testimonial' reportage transform her testimony into a self-reflection of her own alienated vision.

> los testimonios que surgen de luchas comunitarias a nivel local y cuyo propósito no es representar sino contribuir mediante su acción a la transformación social y conciencial. El énfasis no cae sobre la fidelidad a un orden de cosas ni sobre la función de portavoz ni sobre la ejemplaridad –los tres sentidos de representación– sino sobre la creación de solidaridad, de una identidad que se está formando en y a través de la lucha ("Testimonio y concientización" 211-12).

La lucha de las mujeres

En el caso del testimonio centroamericano, hay tres textos que surgen a nivel local que participan de manera significativa en un proceso concientizador y en la búsqueda de solidaridad a la vez que promueven la transformación social. Entre ellos se encuentran *Este es mi testimonio: María Teresa Tula, luchadora pro-derechos humanos de El Salvador* (1995), *Me llamo Rigoberta Menchú y así me nació la conciencia* (1983) y el testimonio de Elvia Alvarado *Don't Be Afraid Gringo: A Honduran Woman Speaks from the Heart* (1987). Las comunidades a las que estas mujeres pertenecen fueron invadidas por la violencia y el hambre. Ellas mismas fueron forzadas a dejarlas y a salir al mundo exterior para defenderse a sí mismas y a sus colectividades. Su incursión en el espacio público les permitió participar de forma más activa en la construcción de una identidad colectiva, un privilegio que anteriormente estuvo reservado para sus contrapartes masculinas, así como para aquellos que habitan el otro lado de la división internacional del trabajo, entre ellos, los intelectuales. Cada uno de estos testimonios sugiere un proceso personal de concientización de parte de sus narradoras, pero también expresan su esperanza para el surgimiento de una conciencia colectiva. Por otra parte, su mensaje está también dirigido a los grupos de solidaridad internacional. Es a ellos a quienes se dirige Alvarado en el siguiente parlamento:

> De aquellos de ustedes que sienten el dolor de los pobres, que sienten el dolor de los asesinados, de los desaparecidos, de los torturados, necesitamos más que simpatía. Necesitamos que se unan a la lucha. No tengan miedo, gringos. Mantengan sus espíritus en alto. Y recuerden, ¡estamos aquí con ustedes! (146).[27]

Debido a que el énfasis académico ha sido colocado en la representación, estas mujeres con frecuencia han sido acusadas de no representar de manera apropiada al subalterno del que surgieron. Como Zimmerman lo ha señalado al referirse a Menchú, han sido acusadas de estar "lejos de ser el miembro típico de [su] grupo" (120).[28] Como lo hemos podido observar en años recientes, la crítica a Menchú ha ido mucho más lejos. Y sin embargo, Beverley señala un aspecto significativo del testimonio de Menchú: "Tampoco hay nada particularmente ancestral o tradicional sobre la comunidad y su forma de vida que su testimonio describa. No hay nada más 'posmoderno', nada más afectado por las fuerza económicas y culturales del capitalismo transnacional [...] que las contingencias sociales, económicas y culturales en las que Menchú y su familia viven y mueren" ("The Real Thing" 277).[29] En otras palabras, Beverley reconoce que la comunidad de Menchú ya había sido

---

27. From those of you who feel the pain of the poor, who feel the pain of the murdered, the disappeared, the tortured, we need more than sympathy. We need you to join the struggle. Don't be afraid, gringos. Keep your spirits high. And remember, we're right there with you!

28. [...] far from typical of [their] group.

29. There is nothing particularly ancestral or traditional about the community and way of life that her testimonio describes either. Nothing more 'postmodern,' nothing more traveresed by the economic and cultural

invadida por formas de violencia externas mucho antes de que ella produjera su testimonio.

En contraste con lo que pudiera ser entendido como un movimiento feminista internacional, la lucha de las mujeres centroamericanas–y por lo tanto su feminismo–están ligados a la lucha colectiva, a la lucha por la liberación de los oprimidos y de los explotados. Las mujeres, en solidaridad con y en defensa de sus comunidades y familias, ingresaron en el espacio público, se organizaron, y buscaron obtener ayuda de fuera de sus comunidades para negociar posibles soluciones para sus problemas colectivos. A medida que participaron en este proceso, estas mujeres centroamericanas pudieron incrementar sus niveles de conciencia social, y encontrar formas de luchar por sus derechos como mujeres. Por lo tanto, el feminismo centroamericano, particularmente entre las masas marginadas, siempre ha estado ligado a la lucha popular por la liberación social. Lo que Beverley y Zimmerman señalan en su libro *Literature and Politics in Central America* sobre la poesía, podría aplicarse a otras áreas de producción cultural:

> Es difícil separar lo que en esta poesía representa a las mujeres suscribiéndose a una voz nacional-popular y lo que está centrado específicamente en cuestiones de la liberación de la mujer como tal. La distinción es en cierta forma académica en cualquier caso, ya que la revolución ha sido el contexto en el que un movimiento de mujeres de cualquier tipo se ha desarrollado (138).[30]

---

forces of transnational capitalism [...] than the social, economic, and cultural contingencies Menchú and her family live and die in.

30. It is difficult to separate what in this poetry represents women joining in a national-popular voice and what is specifically centered on questions of women's liberation as such. The distinction is somewhat academic in any case, since the revolution has been the context in which a women's movement of any sort at all has developed.

El encuentro de las mujeres centroamericanas con el feminismo y con un temprano cuestionamiento de su situación por medio de su participación en la lucha popular se refleja en su producción testimonial. Alvarado, por ejemplo, tuvo que romper con el papel asignado a las mujeres en su colectividad. En primer lugar, su trabajo como activista era tradicionalmente desempeñado por un hombre. En segundo lugar, su situación como una mujer adulta y soltera en una sociedad que esperaba que la mujer siempre estuviera acompañada por un hombre en público, pronto se convirtió en un obstáculo para que ella pudiera lograr un cierto nivel de legibilidad cultural. Su lugar era un lugar marginal dentro de esta colectividad ya marginal en sí misma. La urgencia del conflicto armado generó la posibilidad de que la mujer llevara a cabo labores que bajo otras circunstancias se le hubieran negado, y acceso a los espacios públicos que antes se encontraban vedados para las mujeres. El texto revela que Alvarado está consciente de su posición problemática:

> Como pasamos tanto tiempo con los hombres, algunas de las mujeres campesinas se ponen celosas. [...] Ellas no me dicen nada a mí. Les dicen a sus otras amigas, pero generalmente me entero. Ellas dicen que están celosas porque yo paso tanto tiempo con sus hombres, y que a veces yo duermo en el campo con ellos, y que quién sabe qué estoy haciendo con ellos (Benjamin 89).[31]

El testimonio de Tula también revela que ella está familiarizada con ideas feministas, al menos en los términos en que se entiende el feminismo en su organización

31. Since we spend so much time with the men, some of the campesina women get jealous. [...] They don't say anything to me. They tell one of their friends, but it usually gets back to me. They say they're jealous because I spend so much time with their men, and that sometimes I sleep out in the fields with them, and who knows what I'm doing with them.

política, el Comité de Madres y Familiares de los Desaparecidos (COMADRES). Tula también está conciente de que su concepto de feminismo es muy diferente al que circula a nivel internacional, y también al que se teoriza en el mundo académico:

> En El Salvador, nosotros no andamos llamándonos feministas, pero somos feministas porque estamos luchando por nuestros derechos. La diferencia para nosotros en El Salvador es que nuestra lucha como mujeres viene unida a nuestra lucha por el cambio en El Salvador. Nuestro feminismo no solamente incluye luchar por nosotras mismas, sino un cambio para todas nosotras (Tula 125).[32]

A pesar de la activa participación de las mujeres en las luchas revolucionarias, el poder –inclusive al interior de las organizaciones revolucionarias– permaneció, por la mayor parte, en manos de los hombres, lo cual no detuvo a las mujeres en su apoyo a la causa. Como resultado, muchas mujeres, como Alvarado, Tula, o Menchú se sintieron obligadas a abandonar sus comunidades, y en algunos casos también sus países, en busca de soluciones y apoyo externo. En sus testimonios, hay señales de que su propio nivel de conciencia, no solamente respecto a la lucha popular, sino también respecto al papel en el espacio social que ocupan las mujeres, fue transformado por su contacto con la diversidad del mundo exterior. Tula, por ejemplo, habla de cómo sus viajes a nivel internacional, abrieron su mente a nuevas ideas:

> Mientras más viajaba, más diferencias veía. Una de las cosas que me sorprendió más que ninguna otra fue la

32. In El Salvador, we don't run around calling ourselves feminists, but we are feminists because we are fighting for our rights. The difference for us in El Salvador is that our struggle as women comes together with our struggle for change in El Salvador. Our feminism doesn't just involve fighting for ourselves, but for a change for all of us.

> primera vez que vi a dos mujeres abrazándose y besándose entre sí. Esto sucedió durante mi primer viaje a Europa. Yo me dije a mí misma, "Bueno, deben ser hermanas, o algo así". En El Salvador dos mujeres que no son hermanas nunca podrían hacer algo así. Está prohibido. Es un pecado. [...] En este viaje a Alemania, visitamos una universidad de mujeres. Mientras estábamos buscando algo de comer en la cafetería, Carmen y yo nos dimos cuenta de que había parejas de mujeres alrededor de nosotros dándose de comer la una a la otra con mucha ternura. [...] Sabes, como mujer, es bueno saber sobre todas las cosas que existen en el mundo para las mujeres (128-29).[33]

Tula es originaria de un área rural. Ella creció como parte de la clase trabajadora y no pudo obtener una educación; fue forzada a ingresar al mundo de la política y de la lucha popular después de que su esposo fue capturado por el ejército salvadoreño. Él, sin ella saberlo, era un líder del sindicato de un ingenio azucarero. En su testimonio, Tula explica que después de ese momento, ella luchó por la liberación de su esposo, y fue durante ese periodo de su vida que ella entró en contacto con COMADRES. Cuando su esposo fue liberado –años más tarde fue asesinado por un escuadrón de la muerte– Tula ya no pudo regresar de manera exclusiva a sus labores domésticas. Para entonces ya estaba involucrada

33. The more I traveled, the more differences I would see. One of the things that surprised me the most was the first time that I saw two women hug and kiss each other. This happened on my first trip to Europe. I said to myself, "Well, they must be sisters, or something." In El Salvador two women who aren't sisters can never do that. It's prohibited. It's a sin. [...] On this trip to Germany, we visited a women's university. While we were getting something to eat in the cafeteria Carmen and I noticed that there were pairs of women around us feeding one another quite tenderly. [...] You know, as a woman, it's good for you to know about all of the things that exist in the world for women.

en una lucha por los derechos humanos que no podía dejarse para más tarde. Por otro lado, ya no era la misma mujer que alguna vez fue porque a través de su participación en la lucha organizada había llegado a cuestionar el papel al que su sociedad ha relegado a las mujeres. Ella explica:

> Todas las mujeres en COMADRES tenían problemas en la casa justo como yo. De hecho, muchos de sus problemas eran peor que los míos. Ellas tenían maridos machistas que las golpeaban, que dormían con otras, que tomaban demasiado, y que se gastaban el dinero para la comida de la familia en licor y en otras mujeres. Yo no sé cómo fue que llegaron a tener una conciencia política dada la situación de la que venían (73).[34]

Muchos de los hombres que también eran parte de la lucha popular durante la revolución fueron cuestionados en su papel de opresores de las mujeres, sus compañeras. Lynn Stephen explora este problema en su introducción al testimonio de Tula:

> Mientras que en la agenda formal de COMADRES sus miembros se mantuvieron enfocados en confrontar las fuentes de abusos a los derechos humanos en El Salvador, en sus conversaciones privadas y en su experiencia, también comenzaron a cuestionar seriamente los papeles de género asignados a la mujer. Muchas activistas que, en el mejor de los casos, carecían del apoyo de su esposo, en el peor de los casos eran golpeadas por ellos. Cuando un miembro de COMADRES era violada, como una parte rutinaria de su tortura, sería rechazada por su esposo y familiares como un bien dañado. Las discusiones privadas

34. All the women in COMADRES had problems at home just like me. In fact, many of their problems were worse than mine. They had macho husbands who beat them, slept around, drank, and spent the family's food money on liquor and other women. I don't know how they came to have a political consciousness given the situation they came from.

> e internas sobre los derechos que ellas tenían como mujeres, como trabajadoras, y como madres, pronto se volvió parte de su agenda pública hacia finales de los años ochenta. El apoyo para este nuevo aspecto de su trabajo llegó en parte de un pequeño movimiento feminista que estaba surgiendo en El Salvador en aquella época. A medida que las secciones de mujeres de otras organizaciones populares empezaron a cuestionar su posición subordinada dentro de sus propias organizaciones y de sus casas, otras mujeres salvadoreñas empezaron a tomar una posición pública respecto a problemáticas como la violación, la desigual carga de trabajo en el hogar, la marginación política de la mujer, y la falta de control que tenían las mujeres sobre su propia sexualidad y sus cuerpos (3-4).[35]

Tula hace referencia a esta paradoja en su testimonio al hablar sobre el conflicto personal que experimentaba en el momento de la liberación de su esposo mientras ella estaba en Costa Rica como delegada de COMADRES durante una conferencia mundial por la paz:

---

35. While the formal agenda of COMADRES members remained focused on confronting the sources of human rights abuses in El Salvador, in their private conversations and experience, they also began seriously questioning female gender roles. Many activists were not supported by their husbands at best, and beaten by them at worst. When members of COMADRES were raped, as a routine part of their torture, they would be rejected by their husbands and families as damaged goods. Private, internal discussions about what rights they had as women, as workers, and as mothers, slowly became part of their public agenda at the end of the 1980s. Support for this new aspect of their work came in part from a small feminist movement emerging in El Salvador at that time. As women's sections of other popular organizations began to question their subordinate position within their own organizations and homes, other Salvadoran women were beginning to take a public stand on such issues as rape unequal work burdens in the home, the political marginalization of women, and women's lack of control over their own sexuality and bodies.

> Cuando regresé a El Salvador de Costa Rica estaba feliz de estar de regreso en casa, de ver a mis hijos y más que nada de ver a Rafael, quien había salido de la cárcel. [...] Había estado viviendo sola en la casa con mis hijos por seis meses mientras mi compañero estaba en la cárcel. Yo no tenía idea de cuáles iban a ser sus ideas cuando regresara o de si iba a dejarme salir de la casa para seguir haciendo mi trabajo. Y se volvió un problema. [...] Mi compañero era un hombre de clase trabajadora con una gran conciencia de clase. Tenía mucha experiencia política –más que yo–. Él siempre estaba trabajando para cambiar la situación de los trabajadores que habían sido explotados por la gente en el poder. Me parecía extraño que un hombre que a mí me parecía que tenía más conciencia política de la que yo tenía estuviera diciéndome que no me involucrara en nada. Él quería que yo me quedara en casa y que cuidara de la casa y de los niños (67-69).[36]

El testimonio de María Teresa Tula también narra la pérdida de su esposo, su propia experiencia como una mujer detenida y torturada, y su exilio a Estados Unidos.

A medida que su nivel de conciencia aumentó, mujeres como ella produjeron obras testimoniales en soli-

---

36. When I returned to El Salvador from Costa Rica I was happy to be back home, to see my children and most of all to see Rafael, who was out of jail. [...] I had been living alone in the house with my children for six months while my compañero was in jail. I had no idea what his ideas were going to be when he came back or if he was going to let me leave the house to carry out my work. And it turned out to be a problem. [...] My compañero was a working-class man who was very class-conscious. He had a lot of political experience–more than I did. He was always working to change the situation of workers who had been exploited by people in power. It seemed so strange to me that a man who I thought had more political consciousness than I did would be telling me not to get involved in anything. He wanted me to stay at home and take care of the house and the children.

daridad con el resto de sus compañeros perseguidos en la lucha popular. Sin embargo, no todos los textos testimoniales pueden considerarse como instancias de solidaridad. Hay algunos testimonios que carecen del juego dialéctico que les permitiría participar en la construcción de una identidad colectiva. Se trata de textos que tienen un objetivo reducido, como en el caso de un objetivo político específico, y en contraste con estas mujeres y otros sujetos testimoniales subalternos, hay narradores de testimonios que reproducen o incluso implantan un discurso patriarcal y hegemónico de la identidad colectiva. Por esta razón, Yúdice señala la necesidad de hacer una distinción entre los testimonios que han sido "estatalmente institucionalizados" como en el caso de Cuba o Nicaragua sandinista, y aquellos testimonios que él llama "un acto comunitario de lucha por la sobrevivencia" ("Testimonio y concientización" 210). Yúdice señala:

> *La montaña es algo más que una inmensa estepa verde* de Cabezas, por ejemplo, fácilmente acomoda las estructuras subjetivas proporcionadas por el patriarcado. El "nuevo hombre" de Cabezas, [...] repite el privilegio patriarcal bajo el disfraz del uniforme sandinista. El héroe épico de la narrativa es empoderado y legitimizado para representar a la autoridad que gobierna por medio de una serie de figuras paternas que le legan esa autoridad directamente desde el revolucionario original, Augusto Sandino ("*Testimonio* and Postmodernism" 17).[37]

37. Cabezas' *La montaña es algo más que una inmensa estepa verde*, for example, easily accommodates the subjective structures provided by patriarchy. Cabezas' "new man," [...] repeats patriarchal privilege in the guise of a Sandinista uniform. The epic here of the narrative is empowered and legitimized to embody the authority to govern by means of a series of paternal figures who relay that authority from the original revolutionary, Augusto Sandino.

Más allá del discurso patriarcal en el proyecto de Cabezas, su esfuerzo por instituirse como un sujeto épico, como un sujeto que ha heredado de los héroes históricos de Nicaragua el papel de líder popular, sigue un proceso individualista que distingue al sujeto de su colectividad. A medida que presenta su argumento, Cabezas se separa a sí mismo de esa colectividad –una colectividad que bien podría ser entendida como las líneas guerrilleras o la gente de Nicaragua como un todo– y justifica, a partir de una perspectiva individual, su participación en la revolución sandinista y su papel en la historia:

> Entonces cuando conocí a ese hombre, cuando me dijo todo eso, me sentí como si fuera su hijo, el hijo de Sandino, el hijo de la historia. Entendí mi propio pasado; supe donde estaba parado; yo tenía una patria, una identidad histórica (221).

Este tipo de escritura testimonial se encuentra cercanamente relacionada con la autobiografía, ya que lleva a cabo un proceso de constitución del sujeto individual y de su evolución, uno que no solamente ilustra un caso de *bildungsroman* testimonial, sino también la reproducción de la ideología dominante. Por ejemplo, en el caso del testimonio de Cabezas, también aparece retratado el proceso de reinstitucionalización del discurso patriarcal dentro de la emergente sociedad revolucionaria de Nicaragua en ese momento. A través de su narración, Cabezas le da al lector un atisbo de su concepto patriarcal de la mujer. En su testimonio, las mujeres son objetivadas, particularmente como elementos en el trasfondo de su narración. Él menciona como una curiosidad en una ocasión cuando "las mujeres salieron de sus casas en sus fustanes y sus camisones, o vestidas en los trajes más locos, con su pelo sin peinar y sin maquillaje" (30). Mientras que su representación de los militantes revolucionarios es heroica, las mujeres parecen ser revolucionarios de segunda clase en la narrativa de Cabezas, individuos más débiles que difícilmente se podría confiar en ellos. Por lo tanto, él habla sobre los revolucionarios que no podían confiar en sus mujeres sobre su participación activa en la lucha armada, tal como es el caso de un colaborador quien, cuando estaba ocultando a un guerrillero en su casa, le mintió a su mujer: "Él ya había hablado con su mujer; la madre de ella y sus tres hermanos vivían al lado, así que tuvo que decirle que un amigo de él iba a llegar de Managua, un tipo que se había escapado con una joven muchacha y que estaba siendo perseguido por los parientes de ella" (35). En repetidas ocasiones el texto construye la identidad de las mujeres en oposición a la de los valientes líderes guerrilleros que fueron formados en la montaña. Por ejemplo, mientras que Cabezas describe con horror la primera vez que tuvo que comerse a un mono, dice: "Vimos que realmente parecía un niño pequeño, pero no lo mencionamos porque no queríamos parecer mujeres gritonas" (68).

Acaso sea necesario ir más allá de esta distinción, pues incluso cuando el testimonio no estaba institucionalizado por el Estado, encontramos instancias de testimonios que ejemplifican el discurso patriarcal, una práctica que no fue erradicada por la guerrilla, a lo mejor precisamente porque era una parte integral de la tradición guerrillera latinoamericana. Este tipo de testimonios incluye aquellos que buscan reinstituir la imagen del héroe guerrillero: su fuerza, su poder, su superioridad masculina, su barba mítica. Un ejemplo de ello es el texto *Los días de la selva* de Mario Payeras.

Diana Taylor señala que los movimientos guerrilleros en América Latina han promovido la emergencia de líderes machistas y de la marginación de aquellos que no actúan de acuerdo con los estándares del paradigma patriarcal. Taylor señala:

> Los movimientos de liberación en América Latina han tendido a ser movimientos revolucionarios organizados alrededor del conflicto de clase y las tensiones "comunistas/capitalistas". En parte, también, la resistencia a aceptar movimientos de liberación feministas y de gays y lesbianas [tiene que ver con que] son vistos como un esfuerzo por desplazar a los intelectuales y líderes hombres del centro del escenario. La glorificación del héroe revolucionario (en la tradición del Che Guevara, por ejemplo) forja al poderoso (e incluso macho) como el líder en la lucha por auto-determinación y relega a las mujeres a papeles de apoyo pero subsirvientes. De pronto, entonces, este héroe viril es robado de su estatus como líder revolucionario de los oprimidos y es visto en cambio como el opresor de otros grupos de oprimidos–las mujeres, los gays, y las lesbianas (8-9).[38]

Este argumento coloca al líder épico de la guerrilla en una situación opuesta al discurso marginal y muestra que los movimientos de liberación de América Latina no pudieron evitar, excepto en pocas ocasiones y con gran esfuerzo, los patrones tradicionales de la violencia ideológica que siempre han caracterizado a sus respectivas sociedades.

Podemos concluir que la forma particular en que el testimonio fue leído durante los años setenta y ochenta

---

38. Liberation movements in Latin America have tended to be revolutionary ones organized around class conflict and "communist/capitalist" tensions. In part, too, the resistance to accepting feminist and gay/lesbian liberation movements is seen as displacing male intellectuals and leaders from center stage. The glorification of the revolutionary here (in the tradition of Che Guevara, for example) casts the powerful (even *macho*) male as leader in the struggle for self-determination and relegates women to supportive but subservient roles. All of a sudden, then, this virile hero is stripped of his status as revolutionary leader of the oppressed and becomes seen instead as the oppressor of other oppressed groups –women, gays, and lesbians.

permitió la formación de intelectuales en solidaridad con las causas populares centroamericanas dentro de los círculos académicos en Estados Unidos. También desempeñó un papel importante en la mitificación y construcción de líderes épicos en la tradición patriarcal dentro de los grupos guerrilleros. Por otra parte, el testimonio ha promovido la concientización tanto de las comunidades donde se originaron estas narrativas como de la comunidad internacional que le ha brindado su atención. Y sin duda, el testimonio ha participado de manera activa en la formación de una identidad cambiante de sus comunidades de origen y ha contribuido a la construcción de una historia alternativa a la historia oficial de sus pueblos. A pesar de ello, aún quedan por explorar otros aspectos respecto al testimonio.

En primer lugar, me gustaría regresar a la discusión sobre el reto que presenta el testimonio al concepto académico de lo literario. Aquellos testimonios que fueron creados con la participación de un testimonialista, o un sujeto testimonial que narra de forma verbal la historia, y un transcriptor/editor, o incluso un traductor, quien produce la versión escrita del texto, presentan un reto al concepto del autor de la forma en que ha sido entendida por mucho tiempo en los círculos académicos. Por otra parte, el lenguaje popular e incluso marginal de ciertos testimonios ha generado la necesidad, por parte de ciertos estudiosos, de ser apologéticos al discutir dicho lenguaje, lo cual muestra su propio concepto del discurso literario y su resistencia a la modificación de dicho concepto. Esto es lo que hace Elisabeth Burgos, cuando en su introducción al testimonio de Menchú, ella explica: "Decidí [...] corregir los errores de género que inevitablemente ocurren cuando alguien acaba de aprender a hablar un idioma extranjero. Hubiera sido artificial dejarlos sin corregir y hubiera hecho que Rigoberta se viera 'pintoresca', lo cual es la última cosa que yo quería" (xx-xxi).[39] El testimonio de María Teresa Tula, editado y traducido al inglés por Lynn Stephen fue inicialmente publicado en inglés bajo el título *Hear My Testimony*, y curiosamente la versión al español, *Este es mi testimonio*, no fue editada a partir de los textos originales de Tula, ni de sus grabaciones, sino de una segunda traducción a la versión del inglés de Stephen. La voz de Tula, por lo tanto, llega al lector mediatizada, tanto en inglés como en español, no solamente por medio del proceso de transcripción, sino también a través de un más complejo proceso de traducción. El problema de la mediatización nos llama la atención incluso más en el caso de Elvia Alvarado y su testimonio *Don't Be Afraid Gringo: A Honduran Woman Speaks from the Heart*, editado y traducido por Medea Benjamin. El testimonio de Alvarado se traduce de tal forma, utilizando un lenguaje que puede ser identificado con el lenguaje urbano estadounidense, que la voz de una mujer campesina de Honduras parece ser distante, particularmente a un lector familiarizado con la vida en Centroamérica. Por otra parte, Benjamin ha editado, al inicio de cada capítulo, oraciones que Alvarado dice en diferentes contextos a lo largo de su narrativa, y ha armado con ellos un texto, un collage, que tiene un eco de lo que Alvarado dijo pero que presenta el tema de cada capítulo con la intencionalidad de Benjamin.

A pesar de éstas u otras obvias manipulaciones de los textos testimoniales, y a pesar de las discusiones teóricas sobre el papel problemático que el concepto de representación suscita con respecto al testimonio, que, como sabemos, ha llevado a la discusión teórica a des-

39. I [...] decided to correct the gender mistakes which inevitably occur when someone had just learned to speak a foreign language. It would have been artificial to leave them uncorrected and it would have made Rigoberta look 'picturesque,' which is the last thing I wanted.

cartar la idea de la representación para dar paso a nuevas formas de interpretación del testimonio, no es difícil encontrar a quienes siguen insistiendo en la representación testimonial como una fuente de verdad. Las advertencias hechas por diversos críticos sobre la imposibilidad de capturar *la verdad* en un testimonio no parecen haber sido efectivas. Yúdice, por ejemplo, ha presentado extensos argumentos en contra de la lectura del testimonio como una expresión de *la verdad*. En su texto "Testimonio y concientización", señala:

> El testimonio no responde al imperativo de producir la verdad cognitiva –ni tampoco de deshacerla– su *modus operandi* es la construcción comunicativa de una praxis solidaria y emancipatoria. De ahí que la dicotomía verdad/ficción carezca de sentido para comprender el testimonio (216).

Por mi parte, me gustaría discutir la propuesta de Foucault respecto a la verdad y su relación con el poder. Para Foucault, la verdad no es algo que cualquiera pueda obtener, por el contrario, la verdad pertenece a aquellos en el poder ya que es definida por ellos. Desde esta perspectiva sería prácticamente imposible para los testimonialistas centroamericanos que no solamente están hablando en contra del poder del Estado sino también en contra del racismo intrínseco y de las prácticas discriminatorias de sus propias sociedades, capturar la verdad. Como lo arguye Foucault, la verdad podría ser la más grande ficción de todas. Desafortunadamente, numerosos individuos, con una variedad de intenciones, han insistido en cuestionar la representación de la verdad en uno u otro testimonio. A la luz de lo anterior, debemos preguntarnos cuál es el propósito y la relación con el poder que tienen aquellos que continúan cuestionando y desechando a los testimonios con base en su representación de *la verdad*. Quien más resalta entre ellos es el antropólogo estadounidense David Stoll.

La verdad y el poder

A inicios de 1999 Stoll publicó el resultado de una investigación que había llevado a cabo por más de una década entre las comunidades indígenas del interior de Guatemala. *Rigoberta Menchú, and the Story of All Poor Guatemalans* es el esfuerzo de Stoll por demostrar que el testimonio de Menchú carece de una completa veracidad, pero sobre todo, es un esfuerzo del antropólogo por construirse a sí mismo un renombre, no como un intelectual solidario con las causas populares, sino como defensor de la verdad. Se trata de una verdad que para Stoll, tanto los intelectuales solidarios con los movimientos de izquierda como aquellos entusiasmados con la era posmoderna se habían mostrado dispuestos a sacrificar. El texto de Stoll fue anunciado en las páginas de *The New York Times*, por el periodista Larry Rohter, bajo el siguiente encabezado: "Ganadora del Premio Nobel acusada de exagerar la verdad en su autobiografía".[40] En su artículo, Rohter señala que varios detalles clave de la historia de Menchú "son falsos, de acuerdo con un nuevo libro escrito por un antropólogo estadounidense" (s. p.).[41] Asimismo, Rohter señala que:

> Parientes, vecinos, amigos y antiguos compañeros de clases de Rigoberta Menchú, incluyendo un hermano mayor y una medio hermana y cuatro monjas católicas que la educaron y la cobijaron, indicaron que muchos de

40. Nobel Winner Accused of Stretching Truth in Her Autobiography.

41. [...] are untrue, according to a new book written by an American anthropologist.

> los principales episodios relatados por la Sra. Menchú han sido o fabricados o seriamente exagerados (s. p.).[42]

En su reseña del libro de Stoll, Tim Golden indica que de acuerdo con el antropólogo, Menchú "es la autora de un elaborado mito personal, uno en el que ella tejió libremente sobre algunas experiencias, fabricó otras y escondió otras más de la mirada pública" (s. p.).[43] A pesar de que Golden aclara que Stoll no niega el sufrimiento de los campesinos e indígenas a lo largo de la guerra civil guatemalteca, señala que "donde [el] testimonio [de Menchú] se convierte en ficción [...] también se vuelve propaganda para el ejército guerrillero con el que ella estaba aliada entonces" (s. p.).[44] Este es un punto clave del texto de Stoll. Si el antropólogo se toma el trabajo de poner bajo una lupa una tras otra de las afirmaciones hechas por Menchú en su testimonio, es precisamente para demostrar que a pesar del sufrimiento de los campesinos e indígenas guatemaltecos, el texto de Menchú no es *representativo* de sus historias ni de sus sufrimientos, porque está construido de tal forma que apoya al movimiento insurgente, específicamente al Ejército Guerrillero de los Pobres (EGP), a través del Comité de Unión Campesina (CUC), al que tanto Rigoberta Menchú como su padre, pertenecieron. Para Stoll, el problema del texto de Menchú no es tanto la infor-

---

42. Relatives, neighbors, friends, and former classmates of Rigoberta Menchú, including an older brother and half sister and four Roman Catholic nuns who educated and sheltered her indicated that many of the main episodes related by Ms. Menchú have either been fabricated or seriously exaggerated.

43. [...] is the author of an elaborate personal myth, one in which she embroidered liberally on some experiences, fabricated others and hid still others from public view.

44. [...] where her testimony turns fiction [...] it also becomes propaganda for the guerrilla army with which she was then allied.

mación que contiene, sino la manera en que esta información es presentada:

> El contraste en sí, entre la narrativa de Rigoberta y la de todos los demás no es muy significativo. Excepto por detalles sensacionalistas, la versión de Rigoberta sigue la de los demás y puede ser considerada verdadera. Es cierto que el ejército trajo prisioneros a Chajul, los tildó de guerrilleros, y los asesinó para intimidar a la población. Hasta donde se puede determinar, ellos incluían a su hermano menor. [...] El punto importante no es que lo que realmente sucedió difiere de alguna manera de lo que Rigoberta dice que sucedió. El punto importante es que su historia, aquí y en otras encrucijadas críticas, no es la narración de un testigo ocular que pretende ser (70).[45]

Sobre todo, Stoll se expresa en desacuerdo con la lectura y recibimiento que se ha hecho del texto a nivel internacional y con el subsecuente apoyo que esta lectura trajo a la causa insurgente guatemalteca. Es así que Stoll indica: "El problema de base no es la forma en que Rigoberta contó su historia, sino la forma en que bien intencionados extranjeros han decidido interpretarla" (xiv).[46]

Para Stoll, ni el CUC ni mucho menos el EGP representan los intereses ni la lucha de las grandes masas de indígenas guatemaltecos. El antropólogo sugiere que

45. In and of itself, the contrast between Rigoberta's account and everyone else's is not very significant. Except for sensational details, Rigoberta's version follows the others and can be considered factual. She is correct that the army brought prisoners to Chajul, claimed that they were guerrillas, and murdered them to intimidate the population. As best anyone can determine, they included her younger brother. [...] The important point is not that what really happened differs somewhat from what Rigoberta says happened. The important point is that her story, here and at other critical junctures, is not the eyewitness account that it purports to be.

46. The underlying problem is not how Rigoberta told her story, but how well-intentioned foreigners have chosen to interpret it.

fueron ellos los responsables del inicio de la violencia en la que murieron miles de indígenas y miles más que sobrevivieron la guerra fueron víctimas de innumerables actos de violencia:

> Los secuestros por parte del ejército no comenzaron como una reacción a los esfuerzos pacíficos de los ixiles por mejorar su suerte sino a la organización guerrillera y a las emboscadas. Si alguien encendió la violencia política en tierras ixiles, fue el Ejército Guerrillero de los Pobres. Sólo entonces las fuerzas de seguridad militarizaron el área y la convirtieron en un campo de muerte (9).[47]

En resumen, el argumento de Stoll es el siguiente: la vida de los campesinos estaba comenzando a mejorar cuando aparecieron las primeras filas guerrilleras en sus comunidades. Algunos campesinos simpatizaron con la lucha guerrillera. Otros se vieron obligados a unirse a ella debido a la represión del ejército que siguió a la llegada de las filas guerrilleras a sus localidades. En cualquier caso, la violencia a que las masas indígenas fueron sometidas por parte del ejército, nunca habría tenido lugar, de no ser por la llegada de los grupos guerrilleros a sus comunidades. Se trata de grupos guerrilleros que Stoll se encarga de caracterizar, o mejor dicho, desacreditar, como antiguos miembros del mismo ejército nacional responsable por la mayoría de atropellos y violaciones a los derechos humanos durante las décadas de guerra civil guatemalteca. Aunque Stoll no acepta de forma directa la responsabilidad por lo que dice, señala: "'se dice que el mismo ejército organizó a la guerrilla, que sus mismos líderes plantaron la semilla', me dijo un

47. Army kidnappings began not in reaction to peaceful efforts by Ixils to improve their lot but to guerrilla organizing and ambushes. If anyone ignited political violence in Ixil country, it was the Guerrilla Army of the Poor. Only then had the security forces militarized the area and turned it into a killing ground.

uspantano. Este resulta ser un resumen acertado de la historia guatemalteca" (Stoll 44).[48]

Si bien Stoll trata con rigor académico la historia narrada por Menchú en su testimonio, hay varias dudas que saltan a la vista respecto a sus informantes. En múltiples ocasiones Stoll se ha limitado a encontrar individuos con una opinión contraria a la de Menchú, muchas veces sin tomar en cuenta el evidente conflicto de intereses, como en el siguiente ejemplo:

> De acuerdo con su narración, uno de los dos "terratenientes más malvados" era Angel Martínez. Sin embargo, de acuerdo con la familia de Angel, Vicente Menchú solía visitarlo e intercambiar vegetales por fruta. De acuerdo con uno de los Menchú, la esposa de Angel solía parar por Chimel para chismear con la esposa de Vicente (55).[49]

A Stoll no parece molestarle que es muy poco probable que la familia de Ángel Martínez vaya a estar de acuerdo con la aseveración de Menchú respecto a que él era uno de los dos "terratenientes más malvados", o que las diferencias al interior de la familia de Menchú posteriormente a su selección como recipiente del Premio Nobel de la Paz podrían facilitar a cualquiera encontrar "a un Menchú" dispuesto a expresar su desacuerdo con Rigoberta Menchú. Stoll llega incluso a utilizar su propia opinión personal como evidencia en contra de Menchú, a pesar de su condición al margen de las comunidades y cultura indígena y, sobre todo, de un cauteloso y secreto

48. 'It is said that the very army set up the guerrillas, that their leaders sowed the seed,' one Uspantano told me. This happens to be an apt summary of Guatemalan history.

49. By [Menchú's] account, one of the two "wickedest landowner[s]" was Angel Martínez. Yet according to Angel's family, Vicente Menchú used to visit and trade garden produce for fruit. According to a Menchú, Angel's wife used to stop in Chimel to gossip with Vicente's wife.

movimiento insurgente –que no tenía interés ni razón para compartir información respecto a sus mecanismos de defensa con ningún antropólogo extranjero dedicado a llevar a cabo una investigación en su contra–: "*Me llamo Rigoberta Menchú* convierte a los cocteles molotov en parte del repertorio de auto defensa del pueblo, sin embargo, esto es algo de lo que yo nunca escuché hablar en el norte del Quiché" (86),[50] señala Stoll. De igual forma, surgen interrogantes respecto a las condiciones bajo las que se llevó a cabo la entrevista del antropólogo, las razones que sus informantes tuvieron para confiar o no confiar en el extranjero que los interrogó, el miedo generalizado de la población rural y, sobre todo, la validez de las conclusiones a las que el antropólogo llega a partir de sus investigaciones.

Donde definitivamente el texto de Stoll carece de rigor académico es en su vertiginosa presentación en una página y media de un siglo de historia guatemalteca (45-46) y en las simplificadas explicaciones que presenta en su texto de los orígenes de la guerrilla guatemalteca:

> Cuando la guerrilla apareció [...] los primeros líderes no fueron intelectuales marxistas, trabajadores con conciencia de clase, o campesinos enojados. Eran jóvenes oficiales del ejército, patriotas guatemaltecos indignados por la subordinación de su país ante Estados Unidos. Durante el golpe militar de 1960, los soldados rebeldes fueron atacados por campesinos ladinos pidiendo armas para poder luchar también. Después de que el golpe falló, docenas de oficiales y soldados se escondieron, contac-

50. *I, Rigoberta Menchú* turns Molotov cocktails into part of the village self-defense repertoire, but this is something I never heard about in northern Quiché.

> taron a los comunistas guatemaltecos, y con su ayuda organizaron las primeras columnas guerrilleras (Stoll 47).[51]

Además de hacer esta afirmación bastante general sobre los orígenes de la guerrilla en Guatemala, Stoll no presenta información específica respecto a las razones históricas que tantos guatemaltecos tuvieron para unirse a las filas guerrilleras. Stoll menciona a muy pocas personas de manera particular, como lo hace con dos de los miembros fundadores del EGP: Ricardo Ramírez y Mario Payeras. Stoll menciona que Ramírez "estudió agronomía en la conocida escuela técnica de la United Fruit Company en Zamora, Honduras ['el zamorano']" (47),[52] mientras que Payeras "fue a la Universidad de San Carlos a estudiar filosofía, luego continuó su educación en México, donde conoció a exiliados revolucionarios que lo enviaron a estudiar a Alemania Oriental" (47).[53] En ningún momento menciona la pertenencia de ninguno de ellos al ejército nacional, lo cual sería mentir de manera abierta, sin embargo, desde antes ha dejado la semilla de la duda plantada para que el lector desprevenido o desinformado sobre la historia reciente de Guatemala llegue a esa conclusión.

---

51. When the guerrillas appeared [...] the first leaders were not Marxist intellectuals, class-conscious workers, or angry peasants. They were young army officers, Guatemalan patriots indignant over their country's subordination to the United States. During a 1960 military coup, rebel soldiers were mobbed by ladino peasants asking for guns so that they could fight, too. After the coup failed, dozens of officers and soldiers went into hiding, contacted Guatemalan communists, and with their help organized the first guerrilla columns.

52. [...] studied agronomy at the well-known technical school of the United Fruit Company in Zamora, Honduras.

53. [...] went to San Carlos University to study philosophy, then continued his education in Mexico, where he met revolutionary exiles who sent him to study in East Germany.

Entre otras cosas, Stoll olvida mencionar la injusticia social, la violencia étnica y económica y la marginación de que era –y sigue siendo– objeto la mayoría de la población guatemalteca. Uno de los puntos clave para la discusión de dicha injusticia social es la pertenencia de las tierras. Stoll intenta desacreditar la versión presentada por Menchú respecto a la lucha indígena contra los esfuerzos ladinos por expulsar a los mayas de sus tierras, señalando que gran parte de la lucha de la familia Menchú por la posesión de las tierras era contra otra familia indígena, su propia familia política (30). A pesar de que estos detalles sobre la particular historia de la familia Menchú no demuestran de ninguna manera que no exista conflicto entre indígenas y ladinos por la posesión de la tierra, hay una serie de comentarios en el texto que sí permiten al lector dilucidar la posición ideológica de Stoll respecto al derecho indígena de poseer la tierra:

> Romantizar a los campesinos es una antigua tradición que tiene la virtud de dramatizar su derecho a las tierras. Pero el romanticismo también puede ser utilizado para ignorar el daño que los campesinos hacen, la forma en que compiten por las tierras nuevas, y las batallas que resultan (19).[54]

Para Stoll el derecho de las comunidades indígenas a poseer la tierra es cuestionado precisamente como resultado de la misma lucha indígena por la tierra, un círculo vicioso. Stoll arguye a lo largo de su texto que la lucha de los campesinos indígenas por la posesión de la tierra es uno de los elementos generadores de la violencia local, mientras que al mismo tiempo pone en tela de juicio si las comunidades indígenas deberían en primer

54. Romanticizing peasants is a hoary tradition that has the virtue of dramatizing their right to their land. But romanticism can also be used to ignore the damage that peasants do, how they compete for fresh land, and the feuds that result.

lugar tener derecho a la tenencia de la tierra al acusarlos de manera subjetiva y sin documentación alguna, de tener la tendencia a destruir las tierras que trabajan. Este asunto de la así llamada "tendencia a destruir las tierras" es un tema bastante debatible, pues el uso de las tierras a partir de la visión de mundo de Occidente tampoco ha sido exitosa y ha dejado daños al planeta que en la actualidad tienen tal gravedad que de no llevar a cabo un cambio drástico en las próximas dos décadas serán irreversibles. Para el caso de Centroamérica, este uso conflictivo de las tierras puede ilustrarse por medio de la implementación de monocultivos como el café o las bananas, o por medio del uso de las tierras para propósitos de minería o de la crianza de ganado, los cuales contaminan altamente el medioambiente, e imposibilitan el uso de las tierras para la producción de comida para la población local. Por otra parte, el uso así llamado "tradicional" de las tierras es tan diverso y tiene tantas influencias culturales, que puede variar desde los tan exitosos procedimientos de tala y quema de sectores reducidos del bosque pluvial llevado a cabo por lacandones, con resultados superiores a los obtenidos con la más moderna maquinaria, y con una capacidad de mantener el bosque pluvial no igualada hasta el momento,[55] hasta la forma más común de tala y quema que ha llevado a destruir los bosques tropicales de gran parte de Centroamérica. De cualquier forma, no solamente Stoll sino cualquier antropólogo debería poder explicar esta falta de entendimiento cultural, como una típica instancia del desacuerdo entre la tradición y la modernidad. Además, siguiendo una tradición colonial, Stoll nunca toma en consideración el derecho del indígena a tener acceso a un medio para subsistir. Es más, su represen-

55. Véase el documental *Keepers of the Forest* dirigido por Norman Lippman. Brookline, Massachusetts: Umbrella Films, 1985.

tación del Instituto Nacional de Transformación Agraria (INTA) es, cuando menos, un bosquejo caricaturesco que libera a dicha institución de toda responsabilidad ante la necesidad de solucionar conflictos entre dos o más partes por la posesión de las tierras. Stoll adjudica la responsabilidad de dichos conflictos a los campesinos mismos presentando al INTA como una víctima de sus desacuerdos:

> No hay duda que el INTA ha puesto a prueba la paciencia de miles de campesinos. Pero cuando uno mira un caso como el que estamos a punto de examinar –uno más conflictivo que la mayoría pero no por eso extraño– una posibilidad perturbadora emerge. Los mismos solicitantes podrían estar haciendo imposible una solución (24).[56]

Stoll llega incluso a señalar al Estado como víctima del conflicto por la tierra entre indígenas: "Desafortunadamente, una visión heroica de los campesinos nos ciega a la posibilidad de que ellos se consideren los unos a los otro's como su principal problema. También nos ciega a la posibilidad de que en vez de resistir al estado, los campesinos lo estén usando contra otros miembros de su propia clase social" (31).[57]

De igual forma Stoll presenta como manipuladores de las masas a los jesuitas, quienes a través de su labor de organización en Acción Católica y su difusión de la

---

56. There is no question that INTA has tested the stamina of thousands of peasants. But when you take a case like the one that we are about to examine –more conflictual than most but by no means rare– a disturbing possibility emerges. The petitioners themselves could be making a solution impossible.

57. Unfortunately, a heroic view of peasants blinds us to the possibility that they consider their main problem to be one another. It also blinds us to the possibility that instead of resisting the State, peasants are using it against other members of their own social class.

teología de la liberación, contribuyeron a la organización de numerosos campesinos en el movimiento insurgente. Stoll llega incluso a acusar al exjesuita convertido en militante guerrillero, Fernando Hoyos, de haberse beneficiado personalmente, en términos del crecimiento de su poder político, a partir de las numerosas muertes ocasionadas por el terremoto de 1976:

> La concientización no atraía a todos los catequistas de Santa Cruz. En cambio, los dividía. Pero esos trabajando con Hoyos y con los jesuitas salieron bien en las elecciones por el liderazgo de Acción Católica. Ganaron una mayor audiencia a través de la estación de radio diocesana y se beneficiaron con el terremoto de 1976 que cobró tantas vidas. Los esfuerzos de ayuda abrieron a pueblos desconfiados a Acción Católica. Los donantes extranjeros canalizaron su ayuda a través de ellos (97).[58]

Si acaso, la versión que Stoll presenta de la guerrilla puede compararse únicamente con una versión de la guerrilla muy conocida y difundida por toda Centroamérica por los grupos de ultra derecha. Esa línea sigue la siguiente interpretación del testimonio de Menchú que hace Stoll:

> La promoción cubana del libro de Rigoberta y de Elisabeth sugirió que podía estar hablando en nombre de la guerrilla más que de los campesinos. Las encarnadas disputas que dividieron a los vecinos de Rigoberta habían sido eliminadas de la historia, haciendo que el conflicto armado sonara como una reacción inevitable a la opresión,

58. Consciousness-raising did not appeal to all the Santa Cruz catechists. Instead, it divided them. But those working with Hoyos and the Jesuits did well in elections for the leadership of Catholic Action. They gained a wider audience through the diocesan radio station and benefited from the 1976 earthquake that took so many lives. The relief effort opened distrustful villages to Catholic Action. Foreign donors channeled resources through it.

> en un momento en que los mayas estaban desesperados por escapar de la violencia. *Me llamo Rigoberta Menchú* se convirtió en una forma de movilizar ayuda extranjera para una insurgencia herida y en retirada (xiii).[59]

Es precisamente esta representación caricaturesca de la guerrilla guatemalteca, su simplificación del conflicto armado guatemalteco y de la historia reciente de este país, así como sus perspectivas condescendientes de las comunidades indígenas y la pasividad y falta de información que Stoll espera de sus lectores lo que constituye el talón de Aquiles de la propuesta de Stoll.

Identidades a la venta

Más allá de la discusión respecto a la posibilidad de representar *la verdad* en cualquier texto, y en este caso particular, en el testimonio, me gustaría reiterar algunas de mis conclusiones respecto al testimonio: por un lado, tiene la posibilidad de contribuir al proceso de concientización de los miembros de la comunidad de la que ha surgido y de los miembros de una comunidad exterior. Por otra parte, el testimonio tiene la capacidad de afectar el proceso constante de constitución de la siempre cambiante identidad de su comunidad y de su nación. Tomando en consideración estas dos características del testimonio, al cerrar esta discusión me gustaría señalar que hay una cierta línea dentro de la producción de la

59. Cuban promotion of Rigoberta and Elisabeth's book suggested that it might be speaking for the guerrillas more than for peasants. The internecine disputes dividing Rigoberta's neighbors dropped out of the story, making armed struggle sound like an inevitable reaction to oppression, at a time when Mayas were desperate to escape the violence. *I, Rigoberta Menchú* became a way to mobilize foreign support for a wounded, retreating insurgency.

novela de posguerra en Centroamérica que no solamente muestra una continuidad con la narrativa testimonial, sino que también, en algunas ocasiones va más allá de los límites que restringen al testimonio a medida que presenta un reto al discurso hegemónico (posmoderno, patriarcal, de clase, de género). El escritor salvadoreño Horacio Castellanos Moya, al hablar sobre el lugar del intelectual durante el proceso de la guerra civil en El Salvador, señala:

> Una función básica del intelectual es la crítica del poder. En la guerra civil, la existencia de dos poderes confrontados impidió el ejercicio de esta función, pues no existían los espacios ni los ánimos para la práctica y la tolerancia de la disensión. El alineamiento, el silencio o el exilio constituyeron las únicas opciones. La osadía de ejercer la crítica del poder desde posiciones no partidistas implicaba la muerte: el asesinato de los sacerdotes jesuitas, en noviembre de 1989, es un ejemplo de esta situación extrema (*Recuento de incertidumbres* 57-58).

La situación descrita por Castellanos Moya cambió después de la firma de los acuerdos de paz y del fin de las luchas armadas en Centroamérica. Para Castellanos Moya es fundamental durante este nuevo período histórico, que el intelectual lleve a cabo una función de crítica del poder, y que lo haga con la mayor libertad posible. En contraste con las afirmaciones del crítico salvadoreño Rafael Lara Martínez respecto a que "la novela [...] de la posguerra tiende a desconstruir, a menudo a superar, o bien simplemente a ignorar el espacio narrativo del testimonio mediatizado, mal que bien, por la visión panóptica de un(a) transcriptor(a)" (2), la propuesta que me propongo demostrar a lo largo de este volumen es que la narrativa centroamericana de posguerra contribuye desde el ámbito de la ficción a cuestionar las estructuras hegemónicas del poder y a continuar el proceso de transformación de la identidad cultural de la nación que fue llevado a cabo por el testimonio durante décadas anteriores.

En un lúcido análisis respecto al importante papel que puede desempeñar la ficción en el proceso de reflexión sobre la identidad nacional, Castellanos Moya señala dos puntos que han servido como base para el rechazo de la ficción en Centroamérica a lo largo de las últimas décadas: la reprensión por parte de la izquierda del intelectual –incluso del intelectual de izquierda– por considerarlo como un "pequeño burgués" y la prioridad que en la izquierda se le dio a la acción por sobre el proceso de reflexión (*Recuento de incertidumbres* 63-70). Para ilustrar su punto Castellanos Moya cita el prólogo escrito por el ahora ex comandante guerrillero Joaquín Villalobos al libro *Las cárceles clandestinas* de Ana Guadalupe Martínez. En este texto, Villalobos, escribiendo bajo el nombre de René Cruz, enfatiza la importancia de que la historia sea escrita por los militantes de izquierda y no por los intelectuales:

> Hay mucha experiencia concreta que se ha perdido al no ser procesada y transmitida por los militantes y otra buena parte ha sido deformada en su esencia, al ser elaborada por los intermediarios intelectuales izquierdizantes, que la ajustan no a las necesidades de la revolución, sino a las de la ficción y la teorización pequeño-burguesa de la revolución (21-22).

Castellanos Moya señala que dicho concepto del intelectual y una visión negativa del papel que puede desempeñar la ficción en la construcción de la historia "a lo largo de las últimas décadas [fueron expresados] por altos dirigentes de los grupos que conforman el FMLN" (*Recuento de incertidumbres* 64). Castellanos Moya, por lo tanto, propone la reivindicación del papel que la ficción desempeña en el proceso de construcción histórica de la identidad nacional al afirmar que "una izquierda que busque renovarse, que se plantee como proyecto libertario, debería entender que la ficción es una rica fuente de conocimiento y proyección nacional, y que –como sostiene Mario Vargas Llosa– «la literatura no describe a los países: los inventa»" (*Recuento de incertidumbres* 67). La propuesta de Castellanos Moya coincide con la crítica que Larsen había hecho a la producción teórica sobre el testimonio que definía el proyecto narrativo de la ficción exclusivamente desde la óptica particular del *boom*.

Al leer la novela *El arma en el hombre* de Castellanos Moya, hay un detalle del texto que llama de manera particular nuestra atención: la novela está escrita como un monólogo en el que el protagonista nos narra sus experiencias, después de la firma de los acuerdos de paz en El Salvador, como combatiente desmovilizado de un batallón élite de las Fuerzas Armadas del ejército salvadoreño. Mientras que Robocop, el protagonista, narra su transformación en un civil, o mejor dicho en un criminal, en repetidas ocasiones menciona su preferencia por la acción, y su desprecio por la palabra. Sin embargo, narra con mucho interés su historia. Incluso, en un punto de su narración cuenta sobre su cauteloso silencio y en un momento en que se ve obligado a irse para Guatemala, nos recuerda la importancia que para él tiene su silencio y aclara: "soy hombre de pocas palabras y no quería que allá supieran mi historia" (41). La única vez que en su narración admite haberse explicado ante otra persona es en una escena sórdida, mientras se encuentra con Vilma, una prostituta con la que había tenido una relación superficial pero relativamente duradera. En esa ocasión, ella le hace preguntas. Así lo recuerda Robocop: "Vilma preguntó por mis razones para matar a la señora Trabanino, por la forma como había escapado de la cárcel, por mis andanzas actuales. La vi ansiosa, con ganas de saber. Apoyé mi espalda en el respaldo de la cama y, con su cabeza reposada en mi vientre, le fui contando lo que me había sucedido, con pocas palabras, más bien respondiendo a las preguntas de ella" (102). Podría pensarse al leer estas líneas que Robocop tiene la capacidad de compartir una cierta intimidad con alguien, o que ha cambiado, o que hay personas ante las que tiene la disponibilidad de mostrarse tal cual es, pero nos equivocamos. Pocas líneas después cambiamos de opinión pues Robocop explica: "cuando ella dormitaba tendida boca abajo, le hice un orificio en la espalda" (102). Entonces, ¿por qué la narración? ¿Ante quién está confiando Robocop la historia que leemos? ¿Qué consecuencias traerá, para ellos y para nosotros que leemos un texto cargado de confesiones que sólo puede oír aquel que se encuentra a un paso de ser asesinado por las hábiles manos de Robocop? La respuesta nos llega hacia el final de la novela, cuando Robocop explica que se encuentra en Texas, ante Johnny, un chicano que se identifica como agente estadounidense de narcóticos. Para entonces Robocop no sólo ha perdido su libertad sino también un pedazo de frente: una esquirla de bala se la había volado. En ese momento Johnny le hace una propuesta reveladora a Robocop. Es una propuesta que el lector recordará haber leído en el epígrafe de este ensayo: "el trato era éste: yo les contaba todo lo que sabía y, a cambio, ellos me reconstruirían (nueva cara, nueva identidad)" (131). Y es así como el texto que tenemos ante nosotros se transforma: la narración es el precio que Robocop paga por una nueva identidad, es un acto de entrega más de una larga cadena en la vida de un mercenario.

Esta revelación nos lleva, sin remedio, a hacer un peligroso paralelismo entre este texto y el testimonio. La narración de Robocop bien podría ser el otro lado de la moneda para el caso del testimonio. Claro está que hay distinciones necesarias. Es evidente que a diferencia de muchos de los testimoniantes latinoamericanos, la narración de Robocop no va ligada con las experiencias de ninguna comunidad, más bien, se trata de una narración de tipo individualista donde Robocop adquiere las características de un héroe (o de un anti-héroe, dependiendo de la perspectiva del lector). Además, Robocop ha cometido toda una serie de crímenes que lo distinguen de aquellos que han plasmado sus experiencias como receptores de la violencia en un testimonio. La crueldad de Robocop y su irrespeto por la vida lo convierten en un monstruo. Pero nunca queda duda de que su monstruosidad es producto de un sistema del que Robocop también es víctima. Ha sido usado durante la guerra. Ha sido desechado en la posguerra. Y por eso, entre su texto y el testimonio hay puntos de coincidencia. Pronto vemos que a pesar de su violencia y su atracción hacia los actos delictivos, Robocop es también víctima del sistema de injusticia que plaga su país y de manera similar a los testimonialistas, Robocop narra su historia en el contexto de una situación extrema: es para salvar su vida que lo hace.

Y ese no es el único paralelismo peligroso que el texto propone: mientras en el texto una agencia de antinarcóticos de Estados Unidos incurre en un acto delictivo al comprar la vida de este mercenario para sus propios propósitos, surge la interrogante sobre si aquellos que hemos trabajado en el campo de la crítica testimonial, con buenas o malas intenciones, hemos incurrido en un acto similar de reconstrucción de la identidad del testimoniante a favor de nuestros propios intereses. Sobre todo en el caso de aquellos que han llevado hasta extremos injustificados la interpretación del texto testimonial, para servir a intereses políticos y culturales muy particulares, como en el caso del antropólogo estadounidense David Stoll.

Por otro lado, este acto de confesión, esta disponibilidad de Robocop por poner los elementos necesarios para la construcción de su identidad en manos de alguien con acceso al poder y con la posibilidad de convertirlo en un sujeto reconocido por el poder institucional nos hace pensar que Robocop se vio obligado a renunciar a sí mismo, a violar su propio pacto de privacidad, a destruir su identidad para generar la posibilidad de que aquel con acceso al poder lo reconstituya como sujeto, lo reconozca, lo institucionalice. La construcción de la subjetividad se presenta como un espacio donde se reproducen las jerarquías del poder generadas por el sistema imperante. Judith Butler señala que "el efecto de la autonomía está condicionado por la subordinación" (*The Psychic Life* 7),[60] es más, Butler propone que "si la formación del sujeto no puede tener lugar sin la unión pasional con aquellos ante quienes el individuo se encuentra subordinado, la subordinación prueba ser central en la constitución del sujeto" (*The Psychic Life* 7).[61]

Para Robocop, su existencia como sujeto con un nivel de poder reconocido por la sociedad tuvo inicio en el momento de su inclusión en el ejército salvadoreño, de su sumisión al sistema jerárquico de la institución militar:

> Yo tenía veinte años y trabajaba de vigilante en la fábrica de ropa interior femenina donde mi madre había sido operaria. Regresaba de mis labores, cuando un retén de soldados detuvo el autobús a la salida de Mejicanos: nos bajaron, exigieron documentos, hubo registro en busca de armas, y a mí y a otros tres nos ordenaron subir a un camión militar. En el Cuartel San Carlos, después de

60. [...] the effect of autonomy is conditioned by subordination.

61. If there is no formation of the subject without a passionate attachment to those by whom she or he is subordinated, then subordination proves central to the becoming of the subject.

> pruebas y exámenes, cuando el oficial comprobó que yo medía un metro noventa y pesaba ciento noventa libras, ordenó que me destinaran al batallón Acahuapa (13).

Una vez Robocop forma parte del ejército su identidad va tomando forma dentro del contexto castrense, y esa identidad llega a ser parte integral de su vida; pues la guerra tenía sus estrategias para adueñarse del espíritu del ser humano. Para convertir a un individuo común y corriente en un guerrero eficiente en medio de una cruda guerra hacía falta reclutarlo e inculcarle el odio más atroz por el enemigo. No bastaba con armarlo, había que enseñarle a matar a sangre fría si era necesario. No bastaba con confiar en él, había que enseñarle que a los traidores se les descuartiza en el acto. No bastaba con saberlo capaz de cumplir su tarea, había que asegurarse de que disfrutara su papel en la batalla. No bastaba con que respetara la jerarquía militar, había que animarlo a que la impusiera a sus inferiores, a que la supiera perpetuar. Y así lo hizo:

> Los del pelotón me decían Robocop, pero a mis espaldas. De frente debían cuadrarse y decirme 'mi sargento', no sólo porque yo era el jefe, sino porque ni a golpes, ni con el cuchillo, ni a tiros algunos de ellos pudo ganarme; tampoco en táctica e inteligencia. Por eso yo daba las órdenes, aunque encima de mí siempre hubo un teniente, un capitán o un mayor comandando la compañía (10).

Poner un arma en las manos de un hombre requería modificar, entonces y para siempre, su humanidad.

A cambio de su inclusión en la institución castrense, la identidad institucionalizada del individuo y su lugar en la jerarquía del poder eran reconocidos por el sistema. Pero esa identidad no tenía igual permanencia que el cambio en su ser. Desafortundamente para Robocop, no es él quien puede garantizar la existencia de su propia subjetividad y, por lo tanto, ésta es desintegrada en el momento de la firma de los acuerdos de paz. En este momento de transición en la historia de El Salvador se inauguran nuevas estrategias de interacción en el campo de la política y también nuevos estados de ánimo que varían desde la esperanza hasta el desencanto. El fin de la guerra ha puesto punto final al intercambio de las balas, pero no a la otra guerra que divide a la población con la línea certera de la división internacional del trabajo. Las antiguas distinciones coloniales que pretendían demarcar en un mapa al primero y al tercer mundo han sido reemplazadas por la posmodernidad. Ahora estos dos mundos coexisten en un mismo espacio geográfico aunque se encuentran incomunicados entre sí y son inaccesibles el uno para el otro. En las mismas calles de las mismas ciudades se encuentran ambos: de un lado están aquellos que tienen acceso al poder y a los medios de producción, del otro los que contribuyen únicamente con su fuerza de trabajo y viven indefinidamente una vida de miserias. Su más clara conexión es la violencia.

En este contexto, al futuro se le espera con esperanzas rotas y con una mueca de cinismo. Ganarse la vida es difícil para cualquiera que se encuentre del otro lado de la división internacional del trabajo, entre los obreros, empleados de maquilas, trabajadores en el área de servicios y demás. El final de las revoluciones centroamericanas ha dejado desempleados a números exhorbitantes de militares cuya única forma de ganarse la vida, hasta el momento de la firma de los acuerdos de paz, había sido la guerra. Para ellos, el final de la lucha armada significa también el término del propio sentido vital. Pues, ¿qué puede hacer con su vida un hombre que no sabe hacer otra cosa que luchar fusil en mano contra el enemigo? ¿Se podrá revertir este proceso de militarización en el ser humano? *El arma en el hombre* nos invita a responder a esta pregunta a medida que hurga en el mundo interior de un individuo cuyo espíritu pertenece a la guerra, y en la ausencia de ella, a la violencia. Se encuentra cercado en un mundo de miseria y está dispuesto a hacer lo que sea necesario para pasar al otro lado de la división que marca los límites de su existencia, allá donde el poder es palpable y la pobreza puede llegar a ser poco más que un doloroso recuerdo. Es por el deseo de ser, de existir como sujeto que el individuo acepta su propia subordinación, como Butler lo señala: "desear las condiciones de la propia subordinación es requerido para seguir siendo uno mismo" (*The Psychic Life* 9).[62]

Tras la firma de los acuerdos de paz, Robocop no tiene otra opción que rehacer su vida, esta vez sin el amparo del ejército y fuera del contexto de la guerra que le dio alguna vez sentido a lo único que sabe hacer: matar. Ahora está desempleado, pero tiene los fusiles y granadas que fue acumulando a lo largo de la guerra. Robocop nos explica:

> Cuando la guerra terminó, me desmovilizaron. Entonces quedé en el aire: mis únicas pertenencias eran dos fusiles AK-47, un M-16, una docena de cargadores, ocho granadas fragmentarias, mi pistola nueve milímetros y un cheque equivalente a mi salario de tres meses (24).

Robocop está fuertemente armado, sus fondos escasean, tiene el pulso templado y la sangre fría. Lo que ahora no tiene es un bando, lo que ha quedado en peligro de desintegración es la identidad que había adquirido a través de la institución militar. Se ha convertido en un mercenario, hoy se encuentra a la disposición del mejor postor, tanto en términos monetarios como en términos

62. To desire the conditions of one's own subordination is thus required to persist as oneself.

de la recuperación de su posibilidad de ser. Robocop es arrastrado por el torbellino de su propio deseo. Butler explica:

> No es únicamente que uno requiere el reconocimiento del otro y que una forma de reconocimiento es propiciada por medio de la subordinación, sino que uno depende del poder para su propia formación, y que esa formación es imposible sin una dependencia [...] (*The Psychic Life* 9).[63]

El acto de hablar representa, para Robocop, su sometimiento a esa subordinación, es la confirmación de que Robocop había aceptado lo que Johnny, aquel oficial estadounidense de antinarcóticos, le había presentado con estas palabras: "Es tu chance de convertirte en un verdadero Robocop" (132). Entendemos que las redes del poder llegan más allá de lo esperado y que Robocop está dispuesto a ser un instrumento de otros para lograr recuperar su subjetividad, para tener acceso al dinero, para aplacar su aburrimiento, para recuperar un momentáneo relámpago de poder y porque a cambio él recibe el simulacro de una vida que dejó de pertenecerle el día en que forzosamente, a la edad de veinte años, fue bajado de un bus y reclutado a la fuerza por un ejército que ahora, en tiempos de posguerra, ya no existe.

63. It is not simply that one requires the recognition of the other and that a form of recognition is conferred through subordination, but rather that one is dependent on power for one's very formation, that that formation is impossible without dependency [...].

2

¿Una cuestión de principios? La pasión, la memoria, y el olvido en la Centroamérica de posguerra

Uno se va a morir,
mañana,
un año,
un mes sin pétalos dormidos;
disperso va a quedar bajo la tierra
y vendrán nuevos hombres
pidiendo panoramas.

Preguntarán qué fuimos,
quiénes con llamas puras les antecedieron,
a quiénes maldecir con el recuerdo.

Bien.
Eso hacemos:
custodiamos para ellos el tiempo que nos toca.
Roque Dalton, "Por qué escribimos"

La pasión

Desde la implantación de la modernidad y de un culto a la razón a partir del período de la formación de las naciones centroamericanas, la pasión ha sido relegada a un lugar secundario en la gran narrativa histórica de la nación. Sin embargo, la pasión ha sido un motivo importante en el devenir histórico de las naciones centroamericanas, aunque el ámbito de la razón niegue los motivos pasionales que han contribuido a la constitución de su historia. En el caso de la historia reciente, para explorar la lucha ideológica entre la cultura de los principios revolucionarios y el motivo de la pasión –o su conexión, ya que uno también podría argumentar que a pesar del discurso revolucionario la pasión era la fuerza impulsadora tras la práctica revolucionaria– he decidido discutir el contexto de la revolución salvadoreña. En particular, estoy interesada en las formas en que la pasión se expresa como el motivo que impulsa a la lucha a la vez que se expresa un desacuerdo con la línea revolucionaria institucional de pensamiento que abogaba por la imposición de los principios revolucionarios y los valores morales. Como resultado, he decidido analizar una serie de textos que expresan una falta de conformidad con dicha posición, y que expresan cinismo, pues me interesa también demostrar la forma en que el cinismo, tan presente en la narrativa de ficción de la posguerra, ha estado también presente antes, durante y después de las revoluciones en Centroamérica. Desde mi perspectiva, el discurso poético es el lugar donde estos textos proliferaron mayoritariamente, a pesar de que también podemos encontrarlos en otros modelos del discurso en el ámbito literario.

Los cuerpos físicos tienen memoria y tienen un límite para su memoria. La resistencia elástica es su memoria. Si yo tomo un cuerpo físico y lo deformo dentro de los límites de su resistencia elástica, cuando dejo de ejercer esa fuerza sobre él, regresa a su forma original. La resistencia plástica, en cambio, es su olvido. Si yo tomo un cuerpo físico y lo deformo más allá de los límites de su resistencia elástica, cuando dejo de ejercer esa fuerza sobre él no regresa ya a su forma original. La ha olvidado para siempre. Ha sido deformado. Gilles

Deleuze, partiendo de Spinoza, habla del derecho natural del ser humano a partir del poder de su cuerpo físico, y señala que "todo lo que un cuerpo puede hacer (su poder), es también su 'derecho natural'" (Deleuze, citado por Hardt, 257).[1] Este capítulo es sobre la memoria y el olvido, no sólo como fenómenos pasionales, sino como derechos naturales que tienen los cuerpos y los individuos. La lectura de la obra poética de Roque Dalton, Róger Lindo y Miguel Huezo Mixco que aquí propongo, busca trazar los límites de la memoria y también los límites del olvido que van marcados por los deseos del individuo: el deseo de sobrevivir, el deseo de ser libre, el deseo de amar, el deseo de abandonarlo todo y de partir. Los principios a partir de los cuales se construía el discurso revolucionario no son ya los únicos válidos desde esta perspectiva. Tampoco lo es la moral cristiana a partir de la cual se construyó la cultura revolucionaria en El Salvador y en el resto de Latinoamérica. Mi propuesta es que a partir del derrumbe de los proyectos de liberación en Centroamérica, y de una forma velada durante toda la segunda mitad del siglo XX, para el cinismo que caracteriza a la sensibilidad de la posguerra el rumbo del individuo está marcado por motivos pasionales.

Debo aclarar también que cuando en este texto hablo sobre el poeta y sus pasiones no me refiero a las personas de Roque Dalton, Róger Lindo o Miguel Huezo Mixco sino al hablante poético que habita en sus respectivas obras. Si bien esa voz poética comparte con los autores importantes experiencias de vida y épocas históricas, como la guerra y la posguerra salvadoreñas, no me interesa explorar el carácter autobiográfico de su poesía. Eso sería caer en el mismo tipo de lectura que desde el período de la guerra ha mantenido a la poesía

1. [...] all that a body can do (its power) is also its 'natural right.'"

salvadoreña supeditada al referente histórico en el que ha sido creada. Por el contrario, lo que me interesa explorar es su imaginario poético y la forma en que en él se le da sentido a la existencia a través de la reinvención del ser. Si bien la voz poética en la obra de estos autores carece de las ilusiones revolucionarias que guiaban sus actos como partícipes en la guerra, ha logrado sobrevivir gracias a la cínica forma que tiene de reírse de sí misma y a lo que metafóricamente le queda todavía: la vida. Con ella a cuestas, la voz poética se marcha en un viaje existencial, enfrentando batallas privadas, todas pobladas de poderosas pasiones, para lograr darle sentido a su vida a través de su migración o para perder el sentido de todo otra vez. Pero de cualquier forma, viaja para reinventarse.

El pensamiento filosófico de Arthur Schopenhauer, Søren Kierkegaard y Fredrich Nietzsche nos proporciona una plataforma para discutir la visión desencantada del mundo y su representación de la moralidad como una práctica política corrupta y como una imposición por una sociedad que no estaba dispuesta a vivir a la altura de sus propios estándares. Teniendo en mente que el proyecto centroamericano del cristianismo y la agenda política del marxismo se volvieron las bases ideológicas para los recientes movimientos revolucionarios, exploro los estándares de la moral que forzarían a los individuos y a sus comunidades a interactuar con el espacio público y a adherirse a ciertos principios con el propósito de ser socialmente aceptados. En la ficción contemporánea, es la pasión la que mueve al sujeto, más allá de la razón o el respeto por los valores morales de cualquier tipo. La expresión de esta pasión nos permite formular un proyecto estético para la Centroamérica de posguerra, una estética marcada por la pérdida de la fe en los valores morales y en los proyectos sociales utópicos. En suma, lo que he llamado una estética del cinismo. Mi argumento es que dicho proyecto estético se expresa desde mucho antes, particularmente, a través de la producción poética. Esta producción poética y la ficción contemporánea comparten una exploración de la pasión y el deseo, así como una actitud crítica hacia la sociedad.

Para Schopenhauer, los deseos del ser humano se encuentran en constante transformación. Como resultado, él argumenta que el sujeto nunca está satisfecho. Esta falta de satisfacción es la fuente inevitable de su pesimismo. El argumento de Schopenhauer respecto a la fluidez de los deseos del ser humano puede relacionarse con las teorizaciones contemporáneas y poscoloniales sobre la naturaleza fragmentada e híbrida de la subjetividad. Más allá de la calidad cambiante de los deseos, el alto estándar de la moralidad es lo que limita el comportamiento del sujeto en el espacio público y que también funciona como una fuente de deseos no satisfechos. La moralidad requiere que el sujeto se someta a las normas públicas para disfrutar de legibilidad cultural. Sin embargo, es en el espacio privado y en el anonimato que el sujeto puede negociar dentro de los confines del espacio urbano para permitirse a sí mismo sobrepasar a la moralidad y a los principios éticos. En vista de ello, los argumentos de Kierkegaard se vuelven relevantes, particularmente su acercamiento a la práctica religiosa, que él considera ser una expresión irracional de la pasión humana y no un resultado de la agenda racional del individuo y de su sumisión a la moralidad. La perspectiva de Kierkegaard sobre la pasión y el sujeto nos proporciona una opción para interpretar la construcción literaria de la pasión en el ámbito centroamericano como una forma de darle sentido a una vida desencantada y como una alternativa momentánea a la racionalidad.

Las contribuciones de Nietzsche también son relevantes a este estudio porque se oponen a la visión pesimista del mundo de Schopenhauer y encuentran en la vitalidad el verdadero significado de la vida. Nietzsche considera que los principios morales y las creencias son una forma de esclavitud del individuo. Su invitación a "bailar sobre la tumba de la moralidad" es una invitación a explorar la pasión humana como una forma de darle sentido a la vida. Sus argumentos nos proporcionan una base para el análisis de los valores éticos y de los principios morales que regulan el espacio social en Centroamérica y que sostienen un proyecto para la normalización del género, el deseo, la sexualidad y la construcción de la subjetividad. Desde esta perspectiva, la agenda cínica podría leerse como una opción para sobreponerse al pesimismo.

Las revoluciones centroamericanas, tanto por motivos del compromiso político en que estaban basadas, como a partir de sus cimientos en el cristianismo, conllevaban ciertos valores morales que requerían que el individuo se adhiriera a una serie de principios para participar en ellas. Es importante reconocer que para guiar la vida a partir de estos principios, el individuo debía ser partícipe de dos experiencias culturales de tipo cristiano: la fe (en el proyecto revolucionario) y la esperanza (en un mundo mejor). Al mismo tiempo que estos principios se iban fijando en el imaginario cultural revolucionario, su contraparte iba también creando a su lado un lugar propio. El cinismo ha permanecido como un bajo constante al lado de estos valores morales y estos principios revolucionarios. A partir de esta perspectiva, es la pasión lo que mueve al individuo, mucho más que la razón o el cumplimiento de valores morales de ningún tipo. Esta reconstrucción de la historia en que los hilos conductores son las pasiones y no los principios, juega con la memoria y con el olvido, pues sugiere que las pasiones más incongruentes con la revolución y con la moral cristiana siempre estuvieron presentes en la cultura revolucionaria y que desempeñaron un papel importante en las decisiones y actos que conformaron la guerra, aunque fueran mantenidas al margen del espacio permisible por los proyectos revolucionarios.

Los motivos pasionales y el cinismo venían conviviendo en la producción poética centroamericana desde mediados del siglo XX, particularmente en la obra de Roque Dalton. A pesar de ello la obra de Dalton a lo largo de las guerras civiles centroamericanas muchas veces fue leída de forma parcial como una obra "revolucionaria" con base en los principios que promovía, desechando todas sus dimensiones artísticas, particularmente desde una perspectiva vanguardista. Mientras tanto, el corpus poético de Dalton que cuestiona estos principios pareció quedar en el olvido. Pero no fue así, y en esta oportunidad quisiera explorar cómo "la memoria" de los motivos pasionales desde mucho tiempo atrás marcó nuestro imaginario cultural, y a la vez, cómo el "olvido" de los principios y valores morales marca en la actualidad la producción poética de la posguerra en Centroamérica.

El culto a la muerte

Dice Roque Dalton en "Altas horas de la noche": "Cuando sepas que he muerto no pronuncies mi nombre / porque se detendría la muerte y el reposo" (*Antología* 63). Dalton expresó en numerosas oportunidades su preocupación por un culto a la muerte que le daba prioridad y valor a los muertos por sobre los vivos en la cultura revolucionaria. Derivado de la teología cristiana y aumentado por los principios revolucionarios, el culto a la muerte promovía la cultura del sacrificio.

Por esta razón, en mi lectura de estos versos, que en un primer instante parecen pertenecer a un poema amoroso, a la luz de la totalidad de su obra poética se presentan como una premonición de la forma en que Dalton sería en el futuro una figura manipulada como parte de esa misma cultura del sacrificio, una cultura que para Dalton corría el peligro de que los vivos, los que quedaban, estuvieran tan cimentados en el pasado que no pudieran lanzarse a construir el futuro. Los siguientes versos de su poema "Sueño antes del tiempo" podrían leerse como una invitación a romper con estas ataduras hacia el pasado: "Los muertos muertos están / se quedaron atrás / muertos" (*La ventana* 103), afirma. Muchos años después, en su memoria de la revolución sandinista *Adiós muchachos*, Sergio Ramírez también reflexionaría sobre los principios revolucionarios y su estrecha relación con el cristianismo, y recordaría la declaración del poeta Leonel Rugama, quien antes de morir en la guerra, señaló:

> En la lucha clandestina era necesario vivir como los santos, una vida como la de los primeros cristianos. Esa vida de las catacumbas era un ejercicio permanente de purificación, significaba una renuncia total no sólo a la familia, a los estudios, a los noviazgos, sino a todos los bienes materiales y a la ambición misma de tenerlos, por muy pocos que fueran. Vivir en pobreza, en humildad, compartiéndolo todo, y vivir, sobre todo, en riesgo, vivir con la muerte (46).

La muerte era una presencia constante en la vida de los sobrevivientes. Esta presencia de la muerte en la vida revolucionaria era una fuerza importante para seguir luchando bajo condiciones sumamente difíciles, pero también era una pesada ancla que ligaba a los sobrevivientes con el pasado, particularmente después del final de la lucha armada. Al recordar el triunfo de la revolución sandinista, Ramírez señala:

> El que ningún mérito pudiera compararse entre los vivos con el mérito mismo de la muerte, fue toda una filosofía que al momento del triunfo de la revolución asumió un peso ético aplastante. Los únicos héroes eran los muertos, los caídos, a ellos se lo debíamos todo, ellos habían sido los mejores, y todo lo demás, referente a los vivos, debía ser reprimido como vanidad mundana (47).

Como sabemos, el culto a la muerte es una preocupación recurrente en la obra de Roque Dalton. Desde temprano en su vida tras el violento asesinato del poeta Otto René Castillo por parte del ejército guatemalteco en 1967, Dalton hablaba ya de este riesgo. En la introducción a la publicación póstuma de la antología poética de Castillo, *Informe de una injusticia*, Dalton escribió:

> Extrovertido, vital, de personalidad fuerte y simpática, no fue, sin embargo, una figura exenta de los errores y las debilidades de los jóvenes revolucionarios centroamericanos de su época. Su afán de vivir intensa y apasionadamente la vida le cobró su precio frente a la severidad de sus camaradas mayores en edad y experiencia y le significó conflictos, desgarramientos, problemas. Sus camaradas jóvenes le aceptaron siempre, por el contrario, en su rica totalidad humana, necesariamente contradictoria con el medio. Quizá el motivo más importante de citar este aspecto de su personalidad sea el de salvarlo del riesgo, que puede propiciarle su muerte admirable, de pasar a la historia como un santón, como uno de esos personajes planos a que nos tiene acostumbrados el apologismo póstumo (11).

Tanto este claro mensaje, como los numerosos poemas donde Dalton cuestiona este culto a los muertos, poniendo énfasis en los vivos y sus posibilidades y responsabilidad con el futuro, por la mayor parte han sido ignorados tras su muerte. Quizá un buen ejemplo de esto sea el prólogo a su poemario *Un libro levemente odioso*, escrito por la mexicana Elena Poniatowska, quien refiriéndose a él escribe:

> Por sus poros respiraban los bosques, las lianas, las montañas de su patria. En sus huesos, la médula era verde y en su linfa húmeda germinaban la yerbabuena y la santamaría. [...] Como San Tarcisio, estaba destinado a ser lapidado. San Tarcisio fue de los cristianos primitivos, de los escondidos en las catacumbas durante el imperio romano; a Roque lo patearon en las cárceles clandestinas, y las únicas hostias que se le metieron al corazón fueron los trozos de pan que él quiso repartir y le devolvieron como pedradas, las hostias de su martirologio, que de blancas pasaron a rojas, roja sangre de Cristo, el mismo Cristo en el que creyó de niño cuando lo llevaron como nos llevan a todos a hincarnos frente al altar (7).

Esta actitud hacia los muertos los eleva a un nivel supra-humano y heroico, a un lugar privilegiado en el santoral revolucionario. Para ocupar este lugar, la vida, la identidad, la imagen de una persona debe construirse con base en sus cualidades y actos heroicos en relación a su participación en el proceso revolucionario. Mientras tanto, sus cualidades humanas, su práctica intelectual y su visión crítica ante ese mismo proceso revolucionario quedan opacadas, borradas de la historia.

En su caso, dos de las más importantes dimensiones de la obra de Dalton han sido empujadas a un segundo plano por el culto que se ha generado a partir de su compromiso revolucionario y a la trágica muerte que sufrió en manos de sus propios compañeros de lucha: el compromismo artístico de su obra literaria y su visión crítica del proyecto revolucionario. Por supuesto que la primera de estas dimensiones, su talento y visión artística, chocaban con una revolución que no tenía interés en un arte que en el mayor de los casos no conocía.

"Taberna (conversatorio)", que desde un punto de vista artístico es uno de sus más importantes poemas, es un texto polifónico con voces acusatorias que difieren en sus perspectivas ideológicas pero que convergen en su compromiso revolucionario. El poema expresa a través de sus múltiples voces que los revolucionarios no estaban unidos con una misma voz, sino que tenían desacuerdos internos y diversas posiciones ideológicas. Antonio Negri y Michael Hardt, al hablar de la construcción del estado moderno, proponen que el problema es que el estado moderno presenta a su gente como unida en una sola voluntad, sin reconocer la existencia de una presencia no-uniforme de gente, lo que ellos llaman, siguiendo a Spinoza, la multitud (102-103). Ellos señalan:

> La multitud es una multiplicidad, un plano de singularidades, un juego abierto de relaciones, que no son homogéneas ni idénticas entre sí y que tiene una relación inclusiva pero indistinta con aquellos fuera de éste. El pueblo, en contraste, tiende hacia la identidad y la homogeneidad interna mientras que presenta una diferencia de y una exclusión de la que permanece fuera de éste. Mientras que la multitud es una relación constitutiva inconclusa, el pueblo es una síntesis constituida que está preparada para la soberanía. El pueblo proporciona una sola voluntad y acción que es independiente de y que con frecuencia está en conflicto con las diferentes voluntades y acciones de la multitud. Cada nación debe convertir a la multitud en el pueblo (103).[2]

---

2. The multitude is a multiplicity, a plane of singularities, an open set of relations, which is not homogeneous or identical with itself and bears an indistinct, inclusive relation to those outside of it. The people, in contrast, tends toward identity and homogeneity internally while posing its difference from and excluding what remains outside of it. Whereas the multitude is an inconclusive constituent relation, the people is a constituted synthesis that is prepared for sovereignty. The people provides a single will and action that is independent of and often in conflict with the various

Un problema similar tiene lugar en la cultura revolucionaria ya que el proyecto revolucionario fue construido de manera similar al estado moderno y, debido al peligro y a la urgencia de la guerra, demandaba que los revolucionarios permanecieran ideológicamente unidos. De manera paralela al Estado moderno, las revoluciones presentan a su gente (los revolucionarios) como uno, y como resultado, niegan la existencia de la multitud y de sus prácticas. Una acusación seria para la cultura revolucionaria era la de ser sectario. Cuando nos preguntamos el significado de sectario dentro de los círculos revolucionarios, nos damos cuenta de que el sectarismo es definido en oposición con la unidad y la homogeneidad representadas por el proyecto revolucionario. La multitud siempre ha estado presente en la cultura revolucionaria. Por eso resulta tan interesante verla aparecer una y otra vez en los poemas de Dalton. En "Taberna (conversatorio)", dice uno: "Yo lo decía porque / cualquier blasfemia / revela su elevado sentido moral / si le construyen una estética de respaldo" (*Taberna*, 132). Mientras que otro reclama: "Oh, baja el dedo didáctico!" (*Taberna* 140). Su desacuerdo sobre los detalles y sobre la actitud o los aspectos prácticos de la revolución es evidente. Por otra parte, tenemos su producción poética que presenta una crítica desde dentro, por lo que podría entenderse como crítica constructiva, aunque por supuesto, siempre como crítica, hacia el proyecto revolucionario. En este sentido, Dalton se expresa claramente en contra de la institucionalización de la revolución. En "Taberna" hay un ejemplo en los siguientes versos: "El movimiento comunista internacional ha venido sopesando / la gran mierda de Stalin" (137), dice otra de las voces. Otro ejemplo de su crítica puede encontrarse en su poema

wills and actions of the multitude. Every nation must make the multitude into a people.

titulado "Por las dudas", en el que Dalton presenta la enorme distancia que existe entre la idea de la revolución, "Carlos Marx/ maravillado ante una mariposa" (*Taberna* 113), y las prácticas revolucionarias "El Secretario General del Comité Central/ se mete el dedo gordo en la nariz/ Por el contrario,/ eso,/ ¿bulle de humana hermosura?" (*Taberna* 113), pregunta. Aunque Dalton rechaza el culto a los muertos por sobre los vivos, o quizá por eso mismo, era sumamente crítico con los vivos. Veamos otro fragmento de "Taberna":

> No quiero hacer el Angel-Guardián-de-sobacos-sabios,
> Pero pasa que tienes el complejo más antiguo:
> El del Glorioso
> Trabajador de la Gran Pirámide.
> Has puesto tu granito de arena
> Y quieres que te regalen la cerveza el resto de la vida,
> Exigiendo además una debida ceremonia (*Taberna* 139).

Desde su obra literaria, Dalton cuestionó la estética melancólica de la revolución y el culto a la muerte del que hablamos, pues su proyecto literario no tenía cabida en ese molde, particularmente por su compromiso artístico, su sentido del humor, y por su énfasis en la vida y en el futuro. Hablando de la oposición entre la realidad y la ficción con referencia a Hume, Deleuze señala:

> La fantasía forma cadenas ficticias de causalidad, reglas ilegítimas, simulacros de creencias, ya sea a través de la conflagración de lo accidental y lo esencial o por medio del uso de las propiedades del lenguaje (yendo más allá de la experiencia) para sustituir por la repetición de casos similares que en realidad observaban una simple repetición verbal que sólo simula su efecto. Es por esto que el mentiroso cree en sus mentiras por virtud de repetirlas; la educación, la superstición, la elocuencia y la

poesía también funcionan de esta manera (*Pure Immanence* 42).[3]

La memoria que tenemos de nuestra historia reciente viene no solamente mediatizada por nuestras pasiones, sino también por nuestras tradiciones. Entre ellas se encuentra el culto a la muerte, el cual implementa un proyecto de homogeneización del pueblo que construye héroes y que hunde en el olvido a tantos hombre y mujeres, pero más catastrófico aún, hunde en el olvido lo que nos dejaron antes de partir: sus ideas.

El culto a la imagen

El culto a la muerte adquiere una dimensión interesante cuando se promueve por medio de la reproducción de imágenes –es decir, por medio del discurso fotográfico–. En *Camera Lucida* Roland Barthes se refiere a la fotografía como una representación de la muerte, como una imagen plana que captura aquello que ha sido, aquello que ya no es más. A medida que Barthes reflexiona sobre la experiencia de ser fotografiado, de los momentos en que su propia imagen se convierte en la imagen de uno que ya no existe como tal, en la representación viva de un cadáver (78-79), señala: "Entonces experimento una micro-versión de la muerte (del paréntesis): verdadera-

3. Fantasy forges fictive causal chains of illegitimate rules, simulacra of belief, either by conflating the accidental and the essential or by using the properties of language (going beyond experience) to substitute for the repetition of similar cases actually observed a simple verbal repetition that only simulates its effect. It is thus that the liar believes in his lies by dint of repeating them; education, superstition, eloquence, and poetry also work in this way.

mente me estoy convirtiendo en un espectro" (14).[4] En el caso de Roque Dalton la diseminación de su imagen ha desempeñado un papel importante en su representación heroica de su dimensión revolucionaria. Encontramos imágenes de Dalton saliendo de la cárcel, tomando café con sus amigos, sentado al frente de su máquina de escribir, etc. El Museo de la Palabra y la Imagen (http://www.sv/museo), creado después del final de la guerra civil en El Salvador, preparó una exhibición con sus imágenes y textos y los llevó en un tour, con gran éxito, a lo largo y ancho de El Salvador. Roque Dalton ha sido mitificado, se ha convertido en el héroe revolucionario. Sin embargo, su fotografía, la cual incluso si Dalton estuviera con vida, sería la imagen de un cadáver (siguiendo a Barthes), es decir, de alguien que ya no es lo que era cuando posaba en frente de esa cámara, es también la representación de un revolucionario muerto: muerto porque cuestionó la institucionalización del proceso revolucionario, muerto por su crítica de la jerarquía vertical del poder dentro de las organizaciones revolucionarias. Su fotografía es también una evidencia en vivo de la muerte en nombre de la unidad del pueblo, un hombre que no se conformaba con el proceso de homogeneización de la revolución ni del estado. Por lo tanto, para convertirse en un héroe revolucionario, Roque Dalton, el hombre, tenía que morir. Desde su muerte, en 1975, en manos de sus compañeros de lucha, la imagen de Dalton ha dado la vuelta al mundo, se ha convertido en un apuesto afiche, ha sido impresa en tarjetas postales, camisetas, y todo tipo de memorabilia. Ha sido su imagen, su propia fotografía, la que ha borrado al hombre. Como lo señalaba Barthes: "No solamente la Fotografía nunca es, en esencia, un recuerdo

4. [...] I then experience a micro-version of death (of parenthesis): I am truly becoming a specter.

[...] sino que de hecho bloquea el recuerdo, rápidamente se convierte en un contra-recuerdo" (91).[5] La imagen impresa, capturada y reproducida, es ahora un objeto que puede usarse con propósitos más allá del control de la persona retratada en la fotografía (incluso si estuviera con vida). Barthes escribió sobre su propia experiencia de sentirse convertido en un objeto fotográfico: "Cuando me descubro a mí mismo en el producto de esta operación, lo que veo es que me he convertido en una Imagen-Total, lo que es decir, la Muerte en persona; otros –el Otro– no me roban de mí mismo, sino que me convierten, de manera feroz, en un objeto, me ponen a su merced, a su disposición, me clasifican en un archivo, listo para la más sutil de las decepciones" (14).[6]

El exilio: un viaje a los infiernos

A partir de la década de los noventa, el poeta salvadoreño Róger Lindo ha vivido exiliado en la ciudad de Los Ángeles, donde trabaja como periodista en el diario *La Opinión* y desde donde establece lazos culturales con la comunidad salvadoreña en El Salvador y en Estados Unidos. El exilio desde siempre ha sido una importante presencia en su poesía, no solamente su exilio en Los Ángeles, sino el exilio de todo, el exilio que lo sustrajo en su juventud de su vida en El Salvador y que lo llevó a la guerra, y también el exilio que lo sustrajo de la guerra y lo llevó a la metrópolis, en Los Ángeles. De cualquier

5. Not only is the Photograph never, in essence, a memory [...] but it actually blocks memory, quickly becomes a counter-memory.

6. When I discover myself in the product of this operation, what I see is that I have become Total-Image, which is to say, Death in person; others–the Other–do not dispossess me of myself, they turn me, ferociously, into an object, they put me at their mercy, at their disposal, classified in a file, ready for the subtlest deceptions.

manera, el exilio siempre le ha proporcionado los medios para reinventarse. Así lo expresa en el primer poema de su poemario *Los infiernos espléndidos*: "Por el amor de siempre ir / mis ojos se mantienen abiertos / bajo las estrellas" (11). Al leerlo, es difícil no imaginarse al poeta, viajando por sus vidas, una tras de otra, con traje diferente, desde un paisaje verde hasta otro horizonte muy distinto en el corazón de la ciudad. Un amigo de su infancia me contó que desde siempre, desde muy joven, Róger Lindo fue un poeta. Sin duda, la poesía es el hilo que une sus diferentes vidas.

"Vivimos separados / Sur favorito" (Lindo, *Los infiernos* 50), desde el exilio le dice el poeta a su país. Una relación nueva da inicio entre ellos. El Salvador ya no es un territorio sino un ser vivo que emigra con el poeta. Su poesía también se ha mudado de piel hasta llegar a la ciudad, "la gran víbora de niebla / que descendía hasta mi pecho / ciudad-flor desangrada / en el circo de la noche" (Lindo, *Los infiernos* 51). El poeta busca reinventarse, busca "inventarlo todo / en la larga noche irreverente" (Lindo, *Los infiernos* 54). El exilio es una nueva vida que sigue su curso.

La posguerra le llega al poeta pidiéndole reinaugurar su identidad. Sin embargo, ya no hay un proyecto colectivo en el que pueda embarcarse. Lo único que tiene la certeza de tener, es la vida. Peter Sloterdijk, en su *Crítica de la razón cínica* al hablar sobre la neurosis europea (léase "la neurosis occidental"), señala: "La neurosis europea ve a la felicidad como su objetivo y el esfuerzo de la razón como su medio para alcanzarla. Esta compulsión tiene que ser superada. Debe renunciarse a la adicción crítica por mejorar las cosas" (xxxvii).[7] Con la

7. European neurosis sees happiness as its goal and an effort of reason as a way to achieve it. This compulsion has to be overcome. The critical addiction to making things better has to be given up.

pérdida de la fe y de la esperanza, esta misma actitud hacia el mundo tiene el poeta. Por eso le hace frente con una mueca de cinismo. Timothy Bewes define el cinismo como "una reacción melancólica de autocompadecimiento hacia la aparente desintegración de la realidad política [en la forma de las 'grandes narrativas' y de las 'ideologías totalizantes']" (7).[8] Quizá por eso, en el fondo, el cinismo no ha logrado suplantar la tristeza del poeta. Es la tristeza que viene con la pérdida de un proyecto colectivo y con la recién inaugurada soledad. Pero el poeta tiene voluntad propia: "Pues me quedaré solo / como un ronco ardid / entre el hielo tenaz de mi preferencia" (Lindo, *Los infiernos* 79), dice amenazante. Tiene también una puerta que lo aparta de su antigua vida como revolucionario. "Es una puerta salvaje / la mía" –nos dice– "Puerta lacerante / puerta sabia" (Lindo, *Los infiernos* 36).

Es en este espacio de la posguerra que el poeta adquiere la oportunidad de buscarse a sí mismo y de construirse una nueva identidad. Para lograrlo, se deshace de su vieja piel de guerrero y se construye como un nuevo ser con lo que le queda. Se convierte ahora en un fugitivo de su propio papel en la historia. La posguerra es también el momento en que nos balanceamos sobre una cuerda floja entre el olvido y el recuerdo de nuestra historia. Allí está el equilibrio que nos permite seguir, a veces vestidos de cinismo, a veces melancólicos. Así es también la casa de los Peña que describe el poeta: "Historia y nostalgia / se rompen el alma en esta casa, / donde las fotos de los caídos / se disputan a dentelladas / la razón con los vivos" (Lindo, *Los infiernos* 71). Y es allí donde el poeta se encuentra a sí mismo, frente a ese trasfondo de vidas perdidas: "soy sólo mi propia

8. A melancholic, self-pitying reaction to the apparent disintegration of political reality [in the form of 'grand narratives' and 'totalizing ideologies.']

aventura / recién salida / de los infiernos espléndidos. / Impecable y sin causas, / mi fe es errante" (Lindo, *Los infiernos* 73). La posguerra nos pide reinventarnos. El poeta también: "Haz como el que pretende / y tiene la obligación de verse al espejo / y termina rendido / ante la evidencia de las rebeliones / que lo obligan a agotarse / y ser otro" (Lindo, *Los infiernos* 82).

Lo que le queda al poeta es su existencia y con ella sus derechos.[9] El proyecto de la guerra civil en El Salvador fue precisamente construido a partir de una perspectiva racional del derecho: era una lucha por alcanzar el reconocimiento estatal del derecho de todos los individuos. A pesar de su posicionamiento en contra del Estado, el proyecto revolucionario era un proyecto construido con base en el derecho que el Estado le otorga al individuo y, por eso, se asemejaba al del estado en este aspecto: buscaba establecer un estado revolucionario que, de la misma forma que lo hacía el Estado salvadoreño, le otorgaría el derecho al individuo. De tal forma, el derecho del ser humano por el que se luchó en la guerra civil salvadoreña, por su propia naturaleza, se encuentra supeditado a la normatividad tanto estatal como social. Por estas razones, el individuo corre el peligro de perder el derecho que tiene ante el Estado por un simple acto, o en el caso de la guerra en El Salvador, por un simple posicionamiento en el polarizado espectro sociopolítico.

Si la existencia del derecho, desde esta perspectiva racional que se apoya en la ley, queda en tela de juicio, desde la perspectiva spinoziana, el individuo no puede

9. Quiero agradecer a Douglas Carranza-Mena por nuestras conversaciones sobre el derecho del individuo y por traer a mi mesa los escritos de Spinoza. Su tesis doctoral, titulada *Indigenous Associations and the Ethnography of Governmnetality* de la Universidad de California en Santa Bárbara (2002), contiene una amplia discusión sobre el tema del derecho del individuo, tanto desde una perspectiva racional como natural.

perder nunca su derecho natural, pues éste es intransferible. En el siglo XVII, poco tiempo antes de morir, Spinoza escribió el *Tratado político* en el que expone sus perspectivas sobre el derecho natural del ser humano. Como señala Michael Hardt, "una de las propuestas democráticas centrales de Spinoza, que el 'derecho natural' de un individuo nunca puede ser transferido a otro [...] demuestra el rigor y radicalismo de la democracia Spinoziana" (25).[10] Para Spinoza, además, el derecho natural del individuo no es dictado por la razón, sino por sus pasiones:

> Si la naturaleza humana hubiera sido constituida de tal forma, el ser humano viviría de acuerdo al simple dictado de la razón, y no debería intentar nada que no fuera consistente con ésta, en tal caso el derecho natural, considerado como un derecho especial de la humanidad, sería únicamente determinado por el poder de la razón. Pero el ser humano es más bien guiado por el deseo ciego que por la razón: y, por lo tanto, el poder natural o el derecho de los seres humanos debería ser limitado, no por la razón, sino por cada apetito por medio del cual están determinados a actuar o a buscar su propia preservación (292).[11]

Al final de la guerra el poeta ya no busca darle sentido a su existencia a partir de su lugar en la formación de un nuevo estado. Por el contrario, para reinventarse,

---

10. One of Spinoza's central democratic propositions, that the 'natural right' of a subject can never be transferred to another, [is] a proposition that demonstrates the rigor and radicality of Spinozian democracy.

11. If then human nature had been so constituted, that men should live according to the mere dictate of reason, and attempt nothing inconsistent therewith, in that case natural right, considered as special to mankind, would be determined by the power of reason only. But men are more led by blind desire, than by reason: and therefore the natural power or right of human beings should be limited, not by reason, but by every appetite, whereby there are determined to action, or seek their own preservation.

es el derecho natural el que demanda el poeta guiado nada más que por sus deseos y sus pasiones:

> [M]i propia migración pasa
> por causas o desesperaciones
> distintas
> por ir detrás del silencio
> y porque es la pasión,
> mi pasión por el movimiento
> el simple sueño de ir
> siempre delante
> siempre detrás de mí (Lindo, *Los infiernos* 14).

El mar de sus deseos es inmenso y va marcado por su propia existencia. El proyecto institucional ha quedado atrás. Su exilio le permite marcar la distancia: "No volveré / cielo de azufre / a tus calles en perpetuo desgano / ni a lluvias / donde puse balas y semen" (Lindo, *Los infiernos* 49).

El olvido

Para sobrevivir, el ser humano necesita de una ración de olvido. Nietzsche, al hablar de la memoria y del olvido en su ensayo "Sobre la utilidad y confiabilidad de la Historia para la vida",[12] propone que la memoria tiene poderes destructores: "hay un grado de insomnio, [...] de sensibilidad histórica, que daña y que a la larga destruye todas las cosas vivientes, sean seres humanos, un pueblo o una cultura" (*Unfashionable* 89).[13] Para Nietzs-

---

12. He citado la versión al inglés titulada "On the Utility and Liability of History for Life."

13. There is a degree of sleeplessness, of rumination, of historical sensibility, that injures and ultimately destroys all living things, whether a human geing, a people, or a culture.

che, "toda acción requiere del olvido, al igual que la existencia de todas las cosas orgánicas requiere no sólo de luz, sino también de oscuridad" (*Unfashionable* 89).[14] Nietzsche pone énfasis en el "gran poder formador de un ser humano",[15] es decir, "el poder para desarrollar su propio carácter singular a partir de sí mismo, de darle forma y asimilar lo que es pasado y foráneo, de sanar heridas, de reemplazar lo que ha sido perdido, de recrear las formas rotas a partir de nada más que de sí mismo" (*Unfashionable* 89).[16] Por otra parte, Nietzsche propone que es necesario tener tanto una medida de historicidad como una medida de ahistoricidad para que el individuo pueda existir dentro de límites saludables (*Unfashionable* 90). Es así que señala:

> Solamente cuando el ser humano, por medio del pensamiento, la reflexión, la comparación, el análisis y la síntesis limita el elemento ahistórico, sólo cuando una luz brillante, intermitente, iridiscente es generada dentro de la nube envolvente de la penumbra –es decir, sólo por medio del poder de utilizar el pasado para la vida y de darle nueva forma a los eventos pasados y convertirlos en historia nuevamente– es que el ser humano se convierte en ser humano; pero en el exceso de historia el ser humano deja de existir nuevamente, y sin estar cubierto por lo ahistórico nunca habría comenzado y nunca habría osado empezar (*Unfashionable* 91).[17]

---

14. All action requires forgetting, just as the existence of all organic things requires not only light, but darkness as well.

15. [...] the great shaping power of a human being.

16. [...] that power to develop its own singular character out of itself, to shape and assimilate what is past and alien, to heal wounds, to replace what has been lost, to recreate broken forms out of itself alone.

17. Only when the human being, by thinking, reflecting, comparing, analyzing, and synthesizing, limits that ahistorical element, only when a bright, flashing, iridescent light is generated within that enveloping cloud of mist–that is, only by means of the power to utilize the past for life and

El poeta Miguel Huezo Mixco, al recordar las experiencias del escritor español Jorge Semprún, tras sobrevivir 18 meses de confinamiento en los crematorios nazis durante la Segunda Guerra Mundial, escribe sobre la importancia del olvido para la sobrevivencia de Semprún:

> Tras su liberación se autoimpuso una "cura de silencio y amnesia". Abandonó cualquier proyecto de escritura sobre aquella terrible paradoja de ser un sobreviviente. "Tenía que elegir entre la escritura y la vida, y opté por la vida", recuerda. Semprún se entregó al intenso deseo de vivir, resistiéndose a que su memoria lo devolviera a los campos de la muerte ("Jorge Semprún", s. p.).

Cincuenta años más tarde, como prueba de que el escritor español nunca fue capaz de olvidar, publicó *La escritura y la vida* recordando su experiencia. Ya para entonces, sus recuerdos iban modificados por la creación literaria. En términos nietzscheanos, tenían una medida de ahistoricidad en ellos.

La poesía de Huezo Mixco es testimonio de que la voz poética no salió ilesa de la guerra. Aunque sigue sufriendo la angustia existencial que lo afligía desde la época de la guerra, la misma que lo hacía hablar de "la tierra dura que habrá de cobijarme" (*El ángel* 51), ya no es el roble que alguna vez dijo ser. "Este inmenso árbol / no servirá jamás / para madera. / La sierra se romperá / los dientes / en la armadura de este roble / que ha guardado sin sangrar / dentro del pecho / los restos de la metralla" (*El ángel* 49). Tampoco cree ya en la bondad intrínseca del ser humano en que creyó alguna vez durante la guerra cuando escribió: "Si pudiera escuchar el

---

to reshape past events into history once more–does the human being become a human being; but in an excess of history the human being ceases once again, and without that mantle of the ahistorical he would never have begun and would never have dared to begin.

enemigo / Si llevara uno solo de sus dedos a tocar su corazón / Si palpara la profundidad de ese cristal / sin destrozarlo" (*El ángel* 54). Todas estas ideas han desaparecido bajo la fuerza inextinguible de la posguerra. Como en una visión de dos vidas que pudieron ser, cada una a costa de la otra, el poeta da muerte al que fue para ser por fin el que no ha sido. Para reinventarse, al que siempre fue lo despide con cinismo en "Poema jubiloso":

> Entonces salí
> no como ahora del sueño
> visitado por la muerte
> No
> A secas salí del corazón con un atado de ropa
> a celebrar a la calle sucia
> el mismo perro otro el collar ("Dos poemas" 110).

Para reinventarse, tiene que dejar atrás los principios que dictaban las normas de la vida revolucionaria. Así, en "El hilo de Ariadna" el poeta renuncia a su papel en la historia y señala: "La historia ha sido mal contada / no soy Teseo / el héroe / mi nombre es otro" (*El ángel* 90). La renuncia al reconocimiento le permite dejar atrás los principios que normativizaban su conducta durante la guerra. Pero sobre todo, le permiten dejar atrás un proyecto colectivo que en la posguerra había perdido el sentido:

> Después de la guerra de los centauros
> bajé a los infiernos
> pero conseguí huir a los turbiones salobres
> ultramarinos
>
> Yo traía un casco reluciente
> como el de un motociclista
> sin medallas ni condecoraciones
> sólo una madeja de hilo
> y mi espada rota

Como mi suerte (*El ángel* 90).

Es un ser destruido, pero no sale de la guerra con las manos vacías. Entre ellas lleva una madeja de hilo, es el hilo de Ariadna, que acaso esté hecho de la fibra misma de sus pasiones.

La memoria

La voz poética se ha transformado pero no toda su materia se ha quedado en el olvido. Es la pasión, lo que Nietzsche define como lo ahistórico, lo que lleva consigo, lo que mantiene de la textura original de su vida. Esa pasión, Nietzsche la define como el estado más creativo, como:

> La condición más injusta en el mundo, estrecha, desagradecida por el pasado, ciega a los peligros, sorda a las advertencias; es un pequeño remolino de vida en un mar muerto de noche y vacío; y, sin embargo, esta condición –ahistórica, anti-histórica por completo– no es solamente el vientre de los hechos injustos, sino también de cada hecho justo; y ningún artista creará una pintura, ningún general ganará una victoria, y ningún pueblo ganará su libertad sin haber deseado y luchado previamente por lograr estos actos justamente bajo dicha condición ahistórica (*Unfashionable* 92).[18]

18. The most unjust condition in the world, narrow, ungrateful to the past, blind to dangers, deaf to warnings; a tiny whirlpool of life in a dead sea of night and oblivion; and yet this condition–ahistorical, antihistorical through and through–is not only the womb of the unjust deed, but of every just deed as well; and no artist will create a picture, no general win a victory, and no people gain their freedom without their having previously desired and striven to accomplish these deeds in just such an ahistorical condition.

De la época de la guerra sobrevive su manera irreverente y apasionada de intentar alcanzar el amor como una batalla personal en la que busca ganarlo todo con palabras, pero sin ataduras. A veces, queda al descubierto su juego: "Y esta perra soledad que siempre fue mi huésped / me ha lanzado a decirte en el oído / 'eres mía' / ¡Qué error!" (*El ángel* 62). Otras, el poeta se siente afortunado de no haberse lanzado tras el amor a costa de su propia libertad: "Es como lanzar un zapato a la otra orilla / apoyado en un pie / descalzo sin camisa" ("Dos poemas" 112). Su más grande muestra de amor es cuando reconoce en la amada a otro ser libre, guiado por nada más que el cúmulo de sus pasiones y, quien como él, lucha por mantener intacta la propia libertad. Así, en "Mujer que vuela", el poeta reconoce esa libertad: "Uno no puede decir a una abeja / despósate / con mi sombra / reclínate / ante mi cetro / sería el derrumbe de su imperio" (*Travesía* s. p.). Ese reconocimiento de las pasiones que mueven la vida de la mujer amada la convierte, entre los versos del poeta, en un reflejo de sí mismo: "En mi sueño calzas mis botas duermes en mi hamaca / fumas mis cigarros usas la misma talla de camisa" (*Travesía* s. p.), dice el poeta sobre la amada. Su igualdad se basa en el derecho de ir en busca de las pasiones que cada uno tiene. Por esta razón, ella se convierte en la imagen del poeta reflejada en el espejo: "En mi sueño eres la que eres / la mujer de mi vida / y nos abandonamos por turnos / una veces tú a mí otras veces yo / Y corremos siempre a brazos equivocados / Una cabra loca / Un cerdo rojo" (*Travesía* s. p.). A veces, el poeta claudica ante su miedo a comprometer su propia libertad, pero secretamente desea poder hacerlo. Sus versos se convierten en una plegaria a sí mismo: "Cambia de ruta / Échate con ella sobre el mundo / Aspira ese aroma de sabiduría / que no se niega / ni al llanto ni a la exaltación" (*Travesía* s. p.). Y aunque no escucha su propia plegaria, en el fondo sólo quiere tener al objeto de su deseo: "Fumando opio / tuve la visión / de una mujer / infinitamente aburrida entre las cuatro paredes / de un banco en Atenas / Ella tenía tatuado en su vientre / el plano del tesoro / Y me quedaba con la mujer / y con el mapa" (*El ángel* 78-79).

El amor, pasajero y etéreo, como la voz poética lo entiende, es siempre su refugio. Lo era desde tiempos de la guerra: "Y yo me metí en su cuello / para cambiar el clima / y soportar así los rayos que talaban los árboles / y el bufido de los cañones / en la noche" (*El ángel* 64). Pero el amor es siempre fugaz. En "Tregua" la voz poética anuncia el final que siempre espera: "tardó el final / pensé / dos semanas, seis meses, un año / ya se cansará / ya nos aburriremos / ya me pescará en la movida / la pescaré con otro / sentiré en su nariz el olor de sus axilas y será el final" (*El ángel* 101). Al final, del amor lo único que queda siempre son escombros:

> La verdad es que al final
> deseaba que te largaras
> "Vuelve a ese inmundo país de caudillos y malhechores
> vuelve a tu remota casa", vociferaba ante tu puerta
>
> Te arranqué de tus amantes
> te pedí fidelidad explicaciones como un cualquiera
> y frente a todos te senté a mi lado con una corona de
> /ortigas
> ...
> Hay algo indecente que nos sobrevive (*El ángel* 103).

A pesar de su libertad, cuando un vestigio de su vida pasada llega a juzgarlo con base en la moral o los principios, el poeta recuerda su anterior identidad y siente culpa. De su renuncia al compromiso se protege con su propio imaginario:

Mis novias antiguas han tejido para mí
una corona de ortigas

Envían sus besos por las alcantarillas
Orinan en los tiestos
Se asombran y gozan con crueldad

Espanto sus sombras
desato mis lobos

Sólo mis lobos
me siguen
mis lobos exactos (*Travesía* s. p.).

El amor, además, es un juego de poderes. En la competencia, el poeta, a pesar de su deseo, no está dispuesto a perder la libertad. El objeto de su deseo, por ser un reflejo de su propio ser, nunca es una fácil presa. Sobre las mujeres, dice en "Follaje": "Cómo me parezco a vosotras ingobernables" (*Travesía* s. p.). Alguna vez, al claudicar, la voz poética se llena de angustia. Ha perdido todo control propio, su autonomía peligra: "corazón te tengo / en un ovillo / Te tengo corazón / hecho un ovillo / una mujer hila y deshila / impasible / de mí / de mi silencio" (*Travesía* s. p.). Irónicamente, tal parece que al final su propia libertad es víctima de sus pasiones. Aunque el amor es parte crucial de su búsqueda existencial, surge siempre fuera de su control y llega a su casa siempre por azar: "El azar y la maldad / que todo lo pueden / nos habían puesto allí" (*El ángel* 98). Pero como llega, el amor termina también por motivos del azar: "Nada consiguió separarnos / sólo el albur / El resto tuvimos que fingirlo" (*El ángel* 102).

Otra vez el olvido

"Para vivir –señala Nietzsche– [el ser humano] debe poseer, y de vez en cuando emplear, la fuerza para romper y disolver el pasado; lo logra llevando este pasado ante un tribunal, interrogándolo sin cesar y, finalmente, condenándolo" (*Unfashionable* 106).[19] Sólo dejando atrás este pasado es que el poeta puede vivir de nuevo. Y así sucede, si el poeta alguna vez declaró nunca más claudicar, nunca perder la libertad propia, nunca asentar cabeza en un lugar, llegó el momento en que también eso lo olvidó. En "Aniquilar la duda", la hoguera ardiendo sugiere el final del viaje del poeta, quien construye por fin una vida sedentaria. De su vida de nómada sólo quedan recuerdos vagos y la conciencia del que fue capaz de reinventarse, del que tomó un pequeño barco y se lanzó en un viaje existencial: "Soy nada más el hombre a solas / que contempla este pequeño barco / recuerdo del Puerto de Veracruz / antiguo mensaje en una botella / llegado intacto hasta mis islas" (*Comarcas* 49-50). Ahora la vida del poeta es otra, el mismo barco que lo llevó en su poesía a viajar por el mundo, a ver sirenas, a vivir como un bandido y a enfrentar sus soledades, se ha convertido en nada más que un pequeño barco, en un souvenir de Veracruz que cuelga de una tachuela. Acaso todos los viajes metafóricos en los que se embarcó el poeta fueron en su imaginación, allí donde está el mar de pasiones que navegaba y sus inquietudes: "Ahora que los hijos nos empujan / y el cuadro anudado con cinta tras la puerta / recuerda que el amarillo es sólo el color de la mañana / me siento a gozar privilegios de

19. In order to live [the human being] must possess, and from time to time employ, the stregth to shatter and dissolve a past; he accomplishes this by bringing this past before a tribunal, painstakingly interrogating it, and finally condemning it.

dolor y felicidad / reunidos en esa pequeña tachuela que sostiene la gavía de mi barco" (*Comarcas* 50). Y puesto fin a ese viaje, el poeta renuncia a su vida de libertades para tomar el gran paso que tanto temor le había causado, para creer nuevamente en la vida y en los otros, para invertir por fin sus anhelos en un sueño que no controla. Sólo entonces el poeta anuncia la pérdida de su libertad y confiesa su deseo: "Soy un hombre con el techo roto / bajo los rayos del porvenir que ruge / un pedazo de arcilla que quisiera su flor / y voy a donar mi libertad / para que el bien y el mal se trencen en mi lecho / como aquellos que sin conocerse / se besan desesperadamente" (*Comarcas* 50). Ésta no será su última búsqueda. "¿Cómo puede el ser humano llegar a conocerse a sí mismo?"–pregunta Nietzsche–"Es una cosa oscura y velada; y si la liebre tiene siete pieles, el ser humano puede quitarse siete veces setenta pieles todavía sin poder decir: 'éste eres realmente tú, ésta ya no es una cubierta exterior'" (*Unfashionable* 174).[20] Mientras no llegue a su último verso, su búsqueda no habrá concluido.

Los vaivenes del poeta entre la memoria y el olvido no son sino una expresión de su libertad y de que las pasiones y no los principios son los que gobiernan su vida. Si las pasiones del poeta lo llevan a "donar su libertad", las pasiones también lo llevarán a retractarse. Y ese acto, que desde el punto de vista de la moralidad cristiana, de los principios revolucionarios o del derecho racional del estado, es un acto traicionero, desde la perspectiva del derecho natural, no es sólo su derecho sino la única posición ética que puede tomar el poeta. Como lo explica Spinoza:

---

20. How can the human being get to know himself? He is a dark and veiled thing; and if the hare has seven skins, the human being can shed seven times seventy skins and still not be able to say: "This is really you, this is no longer outer shell".

> La promesa de fe, en que una persona le ha prometido verbalmente hacer esto o aquello a otra [...] se mantiene válida solamente mientras la voluntad de quien dio su palabra no cambie. [...] Si, entonces, esta persona, siendo por derecho natural juez en su propio caso, llega a la conclusión [...] de que la promesa le está causando más pérdida que ganancia, entonces, por su propio juicio decide que el pacto debe romperse, y lo romperá por el derecho natural que tiene (*A Theologico-Political* 296).[21]

El poeta no ha renunciado a su libertad, que es su derecho natural, en el acto de "donar su libertad". Su deseo, guiado por su propio mar de pasiones, es el que marca la medida de su entrega o la medida de su renuncia y el que lo lleva a navegar entre la memoria y el olvido. Como lo señala Hardt, "el deseo del individuo tiene prioridad sobre cualquier transferencia o representación de la autoridad, sobre cualquier fuerza externa del orden" (25).[22] Es más, Hardt propone como posición ética la liberación del poder que tiene el individuo de la normatividad que la moral quiere imponer sobre éste:

> Sabemos que la condición humana se caracteriza predominantemente por nuestras debilidades, que las fuerzas que nos rodean en la naturaleza sobrepasan en gran medida nuestra propia fuerza, y por lo tanto, nuestro poder de ser afectados se llena en gran medida por afectos pasivos en vez de activos. Esta devaluación, sin em-

---

21. The pledging of faith to any man, where one has but verbally promised to do this or that [...] remains so long valid as the will of him that gave his word remains unchanged. [...] If, then, he, being by natural right judge in his own case, comes to the conclusion [...] that more harm than profit will come of his promise, by the judgment of his own mind he decides that the promise should be broken, and by natural right he will break the same.

22. The desire of the subject is thus given priority over any transfer or representation of authority, any external forces of order.

> bargo, es también la afirmación de nuestra libertad. Cuando Spinoza insiste en que nuestro derecho natural es coextensivo con nuestro propio poder, esto significa que ningún orden social puede ser impuesto por ningún elemento trascendental, por nada fuera del inminente campo de fuerzas. Por lo tanto, cualquier concepto del deber o la responsabilidad o cualquier mecanismo de contrato o representación debe ser secundario a y debe depender de la afirmación de nuestro propio poder. La expresión del poder libre de cualquier orden moral es el principal principio ético de la sociedad (29).[23]

Así, la búsqueda de su propio ser lleva al poeta a navegar entre la memoria y el olvido, por virtud de unas pasiones que van arraigadas a su propio cuerpo físico y al poder de sus deseos.

El cinismo y el desencanto que caracterizan la ficción centroamericana de posguerra comparten sensibilidades con el discurso poético del cinismo que desde mediados del siglo XX contrasta directamente con el discurso romántico y lleno de esperanza de la poesía testimonial y revolucionaria en el istmo. Incluso cuando los ejemplos examinados en este capítulo vienen exclusivamente de El Salvador, es un discurso poético que tiene lugar de manera paralela en otros países centroamericanos. Para nombrar algunos ejemplos, en Guatemala, un grupo de

23. We know that the human condition is characterized predominantly by our weakness, that the forces surrounding us in nature greatly surpass our own strength, and hence that our power to be affected is filled largely by passive rather than active affections. This devaluation, however, is also an affirmation of our freedom. When Spinoza insists that our natural right is coextensive with our power, this means that no social order can be imposed by any transcendent elements, by anything outside of the immanent field of forces. Thus, any conception of duty or obligation or any mechanism of contract or representation must be secondary to and dependent on the assertion of our power. The expression of power free from any moral order is the primary ethical principle of society.

jóvenes poetas formados alrededor del escritor Marco Antonio Flores expresa su irreverencia; en Nicaragua, el poeta del desencanto es, por excelencia, Carlos Martínez Rivas; en Honduras, la impotencia y el cinismo fluyen de los poemas de Roberto Sosa, mientras que en Costa Rica encontramos instancias contemporáneas en las que sus poetas exploran el cinismo, como es el caso de Oswaldo Sauma. Es después del final del período revolucionario en América Central, cuando esta irreverente visión cínica del mundo y un consecuente sentido de impotencia proliferan, abarcando diversidad de espacios, entre los que sobresale el ámbito de la ficción contemporánea. A medida que en los siguientes capítulos exploro el conjunto de obras de ficción caracterizadas por el discurso del cinismo, un corpus que sigue creciendo exponencialmente, me parece importante tener en mente que el cinismo nos permite liberarnos de la censura y rigidez impuestos por los proyectos revolucionarios sobre la narrativa testimonial y la poesía. Esto sucede únicamente para colocarnos en otro espacio de rigidez, en otra trampa ideológica. Pues, tal como lo veremos, el proyecto cínico no ofrece otra salida de su ámbito sino por medio de la auto-destrucción. Nos lleva por un camino de impotencia y auto-destrucción que culmina con el resquebrajamiento de los proyectos utópicos que movían al sujeto a actuar en la cultura revolucionaria, y también con la destrucción del sujeto colectivo e individual, la erradicación de su poder para actuar, el desmembramiento del cuerpo del sujeto, la desesperanza, la impotencia, y la muerte.

3

Una ficción histórica: la construcción de una versión masculina de la identidad nacional

> A esa misma hora los policías [...] se contaban chistes. [...] Y abundaban aquellos que iban sobre mujeres. Por ejemplo, un policía decía: [...] ¿en cuántas partes se divide el cerebro de una mujer? ¡Pues depende, valedores! ¿Depende de qué, González? Depende de lo duro que le pegues. [...] Y: ¿cuánto tarda una mujer en morirse de un disparo en la cabeza? Pues unas siete u ocho horas, depende de lo que tarde la bala en encontrar el cerebro. Cerebro, sí, señor, rumiaba el judicial. [...] Y: ¿qué hace un hombre tirando a una mujer por la ventana? Pues contaminar el medio ambiente. Y: ¿en qué se parece una mujer a una pelota de squash? Pues en que cuanto más fuerte le pegas, más rápido vuelve. [...] O bien decía: las mujeres son como las leyes, fueron hechas para ser violadas. Y las carcajadas eran generales.
>
> Roberto Bolaño, *2666*

Este capítulo explora la representación oficial de una subjetividad pública y colectiva como una versión incompleta de la identidad centroamericana por su exclusión de una perspectiva de género. Como punto de referencia, primero analizo un texto que refleja las perspectivas masculinas del status quo por medio de la producción de ficción centroamericana. En este caso tomo como ejemplo ilustrativo la novela *Libro de los desvaríos* (1996) del autor salvadoreño Carlos Castro. Luego, examino obras de ficción escritas por tres autoras centroamericanas contemporáneas –Tatiana Lobo, Claudia Hernández y Jacinta Escudos– cuyas propuestas retan la construcción normativa de la subjetividad centroamericana, tanto en términos del ámbito público como del ámbito privado, presentando alternativas a la versión masculina oficial.

En 1996, Carlos Castro publicó *Libro de los desvaríos*, una reconstrucción ficcionalizada del pensamiento liberal en Centroamérica. En su texto, las mujeres viven al margen de todos los eventos significativos de la historia del istmo. Las mujeres están excluidas del pensamiento nacional y son públicamente definidas como seres sensoriales, como personificaciones de la histeria. Por lo tanto, el proyecto de igualdad y libertad del liberalismo es un proyecto exclusivamente designado por y para los hombres y, desafortunadamente, la descripción que la novela presenta del lugar de la mujer en las sociedades centroamericanas no está muy lejos de la realidad. Las mujeres no han recibido reconocimiento por su participación en el proceso de construcción de la identidad nacional, la historia oficial y la historiografía literaria. Por supuesto que la mujer ha participado activamente en la construcción de la historia, literatura y cultura centroamericanas. Las recientes guerras civiles en Centroamérica les permitieron a las mujeres constituirse a sí mismas como sujeto público. Como sabemos, la urgencia de la situación forzó a las mujeres a salir al espacio público, a contribuir a la lucha armada, a participar en la denuncia pública de la injusticia social, y a salir en busca de solidaridad. Y a pesar de que una vez que el conflicto armado terminó, muchos esperaban que la mujer regresara a su espacio original en el ámbito de lo doméstico, muchas mujeres no lo hicieron. Muchas siguen luchando por permanecer en la arena pública, por mantener su visibilidad, por alzar su voz. La elevada calidad de la producción literaria escrita por mujeres –y su publicación– es uno de los logros más positivos del período de posguerra. Estas obras contienen la representación ficcional de las mujeres por sí mismas, de sus mundos públicos y privados, de sus fantasías y de sus deseos. Es significativo además, que presentan un reto a las definiciones tradicionales del género y a la visión patriarcal del lugar de la mujer en la sociedad.

Con respecto a *Libro de los desvaríos*, me parece muy acertada la observación de Rafael Lara Martínez: "durante los dos siglos que trata la novela [...] el legado documental y la escritura pasa, de padre a hijo, por la línea masculina de la familia. De tal suerte que los personajes femeninos están subordinados a la escritura del hombre" (11). Incluso podríamos ir más lejos al afirmar que, en el texto, la mujer sólo existe al margen de todos los eventos significativos de la historia occidental, por lo que queda marginada del discurso historiográfico de la novela. Excluye a la mujer de todo pensamiento racional y la sitúa en el ámbito de lo sensorial. Es así que en la novela, Atanasio Barrios, uno de los antepasados del Capitán General Gerardo Barrios, le explica a su hijo Claudio que las mujeres piensan "por imágenes, por intuiciones" (98) y que tienen la capacidad para "prever y predecir con exactitud las cosas futuras" (98).

Más significativa aún, en términos de la marginación de la mujer del espacio de la razón, resulta su representación como histérica. Recordemos que el concepto de la histeria, en sus orígenes griegos, consistía en la idea de que el "vientre flotante" que la mujer llevaba dentro le ocasionaba inestabilidad emocional y la incapacitaba para razonar. Poco ha cambiado con el paso del tiempo, pues hoy día, el diccionario de la Real Academia todavía define la histeria como una "enfermedad nerviosa, crónica, más frecuente en la mujer que en el hombre" (713). En el texto, el concepto de mujer que Atanasio comparte con Claudio no está muy lejos de esa línea de pensamiento:

> La naturaleza ha puesto en el cuerpo de las mujeres en un lugar secreto e interno un órgano del que carecen los hombres, en el que se engendran humores salados, nitrosos, borácicos, acres, mordientes, lacerantes, amargamente cosquilleantes, a causa de cuya picazón e inquietud dolorosa todo su cuerpo se conmueve, los sentidos se despiertan, las pasiones se exacerban y los pensamientos se confunden, peor que en las fiestas bacanales, porque ese terrible órgano está conectado con todas las partes del cuerpo, según evidencia la anatomía. La doctrina de los peripatéticos establece que se trata más bien de un animal, pues se puede reconocer en él movimientos propios de sofocación, precipitación, contracción y agitación, tan violentos que muy a menudo le quitan a la mujer otro sentido y movimiento, como si tuviera lipotimia, síncope, epilepsia y apoplejía (99-100).

Todas las mujeres que aparecen en el texto se ciñen a este concepto de mujer. El mismo Atanasio tuvo amores con "una mocita danesa con piel de durazno, ojos amarillos y nombre de princesa vikinga, Anne Ingelise Hviid" (74), quien poco después "expresó un incontrolable deseo de beber la sangre de un carnero que una familia campesina acababa de degollar junto al camino" (75) y, finalmente, convenció a Atanasio de ser una "perturbada mental" (75), cuando "en una taberna del camino la frágil princesita vikinga atacó repentinamente a mordidas a un tiznado minero que pacíficamente bebía cerveza" (75). Debido a este comportamiento, Anne "terminó encerrada en el manicomio de Bedlam" (75).

Más adelante, el narrador nos presenta a la tía abuela del Capitán General Gerardo Barrios, Renata Antonia, quien "desarrolló prematuramente su curiosidad sexual" (108) y "participó en un grupo de nínfulas adolescentes" dedicadas a:

> hacer vida común con otras mujeres antes de casarse; aprender antes que nada el arte de sentir, que tanto hermosea al de amar; conocer todos los grados de las sensaciones que la naturaleza propone o de las cuales es susceptible; ejercitarse amorosamente entre sí, para que los refinamientos que mutuamente puedan enseñarse sean un día provechosos para la especie humana (111).

Renata Antonia es excluida del ámbito de la razón a partir de su incursión en el ámbito del deseo, pues la novela relata que después de enviudar muy joven, Renata Antonia fue incapaz de moderar su apetito sexual y "se entregó sin tapujos al más desorbitado desenfreno" (112). A tal grado fue marginada del ámbito de la razón, que a pesar de sus intentos por contactar a su hermano Pedro Joaquín hacia el final de sus vidas en América, éste "se negó a aceptar sus invitaciones y requerimientos fraternales hechos desde Metapán, sintiéndose todavía ofendido por los ya lejanos pero aún inaceptables hábitos eróticos juveniles de Renata, que consideraba inmorales y perversos" (150).

Si algún personaje femenino nos da la impresión de tener el raciocinio y la capacidad de ejercer algún impacto en los sucesos de la historia, ésa fue Ana Josefa Mericur, quien "había encabezado la gran manifestación de mujeres que en octubre de ese año invadieron el castillo de Versalles, y había penetrado hasta los aposentos de la reina" (141). Ana Josefa también perdió la cordura y su papel en la historia. Después de iniciar amoríos con Pedro Joaquín, el narrador nos señala que Ana Josefa "le reveló [a Pedro Joaquín] que también mantenía alianzas pasionales nocturnas con [su hermano] Claudio" (141). Irónicamente, la última noticia que tenemos de ella es que terminó sus días "como enferma mental en el sanatorio de la Salpétière" (141).

Es significativo notar la denuncia que representan los personajes femeninos de *Libro de los desvaríos* respecto a que el proyecto liberal de igualdad y libertad era un proyecto destinado únicamente hacia los hombres y, era uno que marginaba a las mujeres del ámbito de la razón. La influencia del pensamiento de Jean Jacques Rousseau en la vida de Atenor Barrios y de sus descendientes podría darnos una idea:

> Sin duda alguna la impresión que produjeron en Atanasio las palabras y descripciones de Rousseau fue tan fuerte y definitiva que terminó por elaborar con ellas una especie de credo personal que desde entonces orientó su vida y tuvo amplias repercusiones en la de sus hijos, especialmente en la de Claudio, e incluso, décadas después, en la de su bisnieto José Gerardo (69-70).

Rousseau fue uno de los propulsores de la Ilustración, apoyando la igualdad, la libertad y los derechos de los individuos, pero señalando de manera clara, sobre todo en su tratado sobre la educación, *Émile* (1762), que las mujeres, por ser consideradas como sentimentales y frívolas, no eran sino compañeras subordinadas de los hombres. Desafortunadamente, la representación de la mujer en *Libro de los desvaríos* hace eco a la marginación que la mujer centroamericana ha sufrido en el proceso de la construcción de la historia nacional, especialmente en el caso de la historia oficial y de su representación del legado liberal en el istmo.

Por otra parte, el texto ilustra el significativo papel de la ficción a la vez que transfiere el discurso de la historiografía al ámbito de la ficción. La novela está escrita de tal forma que asemeja el reporte historiográfico de un investigador que revisa los documentos de la familia Barrios, los cuales se encuentran en la biblioteca Ignacius Orosius, en Coyoacán, México. Parte de la riqueza textual de la novela la proporciona la variedad de citas que, de acuerdo con nuestro narrador, fueron escritas al margen de los documentos entre la fecha en que fueron producidos y su llegada a su destino final en esa biblioteca. Tal como lo apunta Lara Martínez, "Castro nos convida a identificar las múltiples citas que él mismo ha intercalado en la novela" (11). El contraste entre este *collage* textual y el remedo al discurso historiográfico crean un efecto que deja en evidencia la dimensión ficticia de todo texto histórico.

Es importante también señalar que *Libro de los desvaríos* en ningún momento ofrece presentar una versión de la identidad salvadoreña. Difícilmente podría justificarse la construcción de dicha identidad a partir de la figura poco inclusiva del Capitán General Gerardo Barrios. A pesar de esto, al comentar el texto, Carlos Molina Velásquez parte de la premisa de que lo salvadoreño, es decir, la identidad salvadoreña, puede encontrarse, y debe encontrarse en dicho texto. Es así que Molina Velásquez critica de manera bastante dura la novela al señalar que "más que decirnos lo que de Barrios tenemos en El Salvador, Carlos Castro nos invita a descubrir lo que nunca hemos sido" (168). El crítico incluso señala que "la excusa modernista, erudita y liberal que encontramos en la novela de Carlos Castro [...] expresa la confusión reinante en las esferas intelectuales cuando se trata de decir en qué consiste lo salvadoreño, cuál es la esencia de este pueblo que vive de fragmentos del pasado, en un presente defraudante y sin esperanza" (169). Dejando de lado los esencialismos, habría que señalar en una nota más positiva que si Molina Velásquez se encuentra en lo correcto y los intelectuales salvadoreños están "confundidos" respecto a la definición de lo salvadoreño, eso indicaría un avance desde aquella oscura época en que los intelectuales se adjudicaban el derecho a definir lo salvadoreño en términos de la modernidad y a negar la diversidad identitaria de nuestra sociedad.

Otro aspecto significativo de la novela es su representación del proyecto liberal, el cual aparece en el texto como un proyecto poco inclusivo que se construye a partir de numerosas coincidencias y azares del destino, que muy poco tiene que ver con la razón. Es un proyecto que, tras la construcción cultural de la identidad europea como racionalista y democrática, esconde un pasado de ocultismo, de premoniciones gitanas y de supersticiones. El ideal de la democracia aparece representado en estado de crisis, sobre todo, cuando ha sido construido a partir de la necesaria marginación de la mujer, de la militarización de América Latina representada por la figura de Barrios, de la marginación de la población no europea en la historia latinoamericana, y demás.

Concluyamos la discusión sobre *Libro de los desvaríos* señalando que esta novela abre un espacio de reflexión sobre la realidad salvadoreña que cuestiona las bases de la construcción de una identidad nacional cohesiva y sumamente rígida, así como su proyección en la historia oficial. Su propuesta no es la producción de una identidad cultural alternativa a la construcción oficial, o lo que equivaldría a la reproducción del mismo tipo de violencia ideológica y patrones de exclusión. Su propuesta es mucho más saludable: la destrucción del concepto fijo de identidad nacional. Lo que queda es una identidad cultural fragmentada que abre nuevas posibilidades de subjetividad y la denuncia de lo que por años ha sido la falsa construcción de nuestra identidad y de nuestra historia.

Para el análisis de este capítulo he seleccionado obras de tres autoras centroamericanas que presentan un reto a los proyectos de la Ilustración, la razón, y la modernidad. La novela *El año del laberinto* de la autora costarricense Tatiana Lobo pone en tela de juicio la construcción de una historiografía nacional, particularmente, a partir del silenciamiento de las voces de las mujeres. Los cuentos publicados en el volumen *Cuentos sucios* por la escritora salvadoreña Jacinta Escudos son un reto a la marginación de la mujer, ya que dan propuestas para la negociación del acceso a la mujer al ámbito del deseo y a versiones alternativas de la sexualidad. Los cuentos publicados en el volumen *Mediodía de frontera* por la escritora salvadoreña Claudia Hernández denuncian el estado de deshumanización que llega con el surgimiento de la modernidad, donde todas las cosas humanas se encuentran subordinadas a conceptos que pertenecen al ámbito de la razón: la ciudadanía, la reputación, la verdad, y finalmente, el capitalismo.

En la novela *El año del laberinto* (2000) de Tatiana Lobo, al contrario de *Libro de los desvaríos* de Carlos Castro, se hace un esfuerzo por recuperar el lugar que la historia oficial le negó a la mujer en Centroamérica. Para la elaboración de su obra, Tatiana Lobo ha llevado a cabo una investigación histórica, de tal forma que su texto intercala una polifonía de voces en la que se mezclan materiales históricos y los narradores de ficción.

La novela muestra la construcción de la historia oficial, como un proceso de percepción del tiempo que, elaborado desde un punto de vista masculino, sigue simbólicamente una trayectoria lineal a la que competen los sucesos públicos y políticos y los personajes que desempeñan un papel *importante* en la construcción de lo que, desde el punto de vista liberal, se considera la nación. En contraposición con esta idea de la historia, *El año del laberinto* también muestra el punto de vista de la mujer, desde la cual el tiempo sigue simbólicamente la trayectoria circular de una espiral, y en el que la historia y la política invaden el espacio privado, aunque se nieguen a reconocer el papel de la mujer en la trayectoria que sigue la historia y en el ámbito político de la nación. La mujer que habla en el texto es una voz del ámbito de la ficción que representa a un personaje histórico, Sofía Medero de Medero, pero quien solamente obtiene acceso al discurso para grabar su voz en el texto después de su muerte, nunca en vida.

Como resultado, las únicas mujeres que en vida cuestionan desde la novela el concepto de mujer como un ser privado ya que incursionan el espacio público son las prostitutas. Ellas también son eliminadas del espacio público y condenadas a desaparecer en recónditos lugares del interior del país donde su presencia no ponga en tela de juicio la ilusión de civilización que se construye en el espacio urbano y donde, con su trabajo, contribuirán a la construcción de la nación moderna: mantendrán a los trabajadores de las plantaciones bananeras en la costa atlántica de Costa Rica satisfechos.

Pío Víquez, propietario, editor y redactor del periódico *El Heraldo*, tiene plena conciencia del poder de la palabra y lo manipula a su favor buscando afectar la opinión pública y participar en la construcción de esa historia oficial. La distinción que hace Valeria Grinberg Pla entre la escritura pública y la escritura privada de Víquez es fundamental, pues, lo que éste considera verdad forma parte de sus escritos privados, que guarda en un sobre personal en su escritorio. En cambio, sus escritos públicos son censurados o autorizados por el censor del gobierno, un individuo de nombre Florencio, pero antes que nada, son también censurados por Víquez mismo, teniendo en mente la reputación propia, las posibilidades de venta de su periódico y el rumbo de la política nacional. A medida que la narración busca encontrar la salida al laberinto que representa el asesinato de Sofía Medero de Medero y encontrar a un culpable, la narración de Víquez se distingue entre sus escritos públicos y los privados. En la versión para el público, Víquez culpa contundentemente a Armando Medero, aunque para aumentar las ventas en un primer momento estuvo dispuesto a culpar a Sofía misma, y a inventar un organillo bajo su ventana sugiriendo la existencia de un amante en la vida de ésta. En un momento en que necesita encontrar una manera de aumentar las ventas del periódico decide plenamente "inventarle un amante a Sofía Medero y culparla de su propia muerte" (232-233). En contraste, en sus escritos privados, describe que Sofía fue asesinada por los españoles residentes en San José, con el propósito de inculpar a Armando Medero del crimen y de esa forma eliminar a uno de los más comprometidos y adinerados patrocinadores del movimiento independentista cubano.

Los laberintos del texto son muchos, como lo ha mostrado Grinberg Pla. Estos funcionan a nivel textual, narrativo y temporal, pero también hacen referencia a la calle en que viven los Medero, a la investigación del crimen, al espacio urbano o a la forma en que la historia se construye en medio de un lenguaje escrito de manera caótica. Hay un episodio en el que una multitud de ratas invade el Teatro Nacional, monumento a la cultura nacional, que muestra un rostro diferente de la ciudad que el que el proyecto liberal ha querido grabar en la historia oficial. En un momento en la narración, Ricardo Jiménez–abogado de Sofía–es testigo de esta invasión de ratas: "Una alfombra gris avanzaba entre pliegues y ondulaciones. Masa compacta de chillidos que castigaban el tímpano. Marea indetenible que entraba por la boca abierta del portal, brincando entre las musas inertes. Calderón de la Barca y un insigne genio de la música, malagestado y soberbio, se hicieron los desentendidos para no perder la dignidad, pero a la Fama casi se le cae el clarín del susto" (169). Irónicamente, Víquez también es atacado en esos días por enormes ratas dentro de su oficina en el periódico, sin embargo, estoicamente continúa escribiendo sus columnas editoriales sobre otros temas que considera más apropiados para la permanencia histórica. Irónicamente, se trata de escritos que contribuyen a borrar de la historia de la nación los eventos oscuros como la invasión de los roedores.

La inscripción del espacio y el tiempo que define la nación dentro del ámbito de la modernidad se cuestiona de formas significativas a lo largo de la novela. Por un lado, con respecto al espacio, la ciudad misma es un laberinto y dentro de éste, a pesar de que la Calle del Laberinto era "recta y larga" (14-15) pues tomaba su nombre de una plantación de café en la que desaparecía hacia el sur (15), era un espacio de incertidumbre. "Vista en su totalidad, la Calle del Laberinto tenía un tufillo de progreso que, mezclado con cosa vieja y cosa añeja, le daba una cierta ambigüedad" (15). A pesar de ser una calle tan recta, la Calle del Laberinto no solamente tenía un lado cultural ambiguo sino que también confuso, ya que uno necesitaba saber los cuatro puntos cardinales para moverse a través de ella y a veces quien lo orientaba a uno, "por no confesar su ignorancia, enviaba al forastero precisamente en la dirección contraria" (16). Por otra parte, desde una perspectiva temporal, el año, el cual Grinberg señala era 1894 (82), funciona como un laberinto cuya salida desembocaba en todavía otro laberinto, 1895. En otras palabras, a pesar de la ilusión del carácter lineal del tiempo que la sucesión numérica de los años proporciona, en la narración el tiempo fluye siguiendo la trayectoria circular de una espiral. Como resultado, cuando el nuevo año comienza, Pío Víquez, escuchando al fonógrafo, "se quedó en silencio, perplejo, porque tuvo la sensación de salir de un laberinto para entrar en otro" (329). A pesar de esto, él y los hombres a su alrededor siguen creyendo en el concepto de la modernidad y en el pasar del tiempo en forma lineal hacia un futuro de progreso. Por esta razón, Víquez estaba un poco desencantado con la música que escuchaba, un jazz de Nueva Orleans que le era desconocido. Un joven, quien por mucho tiempo había trabajado como vendedor en las calles, le aseguró de que los tiempos cambian, pero Víquez, quien desde siempre había creído en esta idea, se sintió ofendido por la actitud de modernidad del joven, porque representaba que el tiempo de Víquez había pasado, que los motores del progreso lo habían dejado atrás. Como mencioné anteriormente, los hombres perciben el paso del tiempo y del espacio en forma lineal, mientras que la narración demuestra que a pesar de las apariencias, tanto el tiempo como el espacio son ambiguos y que avanzan en forma circular.

La noche del crimen, Víquez salió a la una y treinta de la mañana y dobló por la Calle del Laberinto con su columna editorial en la mano hacia la imprenta y tipografía La Paz. Los guardias lo vieron pasar y lo saludaron, era una figura familiar a esas horas de la madrugada. Cuando Víquez estaba a punto de alcanzar la esquina, vio que un caballo se movía hacia el norte (16). El guardia que atrapó el caballo y se fue antes de que su sustituto llegara, también se llevó al caballo hacia el norte (16-17). "Durante 45 minutos la Calle del Laberinto quedó sin vigilancia" (17). El segundo guardia "encontró la ventana de guillotina de Sofía Medero de Medero abierta media vara, sujeta de su pestillo superior" (17). Esto explica el título de esta sección del capítulo de la novela: "Para entrar en el laberinto se necesita un caballo" (9).

A pesar de que ella permanecía relegada al espacio privado, Sofía se había visto forzada a llevar los conflictos personales entre ella y Armando Medero, su esposo, al espacio público, a tal grado que Sofía le había presentado a su marido una demanda de divorcio y se había marchado de casa, regresando únicamente cuando Armando Medero accedió a hipotecar sus bienes a nombre de su esposa en garantía de su cambio de actitud en el hogar (32). La noche anterior al crimen, Armando y Sofía habían discutido, y Sofía, siguiendo la indicación de su abogado, Ricardo Jiménez, había rehusado firmar los papeles en los que su marido quedaba liberado de la hipoteca de sus bienes (20). Es evidente que sólo en el espacio público tiene validez el derecho constitucional y legal de cuyos "beneficios" Sofía carece en el espacio privado. Y al decir "beneficios" hace falta hacerlo con cautela, pues esa misma legalidad que protege a Sofía en el espacio público actúa también como fuerza de control sobre ella en este mismo espacio, como veremos más adelante.

Que Sofía, una vez asesinada, pasa a ocupar el espacio público, es evidente inmediatamente después de que se descubre su asesinato, ya que tanto su carácter como su cuerpo entran al plano de la discusión pública. Una narración en tercera persona indica: "Del cuerpo de Sofía no se habló. Tampoco Nazario Toledo contó al abogado lo mucho que le costó retirar las cobijas y desnudar a la muerta. Nada dijo de la carne blanca que iba surgiendo del camisón, como el cuerpo de Venus Afrodita al emerger de las olas. No hizo comentarios de la belleza de sus hombros, de sus senos, de sus piernas. Sólo Ulloa se atrevió a comentar que Sofía Medero estaba extraordinariamente bien conservada a pesar de sus once partos. No parece haber amamantado a los ocho hijos que lograron sobrevivir, dijo antes de retirarse, evidentemente afectado" (38). Y más adelante, cuando se exhiben las fotografías del crimen, un anuncio en el periódico, lee: "Ya está a la venta el cuadro que representa el horroroso asesinato de la señora Sofía Medero de Medero. [...] El retrato que representa a doña Sofía en el lecho mortuorio es exacto y ha sido ejecutado por el artista con los datos que le ha suministrado este diario" (58).

La posibilidad de que el cuerpo de Sofía, a pesar de ser representado como privado y controlado por su marido, siempre haya sido una de las posesiones del espacio público en calidad de objeto, y bajo el control de la sociedad, se sugiere más adelante cuando ella misma explica que el cuerpo del torturado, de tanto recibir torturas, se vuelve insensible: "Es cuando el cuerpo vacío ya de todos sus líquidos y excrementos, se vuelve insensible, al tiempo que la indiferencia por la muerte se apropia del alma del torturado. Entonces todo interrogatorio es inútil. La carne se convierte en una masa desprovista de nervios y miedos" (246). Es evidente que ella habla de sus propias experiencias, de lo que había sucedido con su propio cuerpo, como resultado de una serie de normas sociales que le daban forma, lo limitaban y lo controlaban en todo momento. Al recordar su vida, Sofía las recuerda:

> Sucedió paulatinamente. [...] Ahora sé que era una tortura. Antes creía que eran las buenas formas que una mujer debe sufrir. Pequeñas prohibiciones que se fueron acumulando sin yo siquiera advertirlo. No ensucies tus calzoncitos, Sofía, siéntate en el excusado. No salgas a la calle sola, Sofía. No hables con extraños, Teófila. No te toques ahí, saca las manos, el diablo te va a llevar. Muerde la lengua, Sofía, no respondas a tu mamá, Teófila, no hables cuando los grandes hablan. No seas tan llorona, Sofía, ya estás muy grande, reza tus oraciones. No escuches lo que hablan las personas mayores, Teófila. Guarda tus botines nuevos para el domingo, entre semana se te pueden estropear. Quédate en cama cuando te viene el período, es peligroso moverse mucho. No te mires tanto en el espejo, la vanidad es pecado. No mires con tanto descaro a los muchachos, te pueden creer liviana. No te alces

> tanto el vestido cuando subes por las escaleras, ni corras tan aprisa, que se te ven las piernas. Apriétate el corpiño, que lo tienes flojo y el busto se te puede deformar. No te pongas al sol, hija, se te manchará y oscurecerá la piel. Lávate el pelo con agua de lluvia, te lo dejará suave y hermoso. No montes a caballo como un hombre, hija, puede arruinarte. Apriétate la cintura para que se te haga fina. Arréglate la cabeza que te ves desordenada. Para tener los ojos brillantes, es bueno un poquito de limón. Para el cuidado de las manos, úntate con esta crema de almendras. No comas tanto que puedes engordar. Debes comer más, estás adelgazando. Siéntate con la espalda recta, pon las manos sobre el regazo, no dobles el cuello. Tienes la cintura breve, te has puesto bella, hija eres muy hermosa, pero no te mires tanto al espejo, la modestia es el mejor adorno de una mujer. No saludes a un hombre, la primera; espera a que lo haga él. No te pongas de pie para saludar a un hombre, él deberá hacerlo. Si vas por la calle, él es quien debe dejarte el paso. Si viene un hombre solo de visita, no te quedes con él en el salón. Si no hay nadie en casa, no lo recibas. No hables con hombres que no te hayan presentado. Y nunca, nunca, jamás, le digas a un hombre una galantería, ¿oyes? Ni provocarlo con miradas, ni parecer atrevida. La discreción es el mejor adorno de una mujer (247).

Por medio de este proceso de socialización, el cuerpo de Sofía deja de pertenecerle, y metafóricamente deja incluso de existir. Sin embargo, existe. Y Sofía tiene conciencia de la existencia de su cuerpo:

> De la existencia de mi cuerpo daba testimonio la costurera. Sabía que yo existía porque esa insignificante cinta de medir anunciaba, por voz de la modista, mis circunferencias, mis largos y mis anchos. La costurera se convirtió en el notario que daba fe de mi existencia, autenticada en la libreta donde anotaba mis medidas y mis

> dimensiones. Debe ser por esta causa que a las mujeres nos gustan tanto los vestidos, porque no se puede cubrir lo que no existe. Armando detestaba a mis costureras, mis blusas y mis faldas, todo lo que confirmaba la juventud de mi cuerpo (265).

Sólo después de muerta, el cuerpo de Sofía dejó de pertenecerle a quienes la controlaban: "Mi cuerpo [...] Lo conocí en su totalidad cuando lo vi muerto, ahora ya nadie, ni yo misma, podrá disponer de él. Ha quedado a la sola merced de su descomposición" (265). Trágicamente, fue sólo por medio de su muerte que su cuerpo obtuvo su independencia.

Por otra parte, una vez que Sofía es asesinada y pasa a habitar el espacio público –no solamente en términos de su cuerpo convirtiéndose en un objeto del escrutinio público sino también al volverse un narrador con la habilidad de insertar su propio discurso, aunque no como parte de la historia oficial– se revela que a pesar de haber estado confinada en el ámbito de lo doméstico, su vida había estado conectada con la política local y con el movimiento internacional en favor de la independencia de Cuba. Después de su muerte, esa conexión continúa ya que el espíritu de Sofía permanece en su casa abandonada pues su esposo ha sido culpado por su asesinato. Varios personajes de la política se esconden en su casa, y hay armas destinadas para el ejército independentista de Cuba que también se esconden en su casa. El primer individuo que entra en su casa fue Félix Arcadio Montero, quien era fugitivo de la policía y fue a ocultarse a la habitación de Sofía (91). Más adelante, cuando salió de allí, iba vestido de mujer con uno de los vestidos de Sofía. Como ella lo señala en su calidad de narradora: Félix Arcadio Montero escapó usando "el vestido que más quiero" (103). Poco tiempo después de que José Martí –uno de los principales líderes ideológicos del movimiento de independencia cubano– visitó San José (187), un pequeño grupo de cubanos fue a ocultar sus armas bajo la cama de Sofía (225). A pesar de las incursiones de Sofía en el espacio público y de la entrada y salida de figuras políticas y revolucionarias de su casa, Sofía se rehúsa a renunciar de su propia percepción del tiempo y del espacio. Como resultado, ella se ve incapaz de confiar en la visión masculina de la historia como una forma de permanencia ni en la política como una forma de heroísmo. Ella lo explica:

> Me pregunto, yo que conozco la dimensión infinita del tiempo, si ellos se preguntan qué vendrá después, cuando la fiebre que les enciende los corazones haya terminado con una bala o por el simple desgaste de la historia. La historia siempre se cansa de las acciones heroicas y de sus sueños, se cansa o se burla. Parecen tan seguros de la permanencia de lo inmediato en el futuro. Son almas que no dudan. Creen firmemente que apropiándose del espacio se adueñarán también del tiempo (225).

El asesinato de Sofía eliminó también a su esposo, Armando Medero, del espacio público debido a que él era uno de los principales patrocinadores del movimiento de independencia cubano y debido a que varios españoles residentes en Costa Rica estaban poniéndose nerviosos con la posibilidad de perder su control sobre Cuba. Por lo tanto, Sofía fue sacrificada sin tener nada que ver con el asunto (291). Cuando los españoles se dan cuenta de que el asesinato de Sofía no fue suficiente para detener los esfuerzos por la independencia cubana, elevan sus niveles de violencia y su movimiento secreto en contra de la comunidad cubana en San José se hace más visible. Como resultado, una noche después de una función de teatro, durante un corte de electricidad, un español, Isidro Incera, dueño de la tienda de abarrotes La Borrasca, le dispara al general cubano Maceo, líder del movimiento cubano independentista. Al ser testigo de este atentado en contra de la vida de Maceo, el joven periodista cubano, Enrique Loynaz del Castillo, le dispara y mata a Incera (280).

Al final, es evidente que el asesinato de Sofía ha sido un esfuerzo vano por parar el movimiento independentista de Cuba. Finalmente, la presencia de Maceo como líder de un grupo de hombres armados junto a los rieles del tren sugiere su desplazamientoo hacia Cuba, y también lo sugiere así el último cable en código que José Martí, alias Fernandina, envía: "Lleva amplia comida y ñpasdb para 25 días. Van con M tbgdn de la butpd" (300). Este mensaje indica en código que Maceo se ha ido hacia Cuba. Mientras tanto, aunque en los escritos privados de Víquez es claro que Sofía fue asesinada por los españoles para afectar económicamente al movimiento independentista cubano, Víquez nunca incluye su descubrimiento en sus escritos públicos, y a lo más que llega es a visitar el cementerio y dejar sobre la tumba de Sofía, una nota cifrada que lee "AUMIDLIC" (295), que más tarde explica al abogado Jiménez que significa "A una mártir ignorada de la independencia cubana" (297).

De esta manera, la novela nos muestra el papel al que se ha relegado a la mujer centroamericana en la historia: la nada, la desaparición de su cuerpo, en el caso de la protagonista de la novela, Sofía Medero de Medero, a partir de su desaparición física causada por su violento asesinato. Como bien lo señala Valeria Grinberg Pla, en vida la elaboración del discurso de Sofía estaba relegada al ámbito de lo oral, que en términos de la permanencia de la historia es inexistente, por lo que Sofía había descubierto las ventajas del silencio (20). Hacia el final de esa noche del crimen, Sofía "miró hacia su cama, observó sus cabellos extendidos sobre la almohada y el diseño de los encajes de su camisón. La franja roja que le envuelve el cuello es novedosa. [...] Pero no es una cinta escarlata lo que cruza, de lado a lado, el cuello de Sofía. [...] Sofía está y no está entre las sábanas de lino" (23). Sofía ha sido asesinada y, sólo entonces, inicia su incursión por el espacio público en calidad de sujeto y se convierte en narradora del texto, intercalando su narración con un narrador omnisciente y con los escritos públicos y privados de Pío Víquez.

Sólo entonces nos enteramos de las perspectivas y de los deseos de Sofía. Nos enteramos, por ejemplo, de que "Sofía agradecía las visitas del General Maceo a su casa. Le gustaba ese mulato hermoso de hablar pausado que dejaba un aroma a colonia entrampado en el salón" (44). El General Maceo representaba un rompimiento de su aislamiento. El narrador señala que "Sofía vivía aislada del mundo, sometida como una china, una japonesa, una turca musulmana, a la que sólo le faltaba cubrirse con un velo para la invisibilidad total. Por eso se alegraba tanto con las visitas de Antonio Maceo. Porque venía a alborotarle el piano y el cuerpo, haciéndola salir de la nada, del tedio, de la monotonía, con sus ojos dulces y su elegancia, su tacto, sus modales refinados y esa risa generosa que le heredaron sus abuelos africanos" (46).

Si bien en su calidad de difunta Sofía tenía la posibilidad de narrar, sigue imposibilitada, incluso más que antes, para actuar. Por lo menos, por el momento. Después de deambular por su casa y de pensar por largo rato en Armando, su marido, Sofía se propone actuar: "Basta de recuerdos tristes y de Armando. He comenzado a explorar mis capacidades. Si no quiero desaparecer, debo probar que todavía puedo hacer algo. No sé cómo ocurrió. De pronto pude traspasar la puerta y me deslicé por el pasillo hasta alcanzar la sala. Valió la pena el esfuerzo. Ahora puedo transportarme adonde quiera, menos fuera de la casa. Me aterran los espacios abiertos"

(126). Sofía ahora puede actuar; sin embargo, su ámbito sigue siendo el espacio privado de su casa. Como ella misma ha señalado, "afuera hay una vida paralela que siempre se me escapó" (123). Por lo tanto, si como señala Grinberg, la queja de Sofía de no aparecer reflejada en el espejo, representa su queja de no aparecer reflejada apropiadamente en la narración de la historia, la siguiente aseveración sobre las prostitutas que Sofía ve desde su ventana, muestra otros espejos donde Sofía sí se siente reflejada: "Ellas te devuelven la humanidad perdida, Sofía Teófila de los Dolores, ellas son el espejo donde me multiplico, hasta el infinito, en miles de Sofías. Son la fisura y el portillo por donde escapo de estas cuatro paredes que se desmoronan por dentro y permanecen íntegras por fuera. Son mi salvación porque ni el pecado ni la virtud están ya a mi alcance" (179). La posibilidad de construirse a ella misma en el espacio público sabe que ya no le pertenece, por lo que se resigna y dice: "Que sean los demás los que me inventen y me imaginen. Seré una creación ajena, pues. ¿No lo fui antes? ¿Cuál es la diferencia? Viva o muerta no hace diferencia. Siempre hay un mandato que surge de ninguna parte y de todas. Irremediablemente hay un castigo si no se cumple, pero ahora no veo más castigo que este estar aquí girando alrededor de mí misma, en este empeño de explicaciones que nadie me pide. ¡Cómo me marcó la vida que ahora, después de muerta, todavía obedezco autoridades inexistentes!" (127).

Sofía tiene conciencia del poder de la palabra escrita en el espacio público. De tal forma que señala: "Yo seré un olvido, un papel amarillento de *El Heraldo*. No tendré ni el consuelo dudoso de un signo de interrogación: ¿quién fue Sofía, qué hizo? Una mujer de su casa, extraña a toda gloria. Mi muerte cuelga en el vacío como la cadena de una argolla. Nadie me beberá en la copa de las hazañas; las gotas de mi sangre han caído sin dejar rastro. Soy una anécdota diminuta, intrascendente entre el precio del tabaco y del azúcar, más importante es el comercio internacional, más importante un enclave colonial" (229).

En el espacio que ocupa Sofía después de su muerte logra renunciar a la búsqueda de esa verdad que sólo funciona dentro de la razón moderna y planea una estrategia para llevar a cabo su último acto de libertad:

> Ahora estoy en otro territorio, el enjabonado talud por donde se deslizan mis inconsecuentes evocaciones, verdades siempre escapando en la nebulosa de lo falso y de lo cierto. Los recuerdos son recreaciones de mi mente, nunca tendré certeza. Por eso sé que nunca llegaré al final de este recorrido inútil, que nunca habrá una explicación, que no existen las causas primeras porque siempre hay otra más, y más atrás otras y otra, más atrás. Para interrumpir este peregrinar tras un punto inicial que lo explique todo, no me queda más que decidir el final por mi cuenta. No seguiré más caminos tortuosos que invento para calmar la ausencia de senderos. Me detendré cuando yo quiera, en un supremo acto de libertad soberana. Diré ¡hasta aquí llego, de aquí no paso! El ejercicio de mi voluntad ha sido tan débil, tan pobre, tan inconsistente [...] No sé lo que ocurre en el interior de una persona cuando se impone a las demás. Sujeta siempre a voluntades ajenas en todas las decisiones importantes, me resulta cautivador tomar, ahora, esa grande y terrible determinación. Si estuviese viva la llamaría suicidio. Como estoy muerta, no sé cómo llamarla (266).

Una vez tomada la determinación, Sofía se va con la luz: "La lámpara sigue encendida y puedo echar a caminar por sus vidrios de colores siguiendo la ruta del emplomado, hasta sumergirme en la cálida ternura de su resplandor. Una calma placentera me disuelve. Me voy licuando en la luz, dulce y pacífico retorno al origen.

Nada me sujeta. El espejo me refleja y me despide. Me hundo suavemente en la penumbra, con la sensualidad de un buzo que desciende hacia el fondo del mar" (326). Como Grinberg señala, Sofía se marcha indicando que el espejo ahora la refleja, es decir, señalando metafóricamente que esta vez sí puede reconocerse en la narración, pues se trata de una narración en la que ella también ha participado.

El cuento "Carretera sin buey" de Claudia Hernández podría funcionar como una alegoría de la construcción de la identidad. Aunque no tiene las consecuencias positivas de la negociación de la visibilidad en el espacio público. En este caso, la identidad de aquellos que se encuentran al margen es construida por aquellos que tienen acceso a un espacio de legibilidad cultural. Por esta razón, puede leerse como una metáfora de las formas en que la literatura testimonial centroamericana era leída desde fuera, particularmente desde Estados Unidos. Es decir, como una metáfora de las formas en que se construía la identidad de las masas marginadas en Centroamérica, no por medio de un proceso de negociación de las prácticas cotidianas de los miembros de esas mismas masas, sino por el contrario, a través del discurso de aquellos que leyeron testimonios desde fuera. En otras palabras, los testimonios con frecuencia eran explicados e interpretados desde la perspectiva del así llamado Primer Mundo. Con frecuencia, la identidad de estas masas de centroamericanos marginados fue definida por estos intelectuales.

Para empeorar las cosas, el cuento es narrado desde la perspectiva de aquellos que habitan un centro de legibilidad cultural, silenciando aún más a su objeto de observación, el cual se encuentra al margen y está en proceso de ser definido por ellos. En el cuento este objeto de observación es un hombre, pero como lo explica el narrador, "De lejos, parecía buey. Un buey algo flaco, pero hermoso, que miraba la eternidad sin compañía, desde una curva de la carretera" (*Mediodía* 21). Se trata de un hombre que ha atropellado a un buey, y culpable de su crimen, ha decidido ocupar el lugar del buey junto a la carretera:

> Más de diez veces, incluso más de once. Había levantado su duelo y regresaba a casa; pero, a diario, cuando pasaba por ese camino, sentía la falta del buey. Miraba el vacío del animal y no podía continuar tranquilo aunque él mismo se había encargado de hacerle compañía y de hablarle mientras el buey entraba en la muerte, de acariciarlo cuando pareció necesitarlo, de cerrarle los ojos, de espantarle a las aves de rapiña que quisieron devorarlo, de darle sepultura, de no dejarlo a la intemperie, de sembrar flores y lágrimas sobre su tumba (*Mediodía* 22).

El vacío que deja el buey es significativo porque en el contexto de la historia tiene un mayor nivel de importancia que la vida de un ser humano. El hombre, quien podría representar la visión transformativa de la identidad, ha perdido su valor al ser confrontado con la pérdida del buey. Mientras tanto, el buey puede ser interpretado como la versión fija de la identidad. La vida humana y la libertad que tiene a partir de sus posibilidades transformativas debe ser sacrificada una vez que el buey ha sido destruido.

A medida que discutimos el tema de la identidad con respecto a los centroamericanos, tanto aquellos que residen en sus países de origen como los que vivimos fuera, es importante para nosotros recordar que las personas con frecuencia son castigadas por transformar su identidad, por recrearse a sí mismas. Este es el caso de los indígenas guatemaltecos, quienes, con frecuencia han sido criticados de no representar la identidad maya tal como se entiende desde una perspectiva colonial, desde fuera de su cultura como la identidad salvaje / tradicional / indígena. Rigoberta Menchú, por ejemplo, desde la publicación de su testimonio, ha sido acusada de no representar de manera apropiada los valores mayas, de hablar español –los mayas no deben hablarlo–, de publicar su testimonio –los mayas no publican testimonios–, de ganar el Premio Nobel –los mayas no obtienen esos reconocimientos–, y más recientemente, de mentir –si los mayas esperan que invirtamos nuestro tiempo leyendo sus textos, más vale que nos digan la verdad–, todas estas acusaciones han sido hechas sin prestarle ningún tipo de atención a la urgencia de la situación en la que ella produjo su testimonio ni a la dimensión transformativa y las contribuciones a la diversificación de la identidad maya que este testimonio posee. De la misma manera, los centroamericanos en Estados Unidos con frecuencia hemos sido construidos como refugiados. Y hemos sido y somos refugiados. Es importante considerar que lo que podemos lograr como una comunidad de refugiados es limitado. Es más, nuestra representación como solamente una comunidad de refugiados limita nuestras posibilidades a medida que nos involucramos en otras actividades, principalmente, en actividades en que no se espera que los refugiados se involucren: nos convertimos en intelectuales, artistas, historiadores, cambiamos nuestro papel de ser objetos de estudio a ser sujetos de estudios, escribimos nuestras propias historias, nos embarcamos en discusiones teóricas, transformamos a nuestras comunidades. A medida que hacemos todas estas cosas, siempre encontramos en el camino a alguien dispuesto a decirnos que no estamos representando nuestro papel de refugiados apropiadamente.

Algo similar le sucede al personaje principal del cuento. El narrador y sus acompañantes paran su carro para darle consejos al hombre que se esfuerza por convertirse en buey junto a la carretera, para que pueda ser una versión apropiada de buey:

> Debía obedecernos: Mirar sin tanta luz en los ojos. Quitarse la ropa (ningún buey en este país usa ropa). Hacerse de cuernos (un buey sin cuernos no es buey. Debía tener un par. Era primordial. Y, si no tenía–que era su caso–, debía conseguir unos, preferiblemente los del buey al que quería suplantar). Estuvo de acuerdo. Luego de desnudarse, se dispuso a desenterrar a su buey para quitarle los cuernos. [...] La cuarta indicación era esencial: tenía que castrarse. Si no lo hacía, jamás se miraría como un buey (*Mediodía* 22-23).

La historia termina con su acto de castración: "Su única dificultad era que no tenía un cuchillo a la mano. Nosotros tampoco teníamos, sólo una botella de vidrio, que quebramos para ayudarlo" (*Mediodía* 23). De esta forma, no sólo el hombre detiene su propio acto de auto transformación para desempeñar la identidad fija del buey, es aún peor: lo hace, para representar la identidad fija del buey a partir de la definición de aquellos que habitan el espacio del poder. Su representación es tal que el narrador señala: "Todos estuvimos complacidos con el resultado. Nos felicitábamos: había adquirido otro aspecto" (*Mediodía* 23). Mientras el hombre se queda fijo para representar la identidad del buey, el narrador y sus acompañantes se marchan de regreso a su mundo de posibilidades, al lugar donde ellos tenían la posibilidad de formar y transformar sus propias identidades: "Entonces subimos nuevamente al automóvil y seguimos nuestro camino. A alta velocidad" (*Mediodía* 23).

Claudia Hernández nos muestra un mundo lleno de gente, pero también de soledades en su relato titulado "Vaca". Ser parte de un grupo social es formar parte de un grupo de individuos solitarios que luchan, cada uno por su cuenta, por protegerse a sí mismos, por cuidar su propia reputación. Para lograrlo, recurren a señalar las faltas de quienes les rodean, a asignar culpas. Por eso este espacio social es un mundo donde el mayor peso lo lleva la culpa. Y no es una culpa que surja de la propia conciencia de las personas. Por el contrario, el individuo deambula entre la gente marcado por una culpa que aquellos que le rodean le han asignado. Es una culpa que margina de por vida. Librarse de ella, no es tan fácil.

La protagonista de "Vaca" es Aleida Maza, una mujer que aunque viuda por sexta vez desde hace más de un año, tiene cinco meses de embarazo. "Ninguna mujer del pueblo y sus cercanías había tenido una barriga más grande que la de Aleida Maza" ("Vaca" 152) señala el narrador. Desde un inicio Aleida es una mujer marginada debido a la muerte de cada uno de sus seis maridos, por eso, "ya nadie quería tomarla como mujer porque estaban seguros de que guardaba una trampa de muerte en la cueva baja de su cuerpo" ("Vaca" 152).

Cada una de las personas que habitan ese pueblo desempeña una labor de vigilancia sobre sus vecinos. Sus sentencias marcan con esa culpa de la que hablamos la vida de Aleida y, por lo tanto, su destino. A consecuencia de su embarazo de un padre desconocido la gente del pueblo pronto empieza a murmurar sobre Aleida, a decir "que pariría una ternera. Que el padre no podía ser humano. [...] Que al único que ella podría tener dentro era a un animal o al mismísimo Anticristo, que debía ser así, grande, enorme. Lo creían. Y no lo disimulaban ni siquiera frente a ella" ("Vaca" 152). Aleida, entonces, ha quedado marginada de la sociedad. "Estaba marcada. Como mala semilla" ("Vaca" 152), nos dice el narrador.

La única escapatoria que tiene Aleida de la culpa que sus vecinos le han asignado es traicionarse a sí misma e incluso a los hijos que lleva dentro. Por eso, Aleida decide ir "una noche [...] al campo a obligar a los hijos a que salieran aunque aún no hubieran terminado de formarse. Estaba harta. Quería acabar con los rumores. Demostrar que tenía la razón. Y expulsó de sí a sus ocho crías" ("Vaca" 152-53). Con este acto Aleida puso fin a las vidas de los ocho seres que habitaban en su vientre y logró transferir la culpa que la marcaba hacia los otros habitantes de ese pueblo. La presencia de los fetos, colocados en una especie de exhibición macabra al borde de su ventana, es la prueba de su inocencia, la demostración de la ausencia de esa culpa que la excluía de la sociedad. En cambio, la culpa cae ahora sobre aquellos que observan a los fetos, "viendo hacia la calle flotando en un líquido amarillento dentro de un bote de vidrio" ("Vaca" 153). Aleida tiene plena conciencia de ello, y por eso "los exhibía para hacer sentir mal a los demás, que pensaban que los niños habían muerto a causa de ellos y sus comentarios" ("Vaca" 153).

Tal pareciera que Aleida hubiera sido la víctima inocente de los juicios de sus vecinos. Pareciera que sus hijos habían tenido que morir para que Aleida pudiera vivir. Sin embargo el final del cuento nos hace cambiar de opinión, pues el narrador afirma que "a uno no sacaba ni exhibía. [...] El más grande. El que había enterrado. El que tenía un par de cuernos en la frente. Y una cola al final de la espalda" ("Vaca" 153). Quizá Aleida guardaba un secreto que no quería compartir con sus vecinos. La tragedia sigue siendo la presencia de la culpa, que en este espacio social, debe ser asignada a alguien. No hay una posibilidad de negociación, no hay forma de ser aceptado con una mancha en la propia historia. Es por eso, y no por la identidad del padre de las crías, que Aleida se ve obligada a sacrificarlas. Es una lucha por la vida donde al individuo no le queda otra opción que asignar culpa a los demás o ser marginado. Es una sociedad donde reina la opinión pública y la vida del individuo debe supeditarse a ella. Cómo no recordar las advertencias de Nietzsche:

> Es [...] de temer que una era que encuentra la salvación en la opinión pública [...] va a ser borrada de la historia de la verdadera liberación de la vida. [...] Yo camino por las nuevas calles de nuestras ciudades y pienso en cómo, de todas estas horribles casas que la generación de la opinión pública se ha construido, ni una va a seguir en pie dentro de cien años, y en cómo las opiniones de los constructores de estas casas sin duda habrán colapsado también para entonces (*Unfashionable* 128).[1]

Aunque hace mucho ya que pasaron los cien años estimados por Nietzsche, quizá algún día la sociedad logre erradicar su obsesión por asignar la culpa al individuo. Mientras tanto, muchas generaciones seguirán viviendo vidas truncadas, destinadas únicamente a defender la propia reputación y a acusar al prójimo.

Otro cuento de Claudia Hernández que nos presenta personajes con un valor sub-humano es "Fauna de alcantarilla". Se trata de un vecindario en el que están desapareciendo los gatos y los perros, una familia que habita en las alcantarillas se alimenta con ellos: "de las alcantarillas salía reptando un hombre sin ropas y con la piel escamada. A cazar. Gatos y perros. Para comer" (73). El narrador de este cuento también habita el espacio de legibilidad cultural, el vecindario del que desaparecen las mascotas. Desde allí define a estos seres que

---

1. We must seriously be concerned that a time that stakes its salvation on public opinions [...] will one day really be killed: by which I mean that it will be stricken from the history of the true liberation of life. [...] I walk through the new streets of our cities and think how a century from now none of these atrocious houses the generation of public opinionators had built for themselves will be left standing, and how by then even the opinions of these house builders will have collapsed (173-74).

habitan la alcantarilla. Sobre estos seres, en la narración quedan claras dos cosas: que son seres humanos y que tienen un valor inferior a los animales que se devoran. El hombre que salía de las cloacas y que "había llegado con su mujer y sus dos hijos" (73) es descrito como un animal. El primer indicio nos llega a través del título del cuento, pero más adelante, cuando el vigilante del barrio lo atrapó, el narrador confirma nuestras sospechas cuando lo describe de la siguiente manera: "le echó mano y no lo dejó escapar por más que pataleó e intentó morderlo. No le costó. Lo controlaba como a un animal. Y lo entregó a los vecinos para que hicieran ellos lo que creyeran conveniente" (74).

Y sin embargo, esos seres que se describen como animales son seres humanos. No hay duda de ello, pues el narrador también señala que los vecinos llamaron al zoológico para colocar allí al ser escamado que habían atrapado: "Llamaron de inmediato, pero los encargados se negaron a aceptar al ejemplar escamado. No estaban interesados. Ahí sólo se encargaban de animales, nada de hombres, mucho menos si tenían familia. Comieran lo que comieran. Tuvieran escamas o no. Animales querían ellos" (74). El mensaje es claro: en esta sociedad hay seres humanos que valen menos que los animales domésticos y que los animales salvajes del zoológico: son los seres que habitan al margen de la sociedad, en este caso, en el espacio simbólico de las cloacas que abarcan bajo tierra los desperdicios del mundo ubicado en la superficie. No hace falta tener demasiada imaginación para pensar en grupos que son marginados por motivos económicos, culturales, políticos, entre otros, en las sociedades centroamericanas.

Por otra parte, para mantener el espacio del vecindario como un espacio limpio de la suciedad que representan aquellos que viven al margen de su espacio, los vecinos se ven en la necesidad de eliminar del espacio visible todo rastro de esta marginalidad. Por lo tanto, "sellaron las alcantarillas. Para que no pudieran salir. Para que no siguieran desapareciendo mascotas. Para que dejaran de ser un problema. Para asfixiarlos" (74). Sus planes fueron exitosos. No fue sino hasta que los seres escamosos estaban muertos que a los vecinos se les ocurrieron otras alternativas que hubieran permitido continuar sus vidas: "semanas después se les ocurrió pensar que habría sido más fácil convencerlos de que regresaran a su lugar de origen o atraparlos con una red y luego arrojarlos en un pantano, de donde probablemente habían llegado" (75). Es de notar que nunca se les ocurrió a los vecinos pensar que estos seres escamosos también tenían derecho a un espacio en la ciudad, a comida, a una vida digna. Y de cualquier manera, las soluciones que pensaron llegaron demasiado tarde, los seres escamosos ya habían muerto. El cuento nos hace pensar que no son éstos los únicos seres indeseables que visitarán este vecindario, pues en la última línea del cuento, el narrador señala que "lo tomarían en cuenta para una próxima ocasión" (75).

Jacinta Escudos reclama, por medio de sus textos de ficción, el derecho que tiene la mujer de transformarse de un objeto del deseo en un sujeto del deseo. Este cuestionamiento del centro y de su espacio de poder adquiere nuevas dimensiones en "La noche de los escritores asesinos", uno de los relatos incluidos en su *Cuentos sucios*, donde además hay un argumento sobre el derecho que tienen las mujeres por tener acceso al discurso literario y, por medio de éste, al espacio público. El texto narra el conflicto entre dos escritores, Rossana y Boris, quienes experimentan una relación de amor / odio por un período de catorce años. Es Boris quien se siente atraído por Rossana, mientras que ella quisiera borrar a Boris de sus recuerdos, de su pasado y de la memoria colectiva: "*la sola idea de que aquella absurda relación permaneciera guardada en la memoria de las personas me era tan desagradable que ni siquiera tengo palabras para expresarlo*" (*Cuentos sucios* 97). La narración tiene una cierta riqueza textual, ya que la voz de Boris, quien narra su historia a su compañero de celda mientras está detenido por intentar asesinar a Rossana, es interrumpida por la voz de Rossana que aparece en itálicas a través de trozos de su diario íntimo y algunas veces, incluso de sus pensamientos. En "La noche de los escritores asesinos" la pugna por el poder genera una violencia que puede entenderse a partir de dos perspectivas contradictorias: como un medio de opresión y como parte de un proyecto de liberación.

Es significativo que el texto mismo presenta la transición desde tiempos de la guerra civil en El Salvador (1979-1992) hasta un momento posterior a la firma de los acuerdos de paz. Una vez concluida la guerra, el discurso de Boris muestra un cierto desencanto con ésta. Al narrar la renuncia de Rossana a la organización, Boris señala lo siguiente: "Rossana era una visionaria. Decía que la Revolución no cambiaría el sistema y el estado actual de las cosas si antes no cambiaba el corazón del ser humano que está, por demás, podrido. Siempre tuvo una fuerte tendencia al pesimismo, la pobre" (*Cuentos sucios* 95). A pesar de que el narrador reconoce el pensamiento de Rossana como el de una visionaria, vemos que no se da cuenta de que él mismo ha sido incapaz de cambiar sus propios patrones individuales de conducta.

Las razones que tienen Rossana y Boris para escribir son muy diferentes. Boris, por su parte, busca la fama; Rossana simplemente parece no poder evitar sentarse a escribir. A pesar de que resulta evidente que es ella quien realmente tiene talento como escritora, y no Boris, vemos que la sociedad se encuentra condicionada para aceptar lo contrario con muy poca evidencia. Tal como Boris lo señala, Rossana "era buena. Muy buena. Está bien, diré más, era excelente. Pero eso no podía confiárselo a nadie" (*Cuentos sucios* 98). Su talento le permitió a Rossana construirse poco a poco un nombre en el campo de las letras. Por esta razón, Boris consideraba a Rossana como su "peor competencia" (*Cuentos sucios* 98), por lo que se dedicó a hacerse famoso lo más rápido que le fue posible:

> Es tan fácil ser escritor en este país, publicas un libro y te sientas a echar fama de intelectual. Lo demás viene por vida social, por copas y cigarros en las mesas de los bares, en los *vernissages*. Con cualquiera que te encuentres, lo saludas, te pregunta en qué trabajas y le dices que eres escritor y nadie pregunta cuántas horas al día escribes, cuántos libros tienes publicados. Peor aún, nadie lee tus cosas para confirmar si lo eres, si tus escritos tienen calidad alguna, si realmente mereces esa etiqueta de escritor sobre la frente (*Cuentos sucios* 104).

Es evidente que gran parte de esa vida social a la que Boris se refiere está reservada para los hombres en esa sociedad. Debido a esto, la única forma en que Rossana puede participar en el poder que tiene ese centro masculino en el campo de la literatura es desde una posición subordinada al hombre.

La crítica que hace este relato a esas relaciones de poder va mucho más allá de lo literario. "La noche de los escritores asesinos" nos presenta un espacio donde además la mujer difícilmente puede tener acceso al placer si el deseo –inclusive el deseo femenino– se define desde una perspectiva masculina. Boris no hace un esfuerzo por comprender el deseo de Rossana. Por el contrario, él se ampara en su propia teoría masculina sobre el placer:

> No soy un hombre que las mujeres llamarían "atractivo". Por eso tengo que hacer uso de mi labia para seducirlas, para hacerles olvidar mi insignificante rostro y mi cuerpo nada llamativo. Y es curioso. Puedes ser un hombre muy feo, muy tímido, puedes tener muchas imperfecciones físicas o de carácter, pero a la hora de los encuentros de cama, lo que importa es una sola cosa: tu miembro. Y puedes ser cualquier, pero absolutamente cualquier cosa, joven o rico, viejo o retrasado mental, paralítico o sacerdote, no importa. Si tu miembro tiene las proporciones adecuadas, estás a salvo (*Cuentos sucios* 94).

Tal como lo señala Teresa de Lauretis, el sexo, incluso desde la perspectiva feminista, muchas veces se concibe únicamente a partir del acto de penetración, sin tomar en consideración nociones de la sexualidad que puedan estar más relacionadas con el deseo de la mujer (14). La mujer ha sido socializada para crear y recrear, incluso sus fantasías eróticas, a partir del imaginario masculino de la sexualidad. El texto critica esta posición al presentar la confianza que Boris tiene en sus palabras y en su miembro, mientras que sabemos que ha sido incapaz de satisfacer a Rossana.

Habría además que señalar que Rossana hace un esfuerzo por eliminar la "diferencia sexual" que existe entre el hombre y la mujer, sobre todo con respecto al campo de la literatura. Rossana señala:

> *No creo en eso de la literatura femenina o masculina. Creo que existe la literatura buena o mala, independientemente del tipo de genitales que tenga el escritor en la entrepierna (Cuentos sucios* 101-02).

El concepto de "diferencia sexual", sobre todo cuando éste se entiende desde una perspectiva universal, no es sino otra estrategia para mantener a la mujer subordinada a la construcción masculina de esa diferencia.

De Lauretis señala que, además, concebir la "diferencia sexual" de forma universal crea dificultades para articular las diferencias que existen entre y al interior de las mujeres (2). En otras palabras, "mujer" no es un concepto cohesivo y rígido que podamos definir. De Lauretis, por lo tanto, sugiere que la "diferencia sexual" solamente puede resultar constructiva para propósitos de concebir un sujeto múltiple y contradictorio (2). El anterior comentario de Rossana critica el concepto rígido de mujer que funciona como estrategia para marginarla del espacio de lo que desde el punto de vista de la modernidad podría entenderse como "la gran literatura", es decir, la literatura universal.

El conflicto entre Rossana y Boris está basado en el poder. En el imaginario del deseo que tiene Boris, la idea de doblegar y controlar a Rossana tiene gran prioridad. Incluso desde la época de la guerra, cuando él y Rossana estaban involucrados en una relación amorosa, Boris reconocía que Rossana no lo quería. La idea de controlarla le producía placer. Boris cuenta: "un par de veces hasta tuve que pegarle para poder tener sexo con ella. ¡Qué se creía! ¡Que iba a negármelo así no más, siendo yo su hombre!" (*Cuentos sucios* 92). Más adelante en su narración, Boris fantasea:

> Hacerle daño a Santa Rossana. [...] Matarla, destruirla, golpearla, escupirla, degradarla, hacer que todos aborrecieran de ella, presentarla como una imbécil en el periódico, criticar sus libros sin una pizca de conmiseración, contar sus sucios cuentos del pasado, los mismos que yo le sabía de los días de la guerrilla, insinuar por ejemplo algún oscuro romance con el comandante y decírselo a su esposa para que ella la mandara a ametrallar. O telefonearle a algún coronel [...] y sugerirle que la Maracaibo fue la persona que había liquidado a algún pariente suyo y echarle encima a los escuadrones de la muerte, acorralarla, torturarla, arrancarle en pedacitos la carne, sacarle

> los ojos, oírla gritar, amarrarla, mear sobre su cara, hacerla tragarse los orines de los guardias, estar parado ahí, en un rincón de la bartolina, mientras la violaran todos los soldados del regimiento (*Cuentos sucios* 113).

Este conflicto va incrementando sus dimensiones mientras Boris hace nuevos intentos por acercarse a Rossana y ella continúa rechazándolo. A pesar de que el discurso de Boris critica la situación de impunidad en la que se encuentra San Salvador –"¡Aquí te matan a cuchilladas por un reloj de plástico, de esos que valen una nada!" (*Cuentos sucios* 107)– poco a poco vamos dándonos cuenta de que esos asesinatos no solamente se cometen para obtener acceso a cosas materiales, sino también, como en el caso de Boris, por razones de poder. Es así que Boris aparece en casa de Rossana con su revólver una noche, y una vez más disfruta su poder: "el revólver en mi mano apuntándola, el revólver en mi mano, poder absoluto de todo el mundo, 'ni los dioses podrán salvarte ahora, puta', le digo con la voz más tranquila de la que soy capaz" (*Cuentos sucios* 115-16). Luego, tras un forcejeo, Boris dispara.

Rossana no murió en esa ocasión. A pesar de haber sido ella la víctima vemos nuevamente que la sociedad está estructurada de tal forma que aquellos que se encuentran en mejor posición social cuentan con el apoyo colectivo. Boris, que había logrado reconocimiento como escritor además de tener acceso a los medios de comunicación, es exonerado de sus cargos legalmente y también desde el punto de vista de la opinión pública. La nota en el periódico que él mismo escribió decía:

> Boris Castaneda [...] hizo constar en autos que se trató de un caso de defensa propia, ya que la acusada amenazó con matarlo. [...] El personal de nuestro periódico se encuentra de plácemes ante el triunfo indiscutible de la justicia que probó la inocencia en el caso de Boris

> Castaneda, acusado de ultimar a Rossana Maracaibo (*Cuentos sucios* 119).

Es Rossana quien pierde la credibilidad. A partir de ese atentado, Rossana es marginada todavía más por la sociedad, pues ahora que se le ha calificado como una mujer que sufre de "desvaríos mentales" (*Cuentos sucios* 119), habita un espacio que carece de legibilidad cultural: la locura.

En un análisis sobre la violencia Frantz Fanon señala: "Al nivel del individuo, la ira es una fuerza limpiadora. Libera a la mujer de su complejo de inferioridad y de la desesperanza e inacción; elimina su miedo y reestablece el respeto a sí misma" (citado por Lesage 428).[2] Al respecto, Julia Lesage señala que como parte del proceso de colonización que ha experimentado la mujer, ésta ha llevado a cabo una acumulación interna de su cólera que no se ha permitido expresar. Por lo tanto, Lesage interpreta la expresión de esta cólera como "un momento histórico específico en el que la colonización mental puede y es sobrepasada" (426).[3] Desde este punto de vista, el final de "La noche de los escritores asesinos" de Escudos es positivo en términos de la expresión de esa cólera que Rossana había intentado suprimir en sus adentros a lo largo de todo el relato, a pesar de que desde su inicio habíamos encontrado indicios de ésta en una entrada en su diario íntimo en que ella había escrito: "*Y cada vez que me ponía una mano encima, me sentía tan sucia, tan degradada, tan nada, que lo único que deseaba era cerrar los ojos y morir. O matarlo*" (*Cuentos sucios* 91).

2. At the level of individuals, anger is a cleansing force. It frees the woman from her inferiority complex and from despair and inaction; it makes her fearless and restores her self-respect.

3. [...] a specific historical moment at which mental colonization can be and is surpassed.

Al final del relato, Boris abre la puerta de su casa y se encuentra con Rossana. Ella dispara, él cae al suelo herido, ella le apunta nuevamente y le dice: "la única manera de sacarte de mi camino para siempre, la única manera de terminar con todo este ridículo cuento es ésta" (*Cuentos sucios* 123) y dispara nuevamente. La invitación aquí, sobre todo dada nuestra situación de reconstrucción nacional, no es el recurso a la violencia. Lo significativo aquí es el señalamiento de que la necesidad de construir una sociedad con espacios para todos y una identidad salvadoreña diversa implica también la necesidad de destruir los patrones de colonización –tanto de la colonización llevada a cabo por el sistema patriarcal como de la colonización interna que el proceso de socialización de la mujer le implanta– de los cuerpos y mentes de las mujeres salvadoreñas.

Por otra parte, De Lauretis señala una serie de tecnologías del género que contribuyen a implantar la ideología patriarcal respecto al género en los individuos que las consumen. Entre ellas incluye al cine, la publicidad, la cultura popular, y por supuesto, la crítica. También sugiere la posibilidad de que se lleve a cabo, desde estos mismos espacios, una cierta resistencia local a la construcción hegemónica del género:

> Los términos de una construcción de género diferente también existen, al margen de los discursos hegemónicos. Posicionados fuera del contrato social heterosexual, e inscritos en las prácticas micropolíticas, estos términos también pueden participar en la construcción del género, y sus efectos inciden más bien al nivel "local"

de las resistencias, en la subjetividad y auto-representación (18).[4]

Cuentos sucios de Jacinta Escudos funciona como un proyecto de resistencia local en los términos propuestos por De Lauretis, debido a su rompimiento con el contrato patriarcal y a su negociación de un espacio local para que la mujer pueda abandonar su papel de objeto del deseo y desempeñar el papel de sujeto del deseo. Esta mujer-sujeto subvierte la ideología patriarcal y rompe con los estereotipos del género que se construyen a partir de esa ideología. De ahí la importancia del título, ya que estos textos resultan ser "sucios" solamente desde una perspectiva hegemónica.

Uno de los preceptos de la ideología patriarcal es el establecimiento de relaciones heterosexuales permanentes y monógamas que, por medio del matrimonio y de la procreación, mantengan al patriarcado en su posición hegemónica. Este mandato trae consigo también la necesidad de fijar patrones de conducta que clarifiquen y establezcan la clasificación binaria del género como una norma –la cual no solamente se caracteriza como una norma social sino también natural– que rige la identidad de los individuos. Es así que el individuo se ve obligado a definir su identidad de género de forma compulsiva y a representar, ya sea consciente o inconscientemente, esa identidad de género en su persona a través de sus movimientos, la modulación de su voz, su vestimenta, su apariencia personal, y más.[5] Esta defini-

4. The terms of a different construction of gender also exist, in the margins of hegemonic discourses. Posed from outside the heterosexual social contract, and inscribed in micropolitical practices, these terms can also have a part in the construction of gender, and their effects are rather at the "local" level of resistances, in subjectivity and self-representation.

5. El concepto del género, por lo tanto, es una construcción cultural que funciona con base en lo que Judith Butler ha llamado *performativity* y que

ción asigna al individuo una identidad sexual permanente, que a la vez pretende definir de manera permanente, entre otras cosas, a su objeto del deseo. La propuesta del cuento titulado "Sin remitente", por un lado, cuestiona los valores heterosexistas que una de las protagonistas, Pina, ha internalizado; por otro, abre la posibilidad para que Anabell, quien se ha enamorado de Pina, se niegue a asignarse una identidad sexual fija, en este caso, una identidad lésbica, simplemente a partir de la atracción que siente por su amiga. Al contrario, definir su identidad sexual no parece ser una preocupación para Anabell. Tal como ella lo señala en uno de los anónimos que le envía a Pina: "eres la primera y la única mujer de la que me he enamorado en mi vida. No he tenido experiencias con otras mujeres ni pretendo tenerlas" (*Cuentos sucios* 58).

El acto de no definirse resulta significativo, ya que le permite a Anabell cuestionar el binarismo de género y ocupar una posición *queer*[6] en vez de entrar en un

en español llamaremos performatividad por falta de un término más apropiado. Este concepto se refiere a la representación del ideal del género desde el punto de vista de la hegemonía heterosexista que el individuo lleva a cabo en su persona de forma inconsciente y obligatoria. Como Butler lo señala: "gender is not a performance that a prior subject elects to do, but gender is *performative* in the sense that it constitutes as an effect the very subject it appears to express. It is a *compulsory* performance in the sense that acting out of line with heterosexual norms brings with it ostracism, punishment, and violence" ["el género no es una representación que un sujeto previamente conformado elige llevar a cabo, sino que el género es *performativo* en el sentido de que se constitutye como un efecto del mismo sujeto que aparenta expresar. Es una representación *compulsoria* en el sentido que actuar fuera de línea con las normas heterosexistas traería ostracismo, castigo y violencia"] ("Imitation" 187).

6. Al igual que han hecho otros críticos en sus análisis de la construcción del género en Latinoamérica, utilizo aquí el término *queer* en una apropiación del inglés por falta de un término más apropiado en español. Por un lado, identifico el concepto de *queer* con un cuestionamiento de la definición compulsiva de la identidad del individuo atribuida falsamente a la naturaleza y con un reto al binarismo de género establecido por el patriarcado a través de esa construcción artificial de la identidad de género.

espacio de significado que puede resultar tan opresor como el espacio inicial que ocupaba, pues el hecho de definirse como lesbiana, por un lado, la obligaría a seguir cumpliendo con el mandato de la definición y, por otro, a representar en sí misma, ya sea de forma consciente o inconsciente, la construcción cultural de la identidad lésbica. A pesar de que Judith Butler reconoce la importancia del activismo en términos de la lucha por los derechos de gays y lesbianas, ella también señala la violencia ideológica que el acto de definirse puede traer consigo: "Las categorías de la identidad tienden a ser instrumentos de los regímenes regulatorios, ya sea como las categorías normalizadoras de las estructuras opresivas o como los puntos de lucha para una resistencia contestataria de esa misma opresión" ("Imitation" 180).[7] El acto de definición, por lo tanto, ejerce una serie de demandas sobre el individuo para permitirle pertenecer

Annamarie Jagose señala que lo *queer* más que tratarse de una nueva propuesta para la construcción de la identidad, funciona como una crítica a la identidad misma (131). Para ella lo *queer* "operates not so much as an alternative nomenclature –which would measure its success by the extent to which it supplanted the former classifications of lesbian and gay– than as a means of drawing attention to those fictions of identity that stabilise all identificatory categories" (125). Por otro lado, siguiendo la propuesta de Alexander Doty, me refiero ya no al concepto de identidad sexual, sino a una posición política –accesible a cualquier individuo– de resistencia a los patrones binarios del género y al heterosexismo compulsivo del patriarcado. Siguiendo esta idea, Doty define lo *queer* de manera amplia: "Queerness [...] is a quality related to any expression that can be marked as contra-, non-, or anti-straight" (xv). Esto crea la posibilidad de señalar "the queerness of and in straights and straight cultures, as well as that of individuals and groups who have been told they inhabit the boundaries between the binaries of gender and sexuality: transsexuals, bisexuals, transvestites, and other binary outlaws. [...] This range includes specifically gay, lesbian, and bisexual expressions; but it also includes all other potential (and potentially unclassifiable) nonstraight positions" (xv-xvi).

7. Identity categories tend to be instruments of regulatory regimes, whether as the normalizing categories of oppressive structures or as the rallying points for a liberatory contestation of that very oppression.

a ese nuevo espacio de significado. Esto lleva a Butler a preguntarse, "¿Está fuera de su sujeción y finalmente liberado el 'sujeto' que está 'fuera' [del closet]? ¿O acaso pudiera ser que la sujeción que subjetiva al sujeto gay o lesbiana en algunas formas lo sigue oprimiendo, o lo oprime más insidiosamente, una vez que se ha declarado su calidad 'fuera' [del closet]?" ("Imitation" 181).[8] Es así que Anabell representa un reto a esta tendencia a la definición al abrirse a la posibilidad del homoerotismo mientras que se niega a definir su identidad e incluso establece una duda respecto a ésta. David William Foster hace una propuesta sobre lo homoerótico que resulta significativa para nuestra discusión:

> Lo homoerótico no constituye una narrativa maestra, ni se propone elaborar tal cosa pues busca dejar abiertas y en suspenso consideraciones sobre identidades fijas, motivaciones enteramente consecuentes, antecedentes y procedentes estrictamente unidireccionales y transitivos y formulaciones exclusivamente entrelazadas. Se trata de una sana duda en cuanto a la posibilidad de entender el vasto maremagnum del deseo humano y de compulsar adecuadamente una supuesta coherencia en todos los aspectos de las interrelaciones eróticas de subjetividades sumamente volubles (86).[9]

---

8. Is the 'subject' who is 'out' free of its subjection and finally in the clear? Or could it be that the subjection that subjectivates the gay or lesbian subject in some ways continues to oppress, or oppresses most insidiously, once 'outness' is claimed?

9. Homoeroticism does not constitute a master narrative, nor does it seek to, since its goal is to leave open and in suspense considerations regarding mixed identity, motivations that wish to be completely coherent, antecedents and consequences that would propose to move in only one direction and transitively, and formulations that set out to be exclusively interwoven. It is about a healthy doubt regarding the possibility of understanding the vast maremagnum of human desire and of adequately compelling a supposed coherence in all aspects of erotic interrelations of extremely voluble subjectivities.

Siguiendo esta línea de cuestionamiento a las definiciones fijas, "Sin remitente" pone en tela de juicio el concepto del sexo. Es así que el deseo de Anabell desplaza el significado del acto sexual tal como se entiende desde la perspectiva patriarcal ya que no se centra en el acto falocéntrico de la penetración. Al contrario, tiene más que ver con la mirada y con la posibilidad de saber cómo actúa Pina en el momento de placer. Lo que Anabell busca es ver a Pina sintiendo placer como una forma propia de experimentar su sexualidad de manera alternativa. Así lo indica Anabell en uno de los anónimos que le envía a Pina:

> Siempre estoy cerca. Te vigilo. Sé todo sobre ti. Pero quiero saber más. Quiero saberlo todo. Quiero saber qué haces, a quién miras. Me gusta verte sin que sepas que estoy ahí, observándote. Quiero verte cuando haces el amor. Quiero verte desnuda y que tú no sepas que estoy ahí. Verte, escucharte. Reírme de ti (*Cuentos sucios* 47).

Pina, que ha internalizado los ideales del heterosexismo compulsivo, tiene la seguridad de que el anónimo que ha recibido ha sido escrito por un hombre; su única duda es respecto a cuál. Es así que Pina "se pregunta cómo será aquel hombre. Si será atractivo o un tipo simple y común, que hace aquello precisamente porque de otro modo, ella nunca se fijaría en él" (*Cuentos sucios* 49).

A medida que recibe más y más anónimos, Pina se va llenando de la tentación de experimentar esa pasión que desde hace ya mucho tiempo ha perdido en su relación con su marido. Este detalle es relevante, pues señala que la institución patriarcal del matrimonio no necesariamente propicia un espacio de placer para la mujer, sobre todo cuando el placer se entiende desde una perspectiva masculina. En el caso de Pina, no sólo sus posibilidades de experimentar placer dentro del matrimonio son limitadas, sino que también su acceso al placer fuera del matrimonio es prácticamente nulo, pues desde el momento en que se casa va retirándose paulatinamente de la vida que llevaba como mujer soltera, incluyendo su amistad con Anabell, para dedicarse a ser una esposa ejemplar. Este no era el caso antes de su boda, cuando la relación entre estas dos mujeres ya había alcanzado un cierto grado de intimidad: "discos de Jazz sonando de madrugada, y ambas, tendidas entre almohadones sobre el suelo alfombrado, confesándose intimidades sobre sus amantes, o apenas escuchando la música y saboreándola" (*Cuentos sucios* 58). Esta intimidad resalta las posibilidades homoeróticas que los patrones de conducta sexual "apropiados" desde el punto de vista patriarcal propician. Protegidas por el carácter asexual que el patriarcado asigna a una relación entre dos mujeres y a la vez por la libertad relativa que les proporciona el espacio privado, estas dos mujeres logran cultivar su intimidad. Dicho proceso es interrumpido de forma abrupta por el matrimonio de Pina. Poco a poco las amigas van distanciándose hasta que un día Pina le dice a Anabell: "Nuestras vidas son ahora muy diferentes. No puedo compartir contigo mis experiencias de esposa y madre, porque tú no lo eres. Ya no puedes comprenderme" (*Cuentos sucios* 55). En un gesto que más bien parece ser un castigo a su amiga por no haber cumplido con los mandatos patriarcales del matrimonio y la procreación, Pina excluye a Anabell de su vida.

El deseo que Anabell tiene de poseer a Pina con la mirada, de obtener nuevo acceso a su intimidad, se logra por medio de la filmación de un video mientras Pina y un extraño del café, quien realmente había sido contratado por Anabell, hacen el amor. Anabell, frente a la pantalla del televisor, observa el video de Pina haciendo el amor y "se siente dios" (*Cuentos sucios* 57), más aún cuando Pina recurre a ella como la única persona a la que puede confiar su problema. En pocas palabras, el ardid de Anabell ha funcionado, no sólo en términos de placer, sino que además le ha permitido recuperar la intimidad que la institución del matrimonio había intentado erradicar entre las dos mujeres.

La crítica que "Sin remitente" hace a la institución del matrimonio se extiende a la institución patriarcal de la familia o, cuando menos, al ideal hegemónico de esa institución. Dicho ideal sugiere una familia unida, beatifica a la madre y afirma la masculinidad y el poderío del padre. En el cuento "Y ese pequeño rasguño en tu mejilla?", se presenta al padre como un ser pusilánime que recibe de nuevo a su esposa sin hacerle preguntas, después de años de abandono, y complace todos sus deseos en un afán de retenerla. La hija declara:

> Papá hizo todo por complacerte / te llevó a comer langosta [...] / puso un televisor a colores en tu dormitorio [...] / papá te llevó al zoológico / te compró repostería suiza hecha en el Hotel Intercontinental / te llevó a un almacén y te compró un vestido (*Cuentos sucios* 38).

Asimismo el padre prefiere no hablar de las infidelidades de la madre, aun cuando colecciona evidencia de ellas en su "álbum de la vida" (*Cuentos sucios* 36). La esposa, mientras tanto, deja en segundo plano su papel de madre y explota su potencial sexual. Esto se confirma cuando ella se vuelve la amante de Santiago, el pretendiente de nuestra narradora. No sólo las cartas que la madre le escribió a Santiago llegan a manos de la narradora, sino que tal como esta última lo señala: "Cuando toqué el timbre de la casa de Santiago / error mamá error mamá error mamá / mamá bata de delicados encajes / abriste tú la puerta" (*Cuentos sucios* 42). La destrucción del núcleo familiar culmina con la desaparición y el secuestro de la madre por parte de la hija-narradora. Tal como esta última lo explica: "hay reglas inquebrantables / y ésta es una: / la mamá *nunca* le quita el novio a la hija / a ver si ahora que te tengo encadenada en el sótano te lo aprendes de una buena vez" (*Cuentos sucios* 43). La narradora, por lo tanto, logra sobreponerse de este modo al poder que el patriarcado ejerce sobre ella por medio de la institución familiar.

El texto funciona también como una denuncia de la tendencia que tiene el patriarcado a marginar a aquellos individuos que no rigen su vida por las normas que éste establece. Mas'ud Zavarzadeh señala que la libertad del individuo está limitada por el espacio social en el que ese individuo se encuentra inmerso. En sus palabras:

> Los límites de la "libertad" del individuo [...] se vuelven claros de manera inmediata tan pronto ella entra al ámbito de lo social, y descubre el alcance de su inserción en la "colectividad" social (114).[10]

La esposa es un personaje que, al desviarse de la construcción hegemónica del concepto de madre, entra a un espacio marginal que incluso puede compararse con la locura; es un espacio donde el individuo ha perdido toda legibilidad cultural e incluso el poder de su voz. La madre, tal como se encuentra atada en el sótano, no cuenta con la posibilidad de que otros se pregunten por su paradero. La narradora observa: "todos creen que viajaste de nuevo y a nadie le sorprende porque tú siempre fuiste un poco rara e inquieta, abandonando el hogar y los hijos, abandonando a todos sin decirle adiós a nadie" (*Cuentos sucios* 42). Así, la madre ha entrado en ese espacio marginal de existencia límite.

10. The limits of the "freedom" of the individual [...] immediately become clear as soon as she enters the domain of the social, and discovers the extent of her embeddedness in the social "collectivity".

"Y ese pequeño rasguño en tu mejilla?" funciona, por lo tanto, como una metáfora de la forma en que el Centro define al Otro a partir de sus preconcepciones culturales de lo que el Otro debe ser, y lo vigila y lo castiga por no ceñirse a esas preconcepciones. La esposa, al no representar el ideal de madre desde la perspectiva patriarcal, deja de ser parte del Centro y se convierte en ese Otro, en una "loca", que insiste en su potencial sexual, un potencial que en su calidad de madre no tiene derecho a tener, pero que el texto mismo confirma que tiene. La narradora se aprovecha de la narrativa de poder construida por el Centro para secuestrar a la madre en un acto que a la vez elimina a su rival y la libera del poder hegemónico que la familia ejerce sobre ella misma. Irónicamente, al hacerlo, la narradora se desempeña también como un agente del poder hegemónico que ella misma busca resistir. Desde esa perspectiva, la madre ha perdido todo acceso a la palabra, toda posibilidad de defenderse, todo acceso al discurso de "la verdad". Ha entrado en un espacio donde ya no tiene la posibilidad de hablar. Lo único que tiene es la certeza de que fuera de su papel de madre y amarrada en el sótano, aún conserva su potencial sexual.

Este esfuerzo por desacralizar a la figura de la madre y por resaltar su potencial sexual se repite de una manera diferente en el cuento "Costumbres pre-matrimoniales" en el que el ideal de la madre abnegada que se sacrifica por su hijo es intercambiado por la representación del hijo como instrumento de placer de la madre. Se trata de una figura de la madre que se describe como "una anciana pequeña, disminuida por la osteoporosis, arrugadísima y siempre vestida de negro, que apenas parece comprender lo que pasa a su alrededor" (*Cuentos sucios* 27). Sin embargo, la madre posee un apetito sexual muy fuerte. Haciendo eco a las mujeres que protagonizan algunos de los otros cuentos, la madre, que tanto por su calidad de madre como por su edad ha perdido toda vigencia sexual en el espacio social, se ve en la necesidad de idear una estrategia para obtener placer. Una vez más, se deja en tela de juicio el papel central que se le ha asignado socialmente al acto de penetración ya que la madre ha concebido su propio método alternativo para obtener placer: la costumbre de dormir en la misma cama en que su hijo hace el amor con una de sus amantes. Tampoco se trata de una amante fija. Su hijo Claudio se dedica a cultivar relaciones cortas "que transcurre[n] sobre todo en los cafés y las pensiones, en los cines y los parques" (*Cuentos sucios* 27), para luego poder invitar a sus amantes a su casa y a conocer a su madre.

Una vez que la joven de turno se encuentra en casa de la madre de Claudio, la estrategia se pone en marcha: primero la madre comenta, "hoy estamos de fiesta [...] no todos los días ceno con una chica tan linda como usted" (*Cuentos sucios* 28). Más adelante le explica a la joven, "Claudio tiene la costumbre de acostarse a mi lado hasta que yo me quedo dormida. Supongo que no le molestará acompañarnos" (*Cuentos sucios* 29). Una vez que la vieja parece dormida, Claudio sugiere a su amante que hagan el amor allí junto a la madre. La amante se resiste, "pero mientras hablan, él toca, besa, muerde, y las resistencias de la muchacha se ven revueltas con el deseo, la vergüenza y la morbosidad de tener a la vieja al lado, profundamente dormida y vestida de negro, como un cadáver" (*Cuentos sucios* 30). Esta situación incrementa la pasión con la que los dos amantes hacen el amor, pero sobre todo, es la culminación de la estrategia de placer de la madre. Tal como ella misma se lo explica a la joven a la mañana siguiente mientras prepara el café: "Claudio siempre trae a sus novias a comer y luego dormimos los 3 sobre la cama. Y yo los escucho mientras hacen el amor. Así me siento revivir, me hace recordar buenos y lejanos tiempos. O dígame, ¿acaso no me miro rejuvenecida esta mañana?" (*Cuentos sucios* 31). La estrategia que la madre utiliza para sobreponerse a la forma en que la sociedad la margina de la esfera del placer, ha funcionado.

También la protagonista del cuento "Y todos esos hombres, viéndome" es una mujer quien desde el punto de vista de la ideología patriarcal ya es vieja para su profesión. Se trata de una mujer de treinta y tantos años que trabaja bailando desnuda en un cabaret. La selección de la protagonista como una mujer de mediana edad resulta significativa porque por un lado, cuestiona la idea de la mujer sexualmente atractiva –y activa– como joven y bella. Por otro, porque en vez de tomar la perspectiva del espectador, que posa su mirada sobre la mujer y la convierte en su objeto del deseo, el texto toma la perspectiva de la bailarina, permitiéndole así surgir como sujeto del placer y utilizar ese espacio, que el patriarcado mismo hace posible, para subvertir las normas sociales que la excluyen por su edad del ámbito de la sexualidad, y que la excluyen por su género del ámbito del deseo.

Este texto nos presenta un espacio social contradictorio. Mientras la protagonista no ha subido al escenario, ella se encuentra en una posición de desventaja ya que sobresale entre las jovencitas que trabajan con ella. La belleza que la sociedad exige de la mujer, de tal forma que ésta se convierta en un objeto del deseo del sujeto masculino, se intensifica en el espacio en el que trabaja la protagonista. Si fuera del cabaret una mujer de su edad todavía puede ser considerada bella y atractiva, dentro del mismo el tiempo se le acaba a la protagonista. Ella misma se describe de la siguiente manera: "En realidad creo que nadie me nota, que nadie sabe que estoy aquí, ocupando un espacio físico. Que soy, que existo. Pero si pudieran verme bien, si hubiera más luz, tampoco me notarían" (*Cuentos sucios* 77). A pesar de esto, el poder que la mujer va perdiendo fuera del escenario debido a su edad, regresa a sus manos y se multiplica cuando ella entra al escenario. Aunque se trata de un espacio también problemático, la protagonista señala que a diferencia de las jovencitas que bailan con timidez, ella ha perdido ya todo su pudor. Esta pérdida del pudor resulta clave ya que antes la protagonista sentía vergüenza: "era terrible. Yo era la encarnación de la vergüenza. Era tiesa como un palo e intentaba moverme al ritmo de la música, vestida con cualquier cosa que tenía que quitarme poco a poco, y luego quedarme bailando, absolutamente desnuda, delante de todos aquellos ojos que me miraban, fijos, taladrándome" (*Cuentos sucios* 79). Es decir, antes el pudor producido por la carga ideológica le impedía a la protagonista disfrutar la experiencia. En ese sentido, la edad de la mujer, que en un inicio es representada como una carencia, funciona como un instrumento que le permite deshacerse de esa carga ideológica y experimentar placer.

Por otra parte, es interesante que el relato "Y todos esos hombres, viéndome" esté enfocado en la experiencia de placer de la mujer que baila y no del espectador que la observa, pues mucho se ha hablado sobre la experiencia de placer del espectador masculino, de un hombre, de una cantidad de hombres, o tal como ella lo describe, de "un falo-taladro inmenso que viene desde esa oscuridad" (*Cuentos sucios* 81). Al tomar la perspectiva masculina, es la mirada del hombre lo que objetiviza a la mujer como el objeto de su placer. Como ella misma señala: "siempre te mirarán como un pedazo de carne que cuelga del gancho de la carnicería. Un apetitoso pedazo de carne para hartarse. Y luego defecarlo. Y olvidarse" (*Cuentos sucios* 78). El texto rompe con esos patrones narrativos al representar a una mujer que desempeña el papel de sujeto del deseo y que percibe a los hombres que la miran como un objeto anónimo que le proporciona placer. Tal como ella misma lo indica: "abro las piernas e imagino lo que ellos piensan, lo que ellos quieren tocar y hacer pero no pueden porque estoy arriba en el escenario y ellos no podrán subir porque soy inalcanzable, como los dioses y las nubes" (*Cuentos sucios* 81). Por lo tanto, no se trata de una mujer que, víctima de la situación, se ve forzada a subir al escenario y a actuar como si sintiera placer con el único propósito de que el espectador sienta placer. Al contrario, se trata de una mujer que entra al escenario porque es un espacio que le permite escaparse por un momento de los rígidos patrones sociales a partir de los cuales una mujer de su edad ha perdido toda vigencia en el campo sexual. El escenario es un espacio que le permite deshacerse por un momento de esa pesada carga ideológica y sentir placer al ver que

> Nadie respira ni habla ni bebe al ver[la].
> Por lo menos eso cre[e]. Así parece (*Cuentos sucios* 81).

De tal forma que ella es la primera en experimentar un orgasmo. Tan pronto ese orgasmo llega el escenario recupera sus dimensiones originales: no se trata sino de una isla diminuta en medio de un patriarcado del que es imposible escapar. De ahí su comentario final: "y todos estos hombres, viéndome" (*Cuentos sucios* 81), que la lleva a recuperar, de manera inmediata, su condición de objeto de la mirada masculina, confirmando así que la narrativa de este texto ejerce resistencia al patriarcado, tal como lo dijimos al principio, de manera local. Es decir, la mujer-sujeto utiliza el espacio local para obtener acceso al deseo y al placer que el espacio social, en general, le prohíbe tener. Pero el espacio social parece seguir intacto. La que no sigue intacta es la mujer, que de objeto ha pasado a desempeñar, aunque sea de manera momentánea, el papel de sujeto del deseo.

4

La destrucción del cuerpo y el lazo pasional con la normatividad social

> ¿Cómo me veré sin un dedo, o con el pecho lleno de heridas, o con la tetilla izquierda (derecha en el espejo) cortada? ¿Dolerá la castración? Podría averiguarlo sin perder nada que no vaya a perder de todas maneras: el suicidio es una mutilación de lo más severa. No hay dolor ni pena ni cicatriz que puedan importarme ahora, y me gusta: mi cuerpo está dejando de ser un encierro.
>
> Rafael Menjívar Ochoa, *Trece*

La formación de la identidad y de la subjetividad ocurre por medio de un proceso transformativo que se encuentra en constante flujo. Son procesos que no pueden definirse de manera permanente sin robarle al individuo o a la colectividad sus posibilidades de explorar, redefinirse, cambiar o transformarse. De manera cotidiana se hacen muchos esfuerzos por definir la subjetividad y la identidad de forma rígida. Como resultado, se genera también un espacio marginal para las exclusiones. En otras palabras, la definición fija de la identidad y de la subjetividad genera violencia contra el individuo y contra la colectividad porque les roba su fluidez, y también contra aquellos que no se conforman a la definición que ha sido establecida porque se encuentran colocados a los márgenes de ésta.

Mi propósito para este capítulo es hacer una lectura del proceso de construcción de la identidad como un proyecto generador de exclusiones y, por lo tanto, de violencia, ilustrando este proceso a partir de la representación literaria de esta violencia en la ficción de posguerra. Ya en otro texto yo había propuesto que la identidad nacional es una ficción.[1] Por supuesto, me refería a la versión oficial de quiénes somos los salvadoreños –en aquella ocasión discutía el caso de El Salvador–. Esta idea se podría aplicar a cualquier otra construcción de identidad nacional. A lo que me refería era a que nuestra interacción cotidiana con la sociedad y la perspectiva desde la que interpretamos el mundo, incluso la forma en que fabricamos y modificamos nuestra apariencia personal, contribuyen a construir nuestra identidad. Pero no se trata de una identidad nacional, sino de una miríada de identidades que cada uno de los salvadoreños dentro y fuera del territorio nacional negociamos cada día. A pesar de compartir un conjunto de recursos y un mismo espacio social, no hay una identidad común que defina a todos los salvadoreños. Tampoco hay una identidad fija que defina a un solo individuo en los diferentes momentos de su vida. La identidad es personal, temporal y maleable. Por eso el concepto de identidad nacional es tan problemático.

En el caso de El Salvador, en una columna de opinión, el ex comandante guerrillero Joaquín Villalobos arguye que es indispensable que se lleve a cabo un proceso de construcción de la identidad salvadoreña –que él define como "el tener un patrón cultural común y sentido de pertenencia", de lo contrario, señala que "las instituciones de nuestra emergente democracia" termi-

1. Ver "La identidad nacional es una ficción", *La Prensa Gráfica*, San Salvador, El Salvador, 11 de junio, 2000.

narían dañadas...–[2] De no hacerlo, seguiremos siendo víctimas de la violencia, nos dice, y acaso estaremos también incurriendo en una falta de moralidad. Irónicamente, aunque para Villalobos la falta de identidad sea responsable de la violencia que experimentamos en la actualidad, la identidad, tal como él la describe, tiene un potencial enorme para generar violencia, tanto violencia ideológica, como física.

Pues, ¿quién tendría la autoridad de definir la identidad de todos los salvadoreños? Quien lo haga, incurrirá en el campo de la ficción ya que la normalización de la identidad presupondría la regulación de las conductas, formas de ver el mundo, expresiones culturales, experiencias públicas y privadas de todos los salvadoreños a la vez. Y como en todo proyecto nacionalista, no sólo de nuestra historia, sino de la historia universal, se produciría de manera inmediata un grupo de salvadoreños inadecuados y, por ende, víctimas de la violencia.

Villalobos no es el único en tomar como un hecho la existencia de la identidad salvadoreña. Con frecuencia escuchamos discusiones en el campo cultural destinadas a describir, analizar o rescatar la identidad nacional. No ha faltado un líder espiritual que no la vincule con la moral y la ética, un juez que no dicte prohibiciones en su nombre, ni oficiales del orden dispuestos a reprimir a quienes la pongan en tela de juicio. La identidad nacional sigue siendo una ficción. En verdad la identidad salvadoreña es un proyecto político. De allí al nacionalismo hay apenas un paso. El proceso a través del cual se construye implica convencer, dividir, marginar. Es por ello que es saludable tener presente nuestra historia reciente, para poder recordar los actos de violencia y de intolerancia que ya se han cometido en nombre de simi-

2. Ver Villalobos, Joaquín, "Sin vencedores y sin historia", *El Diario de Hoy en línea*, 24 mayo 2000, <www.elsalvador.com>.

lares proyectos unificadores. Si lo hacemos, no creeremos tan fácilmente en una propuesta que nos encaminaría nuevamente hacia la intolerancia. A lo mejor hasta lleguemos también a celebrar algún día cercano nuestra diversidad.

En aquella columna de opinión yo decía que la identidad nacional es una ficción porque para ser definida de manera fija, incluso rígida y permanente, sería necesario entrar al campo de la ficción e inventarnos para los salvadoreños una esencia que no tenemos. Por el contrario, la verdadera identidad es como el lenguaje, como nuestras experiencias en el mundo y como la cultura misma: cambia constantemente, es maleable, fragmentada, híbrida y plural. Por lo tanto, la identidad no puede construirse a partir de una visión esencialista de quiénes somos.

Pero el proyecto de definir la identidad es el que a mí me interesa. Me interesa en el sentido que el acto de definir la identidad de manera clara, fija y, de ser posible, permanente, tiene dos consecuencias inmediatas: una es que define al individuo a partir del énfasis en tan sólo una parte de su ser, en una dimensión de su ser, sobresaltando sus características que se afilian a esa identidad, y volviendo invisibles el resto de sus dimensiones, ésas que no son importantes para justificar la definición de la identidad que se ha llevado a cabo. La otra consecuencia de definir la identidad de manera fija es la violencia que genera al crear marginalidades. Pues, como lo señala Judith Butler, es importante preguntarnos si la visibilidad que se logra –tanto en el espacio público como en el ámbito político– al afiliarnos a un esencialismo estratégico con respecto a la definición de nuestra identidad es suficiente logro, o si es sólo un punto de partida que requiere la transformación de las políticas opresoras ("Imitation" 184). Vale la pena preguntarnos, como lo hace Butler, si "[¿n]o será una señal de desesperación ante la política pública cuando la identidad se convierte en su propia política, juntando en ella a aquellos que la controlarían desde diferentes perspectivas?" ("Imitation" 184).[3] Pues, aunque Butler no está sugiriendo que este tipo de esencialismo estratégico no sea importante para alcanzar un cierto nivel de visibilidad en el espacio público, su posición señala la necesidad de tomar en cuenta, en el momento de crear una categoría identitaria, las exclusiones que la formación de esta categoría genera ("Imitation" 184). Estas teorizaciones parten del trabajo de Michel Foucault, quien en numerosas oportunidades expresó su preocupación por las exclusiones derivadas de la cultura de la razón. En el inicio de su libro *Civilización y locura*, Foucault interpreta la obsesión por excluir a otros en función de la razón como un acto de locura: "Todavía no hemos escrito la historia de esa otra forma de locura, por medio de la cual los hombres, en un acto de razón soberana, confinan a sus vecinos, y se comunican y reconocen entre sí a través del lenguaje sin piedad de la no-locura" (Foucault, *Civilización y locura* xi).[4] De tal forma que la definición rígida de la identidad forma un centro de legibilidad cultural y una miríada de exclusiones. Por supuesto, no existe un solo centro del poder, por lo tanto, tendríamos que corregir esta aseveración para señalar que cada definición de la identidad formula *un* centro de legibilidad cultural y un mundo de exclusiones.

Me gustaría ilustrar esta idea con un ejemplo que mencionó el poeta Miguel Huezo durante una charla que

3. [Is it] not a sign of desperation at the face of public policy when identity becomes its own policy, joining in it those who would control it from different perspectives?

4. We have yet to write the history of that other form of madness, by which men, in an act of sovereign reason, confine their neighbors, and communicate and recognize each other through the merciless language of non-madness.

dio durante una visita que hizo hace algunos años a la Universidad Estatal de California en Northridge, donde yo trabajo. Aunque en esa oportunidad él no hablaba de la violencia, su ejemplo es muy apropiado para ilustrar esta idea. En aquella oportunidad él habló de la insurgencia. Y al recordar los años de la guerra civil en El Salvador, Miguel Huezo decía que la pañoleta roja amarrada sobre el rostro daba visibilidad a la insurgencia entre una muchedumbre. De tal forma que un individuo con pañoleta roja sobre el rostro adquiría la identidad de un insurgente. Pero decía también que al quitarse esa pañoleta se volvía invisible entre la muchedumbre. Dejaba de ser un insurgente para volver a ser uno más entre tantos. Lo que me interesa de este ejemplo son las mismas dos cosas mencionadas anteriormente: la primera es que ser insurgente no define a un individuo con toda su complejidad. Lo que hace es resaltar aquellas afinidades ideológicas que lo llevan a formar parte de la insurgencia, y volver invisibles el resto de características que no son relevantes para la identidad insurgente, a pesar de que tengan relevancia para ese individuo, como su identidad étnica, su pertenencia de clase, sus tradiciones y legado cultural, su preferencia sexual, su afiliación política dentro de la pluralidad de posiciones políticas que conformaban a la insurgencia, entre otros. En este sentido, definir de forma clara y fija la identidad de una comunidad sin reconocer sus diversidades, sus fracturas, su fragmentación y su hibridez podría generar visibilidad en el espacio público así como poder político, pero podría también ser un proyecto generador de violencia. Por un lado, de violencia ante el opuesto, es decir, violencia ante aquellas personas que representen un atentado a la propia identidad. Para el ejemplo de la pañoleta roja es muy fácil imaginar que ese opuesto es la institución militar que representaba la fuerza de represión del gobierno. Otro ejemplo de este tipo de violencia hacia la otredad podría encontrarse en las teorizaciones de Octavio Paz sobre la construcción del nacionalismo mexicano en *El laberinto de la soledad*. En este texto, Paz teoriza el grito "¡Viva México, hijos de la chingada!" como un acto de definición de la identidad nacional ("¡Viva México!") pero, a la vez, como un acto de violencia hacia la otredad ("hijos de la chingada").

Por otro lado, y de mayor interés para la propuesta que aquí hago, está la violencia que el individuo afiliado a esa identidad tiene que cometer contra sí mismo al llevar a cabo ese proceso de negación de parte de su ser a medida que deja en la luz únicamente aquellos elementos que fijan su identidad de manera rígida dentro de la categoría que se ha establecido. Este acto de violencia que cometemos contra nosotros mismos y también contra los demás, en la medida en que actuamos como agentes de vigilancia en la vida propia y de otros, es un acto de violencia ideológica, pero tiene enormes posibilidades de convertirse en violencia física. La literatura centroamericana contemporánea ofrece variedad de ejemplos que ilustran este proceso generador de violencia ideológica y donde se apoya la idea de que la definición de nuestra identidad sólo puede ser constructiva si es formada de forma fragmentada, híbrida, y se encuentra en un constante proceso de transformación. Por todo lo anterior, es importante tener en mente que desde la literatura podemos ver una propuesta que casi puede entenderse como un proyecto anti-identitario. Y si la identidad en el espacio social centroamericano se entiende de forma rígida, este proyecto literario puede ser interpretado como un acto de resistencia, de liberación.

Es importante tener en mente que la construcción de la subjetividad podría implicar una contradicción: ser sujeto significa al mismo tiempo estar sujeto a un proceso normativo que valida el surgimiento del sujeto. Este proceso normativo, llevado al extremo, podría requerir la destrucción del individuo para lograr un cierto nivel de reconocimiento como sujeto en el espacio público. La discusión que sigue sobre el cuento "Anita, la cazadora de insectos" del escritor hondureño Roberto Castillo puede ilustrar este punto. Anita, la protagonista, solamente pudo construir su subjetividad destruyéndose a sí misma, y si pudo librarse de esas ataduras, fue a un precio muy alto.

A pesar del título juguetón del cuento, el texto cuestiona de manera profunda la fuerza que motiva nuestros actos cotidianos. El relato nos lleva por los vericuetos de la locura en la que habitamos, una locura que nosotros mismos nos hemos generado. Anita, la protagonista del relato, antes de que la embriagara el deseo de cazar insectos, era una jovencita ejemplar. Era ejemplar porque vivía de acuerdo al status quo. Y ejemplar porque a pesar de provenir de una familia pobre utilizaba sus atributos intelectuales para subir en la escala social. También ejemplar porque sabía fingir frente a sus amiguitas. Y era ejemplar porque su piel era blanca y sus ojos azules.

Anita vivía su vida buscando el éxito a la medida del clasismo, el racismo y el elitismo que tanto se ven en nuestras sociedades. Nadie cuestionaba a Anita porque ella parecía tener todo lo que los demás, a veces secreta y otras no tan secretamente, deseaban. También parecía tener todo lo que ella misma deseaba. Sus padres estaban dispuestos a adquirir toda clase de deudas con tal de incrementar las posibilidades de que Anita subiera de categoría social. Sabían que al hacerlo, ellos subirían junto con ella. Anita quería un piano, una mejor vajilla, clases de inglés, de natación, de cocina, de decoración, Anita quería ir a bailar al casino. Y los deseos de Anita se cumplían.

Pero un día Anita comenzó a atrapar mariposas y pronto sintió el irresistible deseo de cazar todo tipo de insectos. Tal vez no era más que el deseo de romper con las normas, ensuciarse un poco las manos, disfrutar un poco la vida. Pero cazar insectos no era una ocupación apropiada para una jovencita ejemplar. Solamente le quedaban dos opciones a Anita: renunciar a todo para darse el gusto de atrapar insectos o renunciar a sí misma para convertirse en una mujer ejemplar. Y Anita lo dejó todo. Se dice que perdió la razón. Que sigue cazando insectos perdida entre las callejuelas de la ciudad. Que los niños la persiguen y que le gritan insultos. Que en su casa ya nadie menciona su nombre. Nadie sabe con certeza dónde está ni lo que hace. Ha sobrepasado los límites de su subjetividad y, como resultado, ha dejado de existir en el espacio social en que habitaba. Lo único cierto es que sigue cazando insectos.

"Anita, la cazadora de insectos" invita al lector a cuestionar el significado de la locura. Como lo hizo con los insectos, Anita nos invita a examinar bajo un microscopio la fábrica de nuestras vidas. Al tomar la medida extrema de abandonarlo todo para lograr una cuota de libertad, nos invita a seguirla y también a lanzarlo todo por la ventana y a embarcarnos en la aventura de nuestras vidas. Pero nos advierte que el precio que tendremos que pagar será alto, acaso tengamos que pagar con nuestras propias vidas en el intento. Su posición es significativa porque aun cuando pierde todo reconocimiento social y todo su poder, ella logra coquetear con la libertad. En contraste, aquellos que deciden quedarse y defender bajo cualquier precio la subjetividad institucional que les ha sido impuesta por el poder y el reconocimiento social que viene con ella, también tienen que pagar un alto precio. En vez de que todos se olviden de ellos y de su existencia como en el caso de Anita, siguen bajo vigilancia. En la ficción centroamericana con una sensibilidad de posguerra encontramos multitud de ejemplos de este tipo de personajes.

La destrucción del cuerpo

La discusión sobre el proceso de formación del sujeto lleva un largo recorrido histórico. La ficción centroamericana contemporánea nos invita precisamente a retomar la discusión sobre la construcción del sujeto y sobre la contradicción que esta construcción implica: ser sujeto es a la vez estar sujeto a todo un proceso normativo que valida el surgimiento del sujeto. A continuación se encuentra un análisis de una selección de textos que incluyen la narrativa de Rafael Menjívar Ochoa, un relato de Horacio Castellanos Moya, un relato inédito de Alvaro Menén Desleal, así como la primera novela del escritor salvadoreño Róger Lindo, titulada *El perro en la niebla*. He abordado estos textos a la luz de propuestas sobre la construcción del sujeto de tres autores en particular: Michel Foucault, Louis Althusser y Judith Butler.

Foucault habla de una fuerza síquica, de una especie de alma, que habita al sujeto y que le permite ingreso al ámbito de la existencia. Para adquirir su calidad de sujeto, éste debe someterse a esa fuerza síquica. Foucault, en vez de proponer que es el alma –lo inmaterial– la que se encuentra prisionera en el cuerpo –lo material–, propone que es el alma la que desempeña el papel de prisión del cuerpo (*Discipline & Punish* 30). Para Foucault, esta fuerza síquica sostiene el proceso normativo que aspira a un determinado ideal y que somete al cuerpo bajo su control. Al ampliar el carácter del ideal propuesto por Foucault, Butler señala que es de acuerdo a este ideal históricamente específico que el cuerpo adquiere forma, se cultiva y se materializa (*The Psychic Life* 90). Foucault considera a dicha fuerza síquica como una especie de prisión que ejerce un efecto real en el cuerpo del prisionero (léase sujeto) por medio de la imposición de un proceso normativo que lo lleva a acercarse de manera compulsiva al ideal del sujeto impuesto por esa fuerza síquica o alma. Más interesante aún resulta la propuesta de Foucault respecto a la necesidad de que se lleve a cabo, trascendiendo las fronteras de la subordinación, un cierto grado de destrucción del cuerpo para que pueda producirse el sujeto como tal. Es así que Butler señala que para Foucault,

> El sujeto aparece a expensas del cuerpo, una aparición condicionada en relación inversa con la desaparición del cuerpo. El sujeto no solamente toma de manera efectiva el lugar del cuerpo, sino que también actúa como el alma que enmarca y le da forma al cuerpo en cautiverio. Aquí la función formadora y enmarcadora de esa alma exterior funciona en contra del cuerpo; podría entenderse como la sublimación del cuerpo en consecuencia del desplazamiento y la sustitución (*The Psychic Life* 91-92).[5]

La novela *Trece*, del escritor salvadoreño Rafael Menjívar Ochoa, narra el proceso mediante el cual el protagonista va acercándose al plazo que ha fijado para su propia muerte. Y esa muerte a la que se acerca, bien puede ser la muerte metafórica del sujeto: la destrucción de su cuerpo que, al igual que en la propuesta de Foucault, propicia su constitución. En otras palabras, la destrucción del cuerpo del individuo culmina en el surgimiento del sujeto, cuando menos en el ámbito de lo literario.

La novela es narrada en primera persona por un protagonista cuyo nombre desconocemos. Sabemos, sin embargo, que se trata de un escritor fracasado en busca del texto que lo constituya como sujeto literario con

5. The subject appears at the expense of the body, an appearance conditioned in inverse relation to the disappearance of the body. The subject not only effectively takes the place of the body but acts as the soul which frames and forms the body in captivity. Here the forming and framing function of that exterior soul works against the body; indeed, it might be understood as the sublimation of the body in consequence of displacement and substitution.

reconocimiento social. Para lograrlo, se da cuenta de que es necesario fijar el plazo de su muerte: trece días, o trece muertes metafóricas que lo obligan a escribir de manera espontánea y sin revisiones el texto que, a fin de cuentas, le da sentido a su vida, a la vez que, de manera paradójica, adquiere sentido en su muerte. En este caso la autobiografía, tal como Clark Blaise lo señala, funciona como:

> una negación de la celebridad. Paradójicamente, la autobiografía es un acto de autodestrucción. Hemos visto de forma repetida [...] que la identificación de la biografía con los logros lleva al biógrafo a enfrentar cuestiones de tacto, delicadeza y ética. Estas son cuestiones que el autobiógrafo no puede considerar, ni siquiera por un momento. La falta de tacto y de delicadeza, la humillación y la [experiencia de] vergüenza son herramientas desconstructivas sin precio. La autobiografía celebra solamente la conciencia, y puede llegar a ese objetivo solamente por medio de actos desconstructivos, de una serie de auto-borrones (201).[6]

Esta tendencia a la destrucción por parte del escritor del texto autobiográfico invita al lector, a su vez, a utilizar su propia posición como punto de referencia de la cordura y, por lo tanto, a juzgar los actos y pensamientos del narrador. La tendencia que como lectores podamos tener de señalar al protagonista como un loco suicida, nos recuerda nuestra propia responsabilidad

---

6. [...] a denial of celebrity. Paradoxically, autobiography is an act of self-destruction. We have repeatedly seen [...] that biography's identification with achievement causes the biographer to struggle with questions of tact, delicacy, and ethics. These are questions, which the autobiographer cannot for even a moment consider. Tactlessness and indelicacy, humiliation and embarrassment, are precious deconstructive tools. Autobiography celebrates only consciousness, and it can arrive at that goal only by deconstructive acts, a series of self-erasures.

normativa, es decir, nuestra participación en el proceso normativo al que se somete a cualquiera que habita el texto social, incluyéndonos, por supuesto, a nosotros los lectores.

En este caso, el protagonista de *Trece* se encuentra sometido a una serie de normas bastante rígidas en el espacio social. Como escritor, se siente víctima de una serie de demandas por parte del mundo cultural respecto a las cualidades que debe tener la escritura literaria, y se siente incapaz de cumplir con ellas. Además, este personaje se encuentra sometido a la presión que sobre su vida ejerce la figura de su madre. Su proyecto de suicidarse, es, en gran medida, la única forma que encuentra para liberarse de todas estas normas y presiones que le impiden encontrarse a sí mismo. E incluso este proyecto peligra ante las inquisiciones de la madre. Por un lado, el protagonista tiene la impresión de que su madre puede leer su mente, y aunque ella se encuentra a un paso de muerte, el tiempo que le queda de vida es mayor que el plazo fijado para la muerte de nuestro narrador. Es así que éste intenta disminuir su contacto con la madre para evitar que ella arruine sus planes de suicidarse. Vemos por ejemplo, que el siguiente comentario que le hace la madre a nuestro narrador: "oye esto: los padres no deben sobrevivir a los hijos, ni los hermanos menores a los mayores. ¿Entiendes lo que quiero decir? [...] ¿De verdad entiendes lo que quiero decir?" (158), siembra dudas en el protagonista respecto a lo que su madre sabe sobre sus planes. Es así que señala: "Ella puede leer dentro de mí. Ella sabe. No quiero verla otra vez. Una palabra suya mañana, pasado mañana, arruinaría todo" (158).

Al respecto del carácter tan relativo de la locura, Foucault nos recuerda que "la locura no puede existir en estado crudo. La locura solamente existe en la sociedad, no existe fuera de las formas de sensibilidad que la aíslan ni de las formas de repulsión que la excluyen o capturan" (Foucault, *Foucault Live* 8).[7] La selección del suicidio como único medio de escape para el protagonista no resulta sorprendente, ya que éste habita un mundo donde incluso la locura tiene ciertos límites sociales establecidos, los cuales, en el texto son definidos por M.:

> Un buen loco cree que es él mismo, y actúa como sólo actuaría él y nadie más, no se siente más perseguido de lo normal (es decir cuando realmente lo persiguen), no mata a nadie, no insulta a nadie en la calle, no tiene alucinaciones. Ése es mi loco perfecto: el que, siendo quien es y lo que es, pasa los exámenes más tramposos y se va para su casa con un certificado de cordura (43).

El protagonista de la novela nunca logra obtener ese certificado de cordura. Por el contrario, sus actos lo llevan a matar a un par de personas y a agredir a dos tipos con los que encuentra a su amante de turno, la prima de S., en un bar local. De esta forma, el personaje pasa a habitar un espacio más allá de la locura permitida por los límites de la sociedad. En cierta forma, su transgresión de esos límites funciona como una garantía del cumplimiento de su plan suicida. Por otra parte, su incursión más allá de los límites aceptables para la locura le permite la libertad de experimentar con la autodestrucción. Para ilustrarlo, regresemos a la cita del epígrafe a este capítulo en la que el narrador señala:

> Pienso seriamente en mutilaciones: ¿cómo me veré sin un dedo, o con el pecho lleno de heridas, o con la tetilla izquierda (derecha en el espejo) cortada? ¿Dolerá la castración? Podría averiguarlo sin perder nada que no

7. Madness can not be found in its raw state. Madness only exists in society, it does not exist outside of the forms of sensibility that isolate it and the forms of repulsion that exclude or capture it.

> vaya a perder de todas maneras: el suicidio es una mutilación de lo más severa. No hay dolor ni pena ni cicatriz que puedan importarme ahora, y me gusta: mi cuerpo está dejando de ser un encierro (151).

Hacia el final de la novela, a medida que se acerca el tiempo que el protagonista se había fijado para suicidarse, un nuevo suceso le confirma que tiene sus días contados: la policía lo persigue, cada vez más cerca, acusándolo de asesino. Es entonces que nuestro narrador se resigna a ese destino que él mismo se había forjado:

> Me río, en realidad, porque ya soy parte del tiempo pasado: creí que con tener un plazo era suficiente; ahora sé que sí hace falta un motivo, que mañana no me hubiera atrevido si no hubiera tenido un motivo. La vida me ha regalado un motivo (182).

La construcción del sujeto a partir de la simbólica destrucción del cuerpo propuesta por Foucault no es del todo negativa, ya que para ser efectiva debe renovarse. Es decir, se trata de un proceso que debe llevarse a cabo de manera repetitiva. Es en esta repetida constitución del sujeto que tiene origen el proceso de producción[8] de la identidad que Butler propone respecto a la construcción del género, pero que, sin embargo, podemos aplicar a cualquier otro aspecto de la constitución del sujeto. Por su mismo carácter repetitivo, tal proceso carece de continuidad. Es en los intersticios entre una y otra repetición de la producción del sujeto que Butler encuentra la posibilidad de romper con la repetición, y por lo tanto, la posibilidad de llevar a cabo un proyecto

8. He utilizado la expresión "producción de la identidad" para referirme a lo que Butler llama en inglés *performativity*. He decidido no utilizar el término "representación" porque éste sugiere un cierto grado de conciencia por parte del individuo.

de resistencia.[9] Homi Bhabha también teoriza este concepto a partir de su exploración de los intersticios entre uno y otro acto performativo (*The Location of Culture* 1994). En otras palabras, si la coherencia del sujeto depende de su repetida constitución esta dependencia misma puede constituirse en la base de su incoherencia (*The Psychic Life* 99). Al releer a Foucault, Butler hace hincapié en este punto y señala:

> Para Foucault el aparato disciplinario produce sujetos, pero como consecuencia de esta producción, trae al discurso las condiciones para subvertir el aparato mismo (*The Psychic Life* 100).[10]

Por lo tanto, que muy pocos de los personajes de la narrativa de Menjívar Ochoa nos digan su nombre es significativo porque les permite flexibilidad en términos de su identidad. La fragmentación de su identidad tiene sentido mucho más allá de su carencia de nombre: es su fuerza porque entre cada acto performativo de la identidad, la ambigüedad de los intersticios se hace más y más evidente. Es así que, como complemento a la idea de que el alma somete el cuerpo a un proceso normativo, se representa al cuerpo como la prisión que no solamente mantiene atrapado al sujeto, sino que le asigna un rostro, es decir, el espejismo de su identidad, a un ser mucho más complejo, a un ser que trasciende las fronteras de género, de edad y de cualquier otra categoría definitoria de la identidad.

El protagonista de la novela *Los años marchitos* (1991) de Rafael Menjívar Ochoa ilustra este punto. Se trata de

9. Véanse las propuestas de Butler respecto al potencial de resistencia en el proceso repetitivo de la construcción del género en "Imitation and Gender Insubordination". *The Material Queer*. 180-192.

10. For Foucault, then, the disciplinary apparatus produces subjects, but as a consequence of that production, it brings into discourse the conditions for subverting that apparatus itself.

un actor de radionovelas que hace el papel de villano y que trabaja con esmero para crear a cada uno de los personajes que llega a habitar su cuerpo:

> Yo descubría a cada personaje, lo iba modelando, le daba cara y estatura y tíos y padres y una infancia, dolores de muelas y otros más ocultos, amores de paso. Tenía en la cabeza un archivo de gestos, ojos, giros y palabras escuchados en la calle, listos para ser reproducidos por la noche, a solas en mi cuarto y, poco a poco, ser transformados y vueltos a guardar para cuando llegara la ocasión y vinieran al caso. Mis villanos movían las manos así o no importaba cómo, pero de manera característica; tomaban el cigarro con un dejo particular, caminaban recargándose en el pie izquierdo, aun cuando sólo el micrófono pudiera verlos (23).

Este villano de radionovelas se presenta ante nosotros como un cuerpo vacío, como un significante carente de significado, que puede llenarse con cualquiera de sus villanos o con cualquier otro tipo de identidad en el momento indicado. Como él mismo lo explica: "yo prestaba mi cuerpo y mis cuerdas vocales al malo de la serie, y él me poseía" (23).

Su experimentación con una variedad de personalidades trasciende el ámbito de las radionovelas cuando es contratado por un grupo de policías de dudosa reputación para grabar una entrevista haciéndose pasar por un criminal capturado. Este personaje sin nombre nos cuenta:

> Dentro de mí, el muchacho trigueño guardó un silencio muy largo. Y a mí, en lo personal, comenzaba a irritarme todo. No quería estar allí. No me remordía la conciencia; simplemente no quería estar allí. Pero el trigueño se me había instalado en el cuerpo, con su voz y sus gestos, y nada dependía de mí (114).

Lo interesante es que el personaje se representa a sí mismo de manera enfática como un cuerpo vacío, un cuerpo en busca de una identidad que lo ocupe. Es así que en un momento dado, mientras grababa la entrevista, indica: "el trigueño hizo que mi cuerpo se moviera con incomodidad sobre la silla. Estuvo a punto de levantarse e irse, dejándome allí como un idiota, sin saber qué contestar" (118).

En *Los años marchitos* también aparece el personaje de Guadalupe Frejas, "inmensa como una bola gigante de helado de fresa" (13), que hace uso de su dulce voz para representar a la heroína de las radionovelas. Nuestro narrador sin nombre ama secretamente a Guadalupe Frejas. Para él, el objeto de su amor era un ente independiente que se encontraba preso en ese enorme cuerpo enfermo. Es así que señala:

> Cada vez que le venía el asthma o lo que fuera yo procuraba ver para otra parte, de cerrar los oídos para no sufrir su respiración. Suponía que para ella era vengonzoso que la viera así, desamparada dentro de su propio cuerpo (17).

También el protagonista de *Trece* se concibe a sí mismo como un prisionero dentro de su propio cuerpo. Por un lado, este hecho le da la fuerza de poder imaginarse a sí mismo más allá de sus limitaciones corporales. Por otro, le crea la necesidad de destruir el cuerpo que lo limita. En una oportunidad, mientras observa su cuerpo frente al espejo, el narrador hace los siguientes comentarios:

> Me paro frente al espejo y veo a un presidiario. Voy al baño cargando el lastre de mi cuerpo. No puedo hacer que el presidiario del espejo vaya al baño y se desahogue mientras lo espero fumando un cigarro, eximido de una ocupación que sólo servirá para alimentar moscas. No podré salir cuando ése, el del espejo, tome más alcohol

> del que soporta y sienta que el mundo lo cerca y lo atosiga y lo aplasta. Hago el amor y no puedo salir de mí mismo y ver y decir "Bueno, pues, ése fue un excelente movimiento, quizá la cara está un poco demasiado congestionada, un poco demasiado sudorosa", o "Bueno, pues, esa mujer vale la pena, es un asco, su movimiento pélvico es único, su coordinación muscular es deficiente" (17).

Irónicamente, el protagonista concibe el suicidio no como su propio final, sino como un medio para su inauguración como sujeto, como un requisito para su liberación y su existencia.

Al describir el aspecto físico de la cárcel más eficiente, Foucault la describe a partir de la figura de un panóptico, como un edificio circular en el que todas las celdas se encuentran en la periferia de ese círculo, posicionadas hacia el centro. Este diseño le permite a un solo vigilante custodiar a un número considerable de presidiarios. En ese espacio, el vigilante, con solo girar sobre sus talones, tiene la posibilidad de fijar su mirada sobre cualquiera de los prisioneros. Foucault califica esta forma de vigilancia como la más económica de todas, pues a pesar de que el vigilante no puede fijar su mirada sobre un mismo prisionero de manera constante, la conciencia que tienen los prisioneros de la posibilidad de que en cualquier momento el vigilante los esté observando los compele a llevar a cabo las funciones del vigilante por su propia cuenta. Foucault describe este sistema de la siguiente manera:

> Una forma de vigilancia que requiere muy poco en el sentido de gastos. No hay necesidad de armas, violencia física, ni ataduras físicas. Solamente la mirada que observa y que cada individuo siente que pesa sobre sí, y que cada uno termina internalizando hasta el punto de que se convierte en su propio vigilante: cada uno de al-

guna forma ejerce vigilancia sobre y contra sí mismo (Foucault, *Foucault Live* 233).[11]

En la narrativa de Menjívar Ochoa hay una expresión de este proceso de autovigilancia que Foucault explica utilizando la figura del panóptico. Esta vigilancia se lleva a cabo con gran rigidez cuando se trata de la producción artística de los diferentes protagonistas de las novelas y relatos. Como ya sabemos, el protagonista de *Trece* se encuentra frustrado por sus fallidos intentos de producir un texto literario con verdadera relevancia y su preocupación constante por las opiniones del lector, expresada en repetidas ocasiones a través de sus interrogantes respecto a si el lector podrá comprender sus escritos, lo lleva al extremo de verse en la necesidad de autodestruirse para poder producir un texto que verdaderamente valga la pena desde lo que él considera la perspectiva del lector. De igual manera, el protagonista del relato "Un cabello oscuro en la solapa", incluido en la colección de relatos *Terceras personas*, produce su obra pictórica bajo una enorme presión social que mucho tiene que ver con la autovigilancia, con la necesidad que tiene el artista de ser reconocido por el espectador. Es así que este pintor se lamenta de su pérdida de lo que él considera ser el talento con posibilidades de ser apreciado por sus potenciales espectadores:

> Siento que mi línea se hace más vacilante a medida que pasa el tiempo, más tosca, más nudosa, si es que eso te explica algo. Ya no logro la fluidez de hace diez o quince años, esa frescura desinteresada. Veo mis apuntes más antiguos y encuentro una maestría primitiva, una

11. [...] a form of surveillance that requires very little in the way of expenditures. No need for arms, physical violence, or material restraints. Just an observing gaze that each individual feels weighing on him, and ends up internalizing to the point that he is his own overseer: everyone in this way exercises surveillance over and against himself.

> bella torpeza que en estos momentos envidio. Me encantaría poseer el don que poseyó aquél, el que ejecutaba sin pensar, el que prometía cosas maravillosas que nunca llegaron (s. p.).

Estos artistas se encuentran sometidos a un acto constante de autovigilancia que interfiere con su proceso creativo, y sin su fuerza creativa no pueden producir la obra que les dará reconocimiento público. De tal forma que la responsabilidad que tienen en su propio fracaso los mantiene en un círculo vicioso cuya única salida es la autodestrucción. En el caso del protagonista de *Trece*, sabemos que su salida es el suicidio. Por otra parte, el lector tiene la oportunidad de ser testigo de la destrucción del protagonista del relato "Un cabello oscuro en la solapa". Su narración tiene lagunas, espacios en blanco, que dan indicio de la pérdida de la lucidez que sufre el personaje cada vez con mayor frecuencia. Se trata de un personaje que no necesita del suicidio para desprenderse de su cuerpo. La pérdida de sus facultades mentales le permite llevar a cabo un proceso similar sin necesidad de destruir físicamente su cuerpo.

Horacio Castellanos Moya ha expresado su convicción respecto a la posición que debe tomar el intelectual al margen de las identificaciones partidiarias y del poder, para lograr así la mayor amplitud de criterio posible. Castellanos Moya señala que incluso si un intelectual permaneciera asociado a un partido político, es imprescindible que desempeñe su papel como "generador de ideas cuestionadoras del poder, incluido el poder de la institucionalidad a la que pertenece" (*Recuento de incertidumbres* 59). Por supuesto, a partir de estos lineamientos, el papel del intelectual no resulta particularmente fácil, ni demasiado popular.

Edward Said analiza, por su parte, el rol del intelectual que labora, como en su caso, desde el interior de una institución educativa. A pesar de las presiones que tiene que sobrellevar un intelectual bajo esas condiciones, Said sigue creyendo en la posibilidad de que éste lleve a cabo su labor de forma independiente y autónoma (77), aunque nunca desligada de su posición en el texto social y la historia. Al respecto, Said indica:

> La política es omnipresente; no hay huida posible a los reinos del arte y del pensamiento puros o [...] al reino de la objetividad desinteresada o de la teoría trascendental. Los intelectuales son *de* su tiempo, caminan vigilados por la política de masas de representaciones encarnadas por la industria de la información o los medios, y únicamente están en condiciones de ofrecer resistencia a dichas representaciones poniendo en tela de juicio las imágenes, los discursos oficiales y las justificaciones de poder vehiculadas por unos medios cada vez más poderosos [...] ofreciendo [...] visiones desenmascaradoras o alternativas en las que, por todos los medios a su alcance, el intelectual trata de decir la verdad (38-39).

Said señala que uno de los obstáculos que el intelectual debe enfrentar para llevar a cabo su labor es la fama que viene con el título de experto o con el reconocimiento social. Esta posición crea una audiencia para el intelectual. Para Said, "el problema es si esa audiencia está ahí para obtener satisfacción, y por lo mismo como un cliente al que se debe hacer feliz" (91). De ser así, las posibilidades de que el escritor desempeñe su labor de manera autónoma han quedado truncadas. El otro lado de la moneda es representado por el escritor que es feliz ante su público. Se trata de un pseudointelectual cuyo único objetivo es figurar. Su labor debe llevarse a cabo en combinación con esos mismos medios de comunicación que un auténtico intelectual debe enfrentar. Para tal buscador de fama y fortuna, los medios de comunicación pueden llegar a ser sus mejores aliados.

Serafín, el protagonista del relato "Una pequeña libreta de apuntes" de Castellanos Moya, es víctima de las maquinaciones de su propia mente. Se trata de un sujeto que ha puesto su vida al servicio de la fama y de su funcionamiento en el espacio social. El papel del escritor y su fama no están necesariamente relacionados con su producción literaria. Serafín anhela ser escritor. Sin embargo, su anhelo no se debe a la necesidad de escribir, sino todo lo contrario. Lo que a él le interesa es tener acceso a la fama, a la posibilidad de figurar en el espacio público que tienen los escritores reconocidos, a la posibilidad de tener "una joven y portentosa esposa" (*Indolencia* 23) como alguno de esos escritores, o acaso, "la piel bronceada y porte de estrella cinematográfica" (*Indolencia* 20) como otro de ellos. Obviamente, la fama del escritor desde esta perspectiva difícilmente tiene relación con su obra, con su labor literaria o con su vocación personal como escritor. Es por esto que Serafín no busca acercarse a su objetivo por la vía lógica: la escritura. Además, seguramente le sería imposible. Él mismo tiene conciencia de su carencia de talento literario, y si acaso esta conciencia alguna vez lo abandona, tiene el símbolo de la mosca que lo persigue en todo momento y que le recuerda su verdadero valor en el ámbito literario. Tiene además la dolorosa realidad de su libreta de apuntes, la cual, a pesar de contar con un título llamativo: *El tormento de la mosca*, "estaba en blanco, puro papel en blanco" (*Indolencia* 27).

La estrategia de Serafín consiste en lo siguiente: contrata a un fotógrafo, a quien por cierto nunca paga por sus servicios, para que lo acompañe al Palacio de Bellas Artes donde cada jueves se lleva a cabo la presentación del libro de un escritor famoso a nivel internacional. Serafín y el fotógrafo se dirigían al evento con gran antelación, para ocupar un sitio privilegiado entre la audiencia, desde el que Serafín podría acercarse por un breve instante–el tiempo suficiente para ser fotografiado al lado del famoso escritor. Luego Serafín se encargaba de publicar la foto en la página de sociales del periódico local, donde aparecería nombrado como un amigo cercano de dicho escritor. El proyecto de Serafín parece tener efecto, pues poco a poco logra ir construyendo su fama de escritor en el espacio público. El fotógrafo nos narra los sucesos que boicotean el plan de Serafín. Al revelar la foto de un jueves, señala: "el problema se presentó [...] cuando tuve la foto en mis manos: la mosca estaba ahí, en la frente de Serafín" (*Indolencia* 23). En otra ocasión, el fotógrafo cuenta: "cuando apretaba el obturador, descubrí, con estupefacción, que la mosca estaba ahí; Serafín lanzó un manotazo para apartarla" (*Indolencia* 24). Esta mosca, que le recuerda la futilidad, y sobre todo, la vanidad de su proyecto, lleva a Serafín al suicidio: una tarde muere atropellado por el metro. La vida de Serafín había perdido sentido porque éste lo había buscado en el valor más frívolo del espacio social, en aquel que precisamente impide que el individuo logre descubrir y realizar sus anhelos personales: la fama.

De manera paralela, podemos imaginar a su contraparte, el auténtico intelectual, viviendo una vida al margen de la popularidad, escribiendo sobre la variedad de temas que le resulten relevantes, a pesar de las presiones sociales que le acechan. Como Said lo señala, "la sociedad actual sigue señalando límites y rodeando al escritor, unas veces con premios y recompensas, a menudo denigrando o ridiculizando el trabajo intelectual, y más a menudo aún afirmando que el verdadero intelectual tendría que limitarse a ser un hábil profesional en su campo" (84). Sobrepasar estos límites traerá, sin duda, satisfacciones y agravios al intelectual, pero difícilmente le traerá fama.

La novela *El perro en la niebla* del escritor salvadoreño Róger Lindo nos presenta otra perspectiva sobre la destrucción del cuerpo en el proceso de constitución de la subjetividad. Guille, el narrador, mira hacia el pasado para narrar la construcción de su subjetividad en el contexto de la guerra. A medida que surge un proceso de democratización del país, la sociedad civil adquiere relevancia y la globalización adquiere una importancia primordial, los sueños de cambiar la sociedad y la nación se evaporan, en lugar de una subjetividad heroica queda la pérdida del proyecto identitario, la desaparición del sujeto desplazado del espacio de la nación, queda también su cuerpo incompleto y su vida rota.

En otro ensayo[12] ya he analizado detenidamente la forma en que el narrador de este texto propone la construcción de una subjetividad clasemediera como el ideal para la revolución. En esta oportunidad me interesa analizar la forma en que una vez concluida la guerra, surge la subjetividad del personaje central de esta novela, Guille, a través de su proceso de inmigración hacia Estados Unidos.

No está de más notar que la construcción de la subjetividad de posguerra de Guille sigue una trayectoria paralela a la de personajes de otros textos que he analizado en este volumen, incluyendo a Robocop de *El arma en el hombre* de Horacio Castellanos Moya. Es decir, Guille constituye su subjetividad a medida que vive la guerra y su propio exilio fuera de su país, pero lo hace por medio de un proceso que requiere la destrucción de su propio cuerpo para hacer posible la constitución de su subjetividad. En el caso de Guille, este proceso da inicio

12. "Memorias del desencanto: El duelo postergado y la pérdida de una subjetividad heroica" será publicado en 2010, en el tomo III de la colección "Hacia una historia de las literaturas centroamericanas" que se titula *Perversiones de la modernidad. Literaturas, identidades y desplazamientos.*

cuando recibe un impacto de bala durante un operativo (*El perro en la niebla* 136). A partir de entonces su cuerpo se va transformando de tal forma que Guille indica en su narración que "al tratar de pegarme un estirón felino, como es mi costumbre cada vez que salto de la cama, me resultó imposible distender completamente el brazo. La herida del hombro no me lo permitió. ¿Es que mi cuerpo estaba perdiendo simetría?" (*El perro en la niebla* 155). Más adelante, Guille explica que recibió "dos tiros de M-1 en el tórax, uno de los cuales estuvo a punto de perforarme un pulmón" (*El perro en la niebla* 162). Uno de esos tiros pasa a alojarse permanentemente en su cuerpo, ya que, como lo explica Guille, "sólo pudieron extraer un proyectil, el otro todavía lo cargo dentro" (*El perro en la niebla* 162). Uno de los indicadores de la transformación de Guille es su sombra. En sus propias palabras, "A consecuencia de las nuevas heridas, mi sombra se deformó aun más. Lo que es más, las cicatrices resultaron ser demasiado llamativas. Una de ellas, la que se alojó debajo de la tetilla izquierda, correspondiente al plomo que se negó a salir, semeja la forma de un perrito Kerry blue terrier" (*El perro en la niebla* 162). Más adelante, Guille explica que "una esquirla de bomba se me incrustó una tarde en una oreja, dañándome parcialmente el oído" (*El perro en la niebla* 195), y después que "[u]n roquetazo me provocó un zumbido exasperante y esporádico en los oídos que aún no me deja" (*El perro en la niebla* 195). Aunque Guille confiesa más adelante sus numerosos esfuerzos por ocultar sus cicatrices en el espacio público, una de ellas resulta imposible de ocultar y pasa a formar parte de su identidad pública por el resto de su vida al "perder dos dedos de la mano" (*El perro en la niebla* 205). La reacción de Guille es sorprendente, pues indica: "Yo [estuve] [...] aliviado [...] de no haber perdido la mano entera: con ocho dedos pueden hacerse muchas cosas en la vida: a veces soñaba que era pianista" (*El perro en la niebla* 205).

Tener que salir al exilio es una más en la larga lista de sus pérdidas, pues es en el espacio extranjero, fuera de la nación por la que luchó en la guerra, que Guille tiene que construir su identidad a partir de las marcas que esa guerra ha dejado en su cuerpo. Una vez ya había salido del país, Guille narra: "Una mañana, estando en el extranjero, me arrastré fuera de la cama, me contemplé al espejo y supe que la guerra iba a terminar. La paz iba a sorprenderme en una limpia habitación de hotel y me pregunté si podía quedarme ahí para siempre" (*El perro en la niebla* 211). En el exilio construye una identidad de periodista y explica: "Desarrollé un método para teclear con ocho dedos y con el dinero ganado despaché mensualmente una suma a mi madre, cuya salud no andaba del todo bien" (*El perro en la niebla* 230).

El exilio puede ser también la pérdida experimentada a diario y fijada en cada cosa que nos rodea. Giorgio Agamben, al citar a Rilke sobre el exilio indica:

> Todavía para los padres de nuestros padres –escribe–, una casa, una fuente, una torre desconocida, incluso su propia chaqueta, su abrigo, eran infinitamente más, infinitamente más familiares; casi cada cosa una vasija en la que encontraban ya lo humano y acumulaban todavía más de lo humano. Ahora llegan de América cosas vacías e indiferentes, apariencias de cosas, *simulacros de vida*... Una casa en el sentido americano, una manzana americana o una vida de allá no tienen nada en común con la casa, el fruto, racimo en los que había penetrado la esperanza y la meditación de nuestros antepasados. [...] Las cosas animadas, vividas, consabidas de nosotros declinan y no pueden ya ser sustituidas. Somos tal vez los últimos que hayan conocido todavía tales cosas (citado por Agamben, *Estancias* 77-78).

Siguiendo esta lógica, uno podría esperar que Guille reconstruiría su identidad con base en la nación de la que se vio obligado a salir. Uno podría imaginar que el exilio le daría por fin a Guille la libertad de abrazar la identidad local y la realidad cultural de su país en el contexto del exilio que la diluye en el olvido. Pero no fue así. La primera indicación de que las manos de la guerra no pueden ya alcanzar a Guille en el exilio aparece cuando se le asigna una última misión: "se pedía una última cosa de mí: debía viajar al Norte, dar con el paradero de un camarada y aniquilarlo de manera fulminante sin dejar huella" (*El perro en la niebla* 217). Guille casi cumple su misión, pero se detiene al último momento:

> Se me calentó la sangre de sopetón y el deseo fulminante de liquidarlo entibió el interior del gatillo. Fue una mierdésima de segundo nada más, porque inmediatamente después ocurrió algo insólito: fui dominado por un sentimiento que no se anunció en ninguna de las semanas de observaciones y cuidadosos preparativos de aquella tarea: sentí, en un instante iluminador, que mi situación era semejante a la de esos soldados japoneses que, hace veinte o treinta años, reaparecían aún en las islas del Pacífico tras haber vivido ocultos toda una vida ignorando que la guerra hubiera terminado. Los tiempos heroicos fueron cancelados y frente a la realidad de la capitulación ya nada se podía hacer. La muerte de una rata de albañal no iba a cambiar nada (*El perro en la niebla* 232-233).

Al parecer, la violencia de la guerra había perdido sentido. Como él mismo se lo explica a una mujer llamada Vicky que conoce en el camino:

> Le revelé que una noche, hacía muchos años, y tal como le sucedió a Sancho Panza, me topé con un hombre colgado de un árbol. En otra ocasión, continué, estuve a punto de pararme en un campesino que acababa de ser

> quemado por los soldados, pero antes lo decapitaron y le cercenaron los brazos y las piernas. Supongo que fue en ese orden. Para seguir adelante, confesé, tuve que desconectar algo en mi ser (*El perro en la niebla* 225).

Guille también parece haber perdido la fe en sus ex camaradas, pues habla sobre el proceso de paz con desencanto: "«La paz», pronuncié en voz alta y pausada frente al espejo, alzando el vaso, mi ser resumido en una sonrisa enigmática y sin bigote. Pero toda paz presupone cierta pérdida, pensé. «Cier... ta pér... di... da»" (*El perro en la niebla* 221). Guille también describe el fin de la organización a la que perteneció, señalando que "[c]uando se acabó la plata [...] la organización antaño hermética a la que pertenecí desapareció entre una nube de acuerdos, firmas y abrazos con el enemigo" (*El perro en la niebla* 228). En la posguerra, sus ex dirigentes "vestían de saco, se anudaban corbatas alrededor del pescuezo, figuraban en las notas de sociales y se dedicaban a devorarse los unos a los otros" (*El perro en la niebla* 229).

Guille ya no parece tener nada que lo ate a su pasado. Una vez se instala en la ciudad de Los Ángeles podemos percibir los cambios hasta en sus gustos alimenticios, ya que su desayuno en este nuevo espacio consiste en "avena con guineos, jugo de naranja y una taza de té irlandés" (*El perro en la niebla* 230). Ha pagado un alto costo para ser quien es, y en caso de olvidarlo, lleva las marcas, como un recordatorio cotidiano, del proceso que lo llevó hasta este lugar, pero sobre todo, de sus numerosas pérdidas.

El lazo pasional con la ley

La propuesta de Althusser respecto a la constitución del sujeto se basa en su concepto de interpelación, a partir del cual el sujeto se constituye como tal en el momento en que éste es nombrado o requerido por otro, quien a su vez, de acuerdo con el ejemplo proporcionado por Althusser, representa la ideología y, por lo tanto, la autoridad. Para el crítico, este proceso es de carácter automático, ya que declara:

> La ideología desde siempre ha interpretado a los individuos como sujetos, lo que equivale a dejar claro que los individuos son desde siempre interpelados por la ideología como sujetos, lo que necesariamente nos lleva a una última proposición: *los individuos son siempre a priori sujetos* (175-76).[13]

Se trata, sin embargo, de un juego de aparente libertad, en el que el individuo es interpelado como sujeto libre a someterse por su propia voluntad a la sujeción (182). Al comentar esta última propuesta de Althusser, Butler hace hincapié en el carácter voluntario de esta sujeción y retoma la historia personal de Althusser y de su reacción tras llevar a cabo el asesinato de su esposa, Hélène. Butler interpreta la acción de aquél de salir a la calle y entregarse por su propia voluntad a las autoridades como un gesto autointerpelativo. Para Butler, lo interesante de esta acción de Althusser es que deja en evidencia el lazo pasional que une al individuo con la autoridad a través del proceso de interpelación:

> Althusser se hubiera beneficiado de un mejor entendimiento de cómo la ley se convierte en el objeto de un lazo pasional, una extraña escena de amor. Pues la conciencia que compele a un peatón incorregible a darse la vuelta al escuchar el llamado de un policía o que urge al asesino hacia las calles en busca de un policía parece ser

13. Ideology has always-already interpellated individuals as subjects, which amounts to making it clear that individuals are always-already interpellated by ideology as subjects, which necessarily leads us to one last proposition: *individuals are always-already subjects.*

> movida por un amor por la ley que puede satisfacerse solamente por medio de un castigo ritual. En la medida que Althusser hace un gesto hacia este análisis, él comienza a explicar cómo se forma el sujeto por medio de la búsqueda pasional del reconocimiento reprensivo del estado. Que el sujeto se da la vuelta o se apresura hacia la ley sugiere que el sujeto vive en una expectativa pasional con la ley. Dicho amor no está más allá de la interpelación; por el contrario, completa el círculo pasional en el cual el sujeto termina atrapado por su propio estado (Butler, *The Psychic Life* 128-29).[14]

Butler señala, por lo tanto, que no puede llevarse a cabo la formación del sujeto sin la existencia del lazo pasional que lo une a aquello que, a su vez, lo subordina: la regulación social (*The Psychic Life* 7). Para ella, en ese lazo pasional –que surge del deseo de existir que experimenta el sujeto– es donde reside su vulnerabilidad (*The Psychic Life* 20-21). Por lo tanto, la forma en que el sujeto puede esquivar su propia vulnerabilidad y resistir la carga de la identidad es por medio de su voluntad de no ser, lo que Butler llama una desubjetivación crítica (*The Psychic Life* 130).

Lo sorprendente del protagonista-narrador de la novela *Los héroes tienen sueño* de Rafael Menjívar Ochoa

14. Althusser would have benefited from a better understanding of how the law becomes the object of passionate attachment, a strange scene of love. For the conscience which compels the wayward pedestrian to turn around upon hearing the policeman's address or urges the murderer into the streets in search of the police appears to be driven by a love of the law which can be satisfied only by ritual punishment. To the extent that Althusser gestures toward this analysis, he begins to explain how a subject is formed through the passionate pursuit of the reprimanding recognition of the state. That the subject turns around or rushes toward the law suggests that the subject lives in passionate expectation of the law. Such love is not beyond interpellation; rather, it forms the passionate circle in which the subject becomes ensnared by its own state.

es su voluntad de no ser, su voluntad de salir del ámbito de la existencia demarcado por el espacio de los que matan. Si desde su perspectiva, formada por la violencia generalizada de la sociedad en la que se encuentra incrustado, el mundo se divide entre los que matan y los que mueren, su paso del ámbito de los que matan, donde él ocupa un sitio privilegiado, al ámbito de los que mueren, resulta cuando menos dificultoso: "Lo más difícil es pasar del lado de los que matan al lado de los que se mueren. Se supone que es un camino que uno no debe recorrer. No voluntariamente, quiero decir" (27). Sin embargo, este personaje decide cruzar esa invisible línea que lo lleva al espacio de la no-existencia:

> Entonces salí a la calle y me acordé de lo que era el miedo. No digo el miedo físico; ése nunca se quita. Si tres tipos te están tirando balas sientes miedo. Es un miedo sano. Si uno entiende que es bueno y lo controla, ya resolvió su vida. El otro miedo no se puede controlar. Es un miedo por cosas que no se ven ni se oyen ni sabe uno dónde están. El miedo de ser gente. Gente del otro lado de la rayita. Llega alguien, te da un tiro en la nuca, te vas al carajo y no pasa nada (29).

Para este personaje, "ser gente" implica entrar al espacio donde el sujeto pierde su calidad de sujeto ante los ojos de la autoridad. La experiencia de este personaje es sumamente aterradora debido a que ha habitado el espacio del poder, ha visto a "la gente" desde la perspectiva de la autoridad, desde la perspectiva deshumanizante y objetivizante de la autoridad. No es sino hasta que pasa del espacio de los que matan al espacio de los que mueren, que este personaje logra reconocer en "esa gente" rostros individuales, identidades propias, potenciales sujetos:

> Empecé a ver las caras de a una por una. Caras de verdad. Uno se acostumbra a ver a las personas como a

> los gatos: todos son iguales. La misma cara, la misma manera de moverse, la cola del mismo tamaño. Uno sólo se fija en los gatos siameses, y hasta ésos son todos iguales, todos pinches gatos (29).

Este proceso de desubjetivación crítica como forma de resistencia al lazo pasional que une al individuo con la ley aparece también en el relato inédito de Alvaro Menén Desleal, "El hombre marcado". Se trata de un individuo que apela a la ley para institucionalizar su calidad de sujeto: acude a la intendencia para poner en el Libro del Registro "justamente en la casilla en blanco situada a la par de [su] nombre y [su] número de ciudadano" (s. p.), su huella digital. Ese acto le produce una mancha en su dedo pulgar, una mancha que lo señala y que, por lo tanto, lo expulsa de manera paulatina hasta el margen. El individuo, al caer presa de la atracción que siente por la ley, se instituye como sujeto, pero a la vez inaugura el proceso de destrucción de su propio cuerpo que termina anulando esa misma calidad de sujeto.

Es evidente que el protagonista habita un espacio en el que el discurso oficial y la experiencia del individuo carecen de coherencia: mientras el letrero cívico frente a un basurero anuncia que "la ciudad es la casa de todos", se inicia un proceso que comprueba lo contrario. La ciudad es la casa de todos, siempre y cuando no sean portadores de una mancha indeleble que los distinga del resto de habitantes de ese espacio urbano, es decir, siempre y cuando se sometan a las normas del espacio social. La mancha que señala a este individuo lo excluye del ámbito de la legibilidad cultural dando inicio a un proceso de señalamiento y vigilancia por parte del Otro.

A partir de la propuesta de Foucault respecto al panóptico, la vigilancia continua por parte de la autoridad se hace innecesaria. Basta con que de manera sorprendente y en el momento menos esperado el individuo adquiera conciencia de encontrarse bajo un estado de vigilancia, para que lleve a cabo por su misma cuenta ese proceso de vigilancia sobre sí mismo. Es así que el protagonista de este cuento de Menén Desleal comienza a darle explicaciones al cantinero en un bar que había clavado su mirada sobre su dedo manchado, y de igual forma se siente perseguido por los reproches de su familia, de sus compañeros de trabajo y de todos aquellos que lo rodean. La vigilancia a la que se somete el individuo es internalizada de tal manera que lo hace olvidar que el proceso dio inicio cuando llevó a cabo un acto voluntario que lo constituía como sujeto. Una vez que se encuentra bajo esa constante autovigilancia pierde su calidad de sujeto. Pasa a un espacio al margen donde nadie lo reconoce como sujeto, donde él mismo no se reconoce como sujeto. Es entonces que el individuo inicia el proceso de destrucción de su cuerpo al intentar eliminar la mancha que cercena su calidad de sujeto:

> Ya en casa, al tomar la ducha, me enjaboné varias veces todo el cuerpo y me fregué furiosamente con la esponja vegetal, hasta sentir que me hacía daño, porque creía percibir que la mancha en vez de atenuarse, se me transfería al cuerpo entero (s. p.).

La culpa lo invade. Y la misma autoridad que lo había reconocido como sujeto en el momento en que estampó su huella digital en la casilla indicada, le revoca su calidad de sujeto. En su trabajo lo obligan a presentarse ante el director general "para que la más alta instancia del sistema constatara el estado de [su] mano, en la que ahora florecía, impertérrita y resuelta, una mancha más grande, más viva y más fresca" (s. p.).

Es interesante que una vez que surge su culpa, ésta funciona como una fuerza liberadora que lejos de esclavizarlo, le permite salir del círculo pasional que lo ataba a la ley, le permite iniciar un proceso de desubjetivación crítica. Si, tal como lo propone Butler, hay un lazo pasional que obliga al individuo a buscar reconocimiento por parte de la autoridad por medio del castigo ritual, la única manera en que el individuo puede librarse de ese lazo pasional es renunciando a su voluntad de ser. El protagonista del cuento, por medio de su culpa, se crea para sí mismo la posibilidad de liberarse del círculo vicioso en que se encontraba inmerso. La culpa le produce un deseo de no ser que destruye el lazo pasional que lo unía a la ley. El protagonista describe su culpa: "culpable de todo y culpable de nada, que es el peor de los sentimientos de culpa porque no hay manera de purgarla. Culpa que no purgas es culpa que te arrastra. Lo saben todos" (s. p). Su única manera de librarse de la culpa es renunciar a su calidad de sujeto de manera voluntaria. El protagonista inicia este proceso negándose a utilizar su mano diestra y cubriéndola con un guante al caminar por la calle en un gesto que intenta cubrir su imperfección. Esto lo obliga a habitar un espacio al margen donde "los niños [le] arrojan latas de refresco y cáscaras de frutas, mientras [le] gritan cosas incomprensibles" (s. p.), su familia lo abandona e incluso los perros empiezan a ladrarle (s. p.).

Es entonces que el resto de individuos que habita el espacio urbano, en su lucha por mantenerse en el espacio de la legibilidad cultural, da rienda suelta a su propio proceso de autovigilancia y se esfuerza por diferenciarse de este individuo que ahora habita el margen:

> De aquel día para acá todo fue peor. Los choferes de taxi me agreden, las madres alejan con aprensión a sus hijos cuando me ven aparecer, y llaman a la policía civil, la que invariablemente me arresta (s. p.).

Una vez que el estado mismo reconoce su culpa de manera oficial, el individuo pierde permanentemente su calidad de sujeto, logrando así liberarse del lazo pasional que lo ataba a la ley. El individuo, su calidad de sujeto en tela de juicio, se marcha solo con su culpa y quizá incluso con la posibilidad de experimentar una riqueza individual que antes tenía vedada, con la posibilidad de incursionar en el ámbito del placer. Se trata de un final positivo porque nos muestra el paso consciente del protagonista al ámbito de la ininteligibilidad cultural, un espacio al margen donde quizá por vez primera el individuo tenga la posibilidad de ser.

La pérdida del objeto del deseo

La otra propuesta de Butler respecto a la formación del sujeto tiene que ver con la separación del sujeto y del objeto amado. Siguiendo a Freud, ella define como una paradoja el proceso de separación del objeto amado, pues para que esta separación pueda superarse, se requiere de la internalización de dicho objeto, de su paso del ámbito externo al ámbito interno del sujeto:

> Renunciar al objeto se hace posible solamente con la condición de una internalización melancólica o, lo que para nuestros propósitos podría ser incluso más importante, una *incorporación* melancólica (*The Psychic Life* 134).[15]

El objeto perdido, por lo tanto, en vez de desaparecer es incorporado en el sujeto como una manera de sobreponerse a la pérdida (*The Psychic Life* 134).

Butler aplica esta idea a la construcción del género al señalar que a nivel cultural se establece la normatividad heterosexual por medio de la incorporación melancólica de la homosexualidad en el ámbito interior del individuo.

15. Giving up the object becomes possible only on the condition of a melancholic internalization or, what might for our purposes turn out to be even more important, a melancholic *incorporation*.

Desde este punto de vista, la femineidad y la masculinidad no pueden considerarse preceptos, sino por el contrario, logros del sujeto (*The Psychic Life* 135). De ahí que, para Butler, el miedo al deseo homosexual genere pánico en el sujeto, pánico de perder su femineidad o su masculinidad (*The Psychic Life* 136). La pérdida de la homosexualidad que presupone la normatividad heterosexual, señala Butler, es una pérdida *a priori*, es la pérdida de un objeto que nunca habrá podido ser el objeto amado y que, por lo tanto, nunca podrá ser el objeto perdido (139). La pérdida de la homosexualidad nunca habrá podido llevarse a cabo de manera completa; para que la separación pueda superarse, la homosexualidad, propone Butler, habrá de ser preservada internamente como una prohibición constante (*The Psychic Life* 142).

Terceras personas de Rafael Menjívar Ochoa inicia con el relato "El viejo no durmió esa noche", en el que el protagonista nos narra desde la cárcel donde se encuentra acusado de asesinar a un viejo indigente. El protagonista del relato niega haber asesinado al viejo con quien ha compartido su cuarto y su tiempo. Por el contrario, dice haberlo querido: "Al menos el viejo nunca me engañó en nada. Me tenía miedo, pero me quería. Ojalá hubiera sido mujer y treinta años más joven" (s. p.). La pérdida del viejo representa, para el protagonista, la separación del objeto amado. En la última frase de su comentario anterior el protagonista expresa su propia prohibición de ver al viejo como el objeto de su deseo, es decir, expresa la pérdida anticipada de ese posible amor homosexual.

Esa melancolía es mucho más evidente en *Trece*, donde el protagonista se encuentra unido a M., quien a su vez se define como homosexual, por medio de un lazo pasional que el protagonista se niega a reconocer porque nunca ha reconocido a las relaciones homoeróticas como una posibilidad. Cada vez que el protagonista se encuentra en un momento crucial, por ejemplo, experimentando una de sus muertes, piensa en M. como

> [su] amigo más cercano o como el hermano mucho mayor –apenas [le] lleva un par de años– o el primo de cercanía sanguínea dudosa que alguien puso allí para que uno lo encuentre en ciertos momentos (113-114).

A medida que el protagonista narra su vida, vemos que M. es el único personaje con el que se identifica, con el que tiene una relación positiva, por el que expresa cariño. Sin embargo, el protagonista siente con frecuencia la necesidad de aclarar que el carácter de su relación con M. no es amoroso. La posible relación homosexual entre el protagonista y M. es, en efecto, una pérdida *a priori* que ha quedado relegada al ámbito del silencio.

No se trata de una pérdida injustificada. La madre, quien desempeña el papel de la autoridad, nos recuerda una serie de preceptos sociales que deben regir la vida de los individuos so pena de ser marginados por el cuerpo social. Dado que la madre se encuentra condenada a muerte por una enfermedad, ella intenta idear formas para continuar ejerciendo su autoridad más allá de lo que le permite su propia vida. Es así que arregla un matrimonio entre M. y su hija soltera, señalando que "a la edad de M., el que no se ha casado o divorciado tiene cosas que ocultar" (155), y a la vez, le comenta al protagonista sobre su hija:

> No es sano que tu hermana viva con tu padre, ni contigo. Son hombres solos [...]. No hay mucho tiempo, así que no podemos pensar en soluciones ideales. Pensemos en tus amigos. La mayoría no sirve, pero hay un par que pueden hacerse cargo de ella (154-155).

Por un lado, a la madre le parece que el matrimonio eliminará las dudas que en la sociedad puedan surgir respecto a la vida íntima de M., y evitará que surjan interrogantes sobre la posible relación entre su propia hija y su marido, el padre de ella, en caso de que ellos dos terminaran viviendo juntos. Por otro lado, la madre considera que junto a M., su hija tendrá su futuro económicamente asegurado:

> El padre de M. se retirará en un par de años. M. va a ocupar su lugar y va a ser rico. Aunque no sepa de negocios, hay dinero suficiente para que nunca pase penas, y va a necesitar una esposa que lo acompañe a fiestas y cocteles y que pueda presentarle a los que necesitan que tenga una esposa, ¿entiendes? (155-156).

A pesar de las motivaciones de la madre, el matrimonio entre M. y la hermana del protagonista puede resultar siendo positivo, en términos de su liberación del rígido control al que se encontraban sometidos ambos en las casas de sus padres. Ya que la hermana del protagonista no tiene conocimiento de la homosexualidad de M., éste promete intentar "que sea del mejor modo, que va a tener toda la libertad que quiera y que no [va] a involucrarla en [sus] cosas" (167). A lo mejor en ese espacio la hermana del protagonista tenga posibilidades de salir a bailar, una actividad que tanto le gusta, y a lo mejor M. encuentre un espacio en el que pueda dejar de sentirse obligado a recrear de manera constante la prohibición de la homosexualidad.

En junio del año 2000 se publicó la colección de relatos titulada *Prohibido vivir* del escritor salvadoreño Salvador Canjura. Este, su primer libro publicado, sobresale por la fuerza con que explora la vida íntima del individuo y la invasión de ésta por las fuerzas que habitan el espacio público. En la actualidad, con frecuencia se discute el tema del género. Esta discusión ha cobrado mucha más fuerza desde la perspectiva del feminismo que respecto a la opresión que en nuestras sociedades representa la masculinidad. Por eso sobresale el relato titulado "Una puta para tres" de esta colección. El texto explora la forma en que la masculinidad actúa en la sociedad salvadoreña como una enorme fuerza de control del individuo en el espacio social. La principal pregunta que surge al leer el texto es, ¿qué es ser un hombre de verdad en esta sociedad? Y la respuesta es compleja, pues pareciera que la masculinidad es una cualidad frágil que en todo momento está en peligro de perderse y que, por lo tanto, debe reafirmarse de manera constante. A cada intervalo entre una y otra afirmación de la masculinidad, la hombría se encuentra en peligro de extinción. Por eso cada reafirmación de la masculinidad tiene la urgencia de un intento desesperado por salvar al sujeto masculino de la destrucción, de la no-existencia, de su pérdida de todo reconocimiento social. Así, la masculinidad de Neto, el narrador del relato, se mantiene en ascuas, mientras Marco, uno de sus acompañantes, le reclama que afirme su hombría, y le pregunta: "¿No me digás que te estás haciendo culero?" (29). La afirmación de la masculinidad, en la rigidez de este espacio social, tiene una urgencia existencial.

Judith Butler, cuyo trabajo teórico se caracteriza por su exploración filosófica y sicológica del género, señala que éste, en su representación del concepto de hombre y de mujer, no es más que una construcción cultural específica a un determinado espacio y momento histórico. Por lo tanto, indica que "el género es una especie de imitación de aquello que carece de un original; es una especie de imitación que produce la noción misma del original como un efecto y consecuencia de la imitación" ("Imitation" 185).[16] Si el concepto de "un hombre de verdad" no existe sino en el imaginario cultural especí-

16. [...] gender is a sort of imitation of that which lacks an original; in

fico de nuestra sociedad y de nuestro actual momento histórico, entonces el individuo se ve obligado a comportarse dentro de este contexto de acuerdo con este ideal y a utilizar todos sus recursos para acercarse lo más posible a ese ideal. El individuo se encuentra preso en un círculo vicioso del que no tiene otra salida que la representación forzada de la masculinidad o la marginación social. Para no ser marginado, tiene que poner el ideal cultural de la masculinidad por sobre su propio ser. Salir a la vida, día tras día, requiere su representación consciente o inconsciente de esa masculinidad. Lo obliga a supeditar su ser para lograr la existencia en el espacio social.

Como este proceso se lleva a cabo de manera inconsciente, es necesario que el concepto de la masculinidad que culturalmente rige el espacio social adquiera un carácter natural. De tal forma, transgredir la masculinidad se convierte no solamente en un atentado a la cultura de esta sociedad sino en un acto *anti-natura*. El crítico Mas'ud Zavazadeh, señala que aquello que percibimos como la realidad es, en verdad, una construcción de "las prácticas políticas, económicas, teóricas e ideológicas de una sociedad" (92).[17] El problema, señala, es que "la ideología participa en la construcción de la realidad cultural al proporcionar una visión (aparentemente) coherente e integrada de la vida y una teoría sostenida de la realidad, para los miembros de una cultura, haciendo disponibles para ellos una serie de respuestas

fact, it is a sort of imitation that produces the very notion of the original as an effect and consequence of imitation.

17. [...] the political, economic, theoretical and ideological practices of a society.

'obvias' que le dan al mundo históricamente contingente un aspecto de naturalidad y permanencia" (92).[18]

Las transgresiones a la masculinidad por parte del protagonista del relato no son más que su diferencia ante el ideal de la masculinidad que rige el espacio social en que habita. Por un lado, a diferencia del resto de jóvenes de su edad, a Neto, el narrador, no le atraen tanto los deportes ni las películas de guerra; en cambio, prefiere pasar el tiempo leyendo libros de historia. Esta diferencia, que pudiera parecer mínima, no lo es tanto. Quienes le rodean actúan como agentes de vigilancia que marcan su diferencia y auguran su marginación. El narrador recuerda sus comentarios: "–¡No vayás a buscar otro libro, por favor! –se burlaba [Tulio]–. Mirá que eso no te va a servir de nada en la vida" (24). Por otro lado, Neto se niega a demostrar su hombría por medio del consumo de alcohol que caracteriza los momentos de diversión de sus amistades. Al respecto, señala: "Nos sentamos a la mesa y Marco pidió una ronda de cervezas. Solicitó una gaseosa para mí, burlándose porque aún no bebía alcohol, como los hombres" (29). Las burlas vienen además con amenazas. Así lo recuerda el narrador: "La siguiente que te pidamos va a ser una cerveza –advirtió Armando–. ¡O te regresás a pie a tu casa!" (29). La masculinidad del narrador es cuestionada con mayor severidad debido a su falta de experiencia sexual. El narrador recuerda los comentarios que Tulio hacía al respecto con una mezcla de humor y acusación: "–¡Tenés que ocupar esa babosada! –decía con ironía, señalando mi bajo vientre–. ¡Si no se te va a caer!" (24).

18. Ideology participates in the construction of cultural reality by providing an (apparently) coherent and integrated vision of life and a sustained theory of reality for the members of a culture, making available for them a series of 'obvious' answers that give the contingently historical world an aspect of naturality and permanence.

Estas transgresiones a la masculinidad por parte de Neto molestaban a su padre y a sus amigos lo suficiente como para ir más allá de los comentarios y críticas. Por eso, una tarde lo invitan al cine, su padre le entrega varios billetes y sus tres amigos lo llevan sin su conocimiento a un burdel, anunciándole: "hoy te vas a hacer hombre" (27). Contrariado, Neto comenta: "Había sido un ingenuo. No sospeché que me estaban engañando para que saliera de la casa. Estaba indefenso; no logré interponer ninguna protesta, no hubiera servido de nada" (27). La hombría no es una cualidad del individuo en este contexto social, sino un estatus que se obtiene por medio de la representación de aquellos patrones de comportamiento que socialmente son leídos como expresiones de esta misma hombría, como por ejemplo la participación en el acto sexual con una mujer, que en este caso, se llamaba "Celsa; era morena, robusta y coqueta. Vestía pantalones claros muy ajustados y chamarra de cuero; su maquillaje era excesivo" (23).

Esa noche fue la culminación de la marginación de Neto, el protagonista. No solamente rehusó a iniciarse en el sexo con Celsa, sino que también transgredió los límites de su masculinidad al romper en llanto. Curiosamente, en ese momento, Tulio, en vez de acusarlo nuevamente intenta animarlo y llevarlo a su casa. Tulio es un personaje interesante en el cuento, porque ha logrado negociar un medio para sobreponerse a la presión social. El narrador lo describe como alguien que "se daba ínfulas de experimentado conocedor de la vida. Yo lo detestaba, [nos dice,] a él y a sus carcajadas desaforadas; eructaba en los momentos más inoportunos y se mofaba de mí por no haberme acostado nunca con una mujer" (24). Pareciera que la actitud de "conocedor" de Tulio es su sistema de protección frente a las críticas de la sociedad. Al presentarse públicamente como un hombre experimentado logra evitar que su masculinidad sea cuestionada. Debido a su comportamiento, su hombría no es cuestionada de igual forma que la de Neto, por lo que al llegar al burdel Tulio logra excusarse con facilidad, y queda exento de acostarse con Celsa: "lo que pasa es que vine ayer; me fui con la Linda. En serio, hoy no tengo ganas de entrarle" (29), les explica Tulio a sus amigos. El único inconveniente del sistema de defensa de Tulio es que se nutre de la exclusión del otro. Es decir, para mantenerse a salvo Tulio se ve obligado a cuestionar la masculinidad de quienes le rodean. Irónicamente, estos actos de violencia ideológica realizados en público no parecen expresar los verdaderos sentimientos de Tulio. Una vez está a solas con Neto, se comporta de manera comprensiva, y antes de llevarlo a su casa, le aconseja: "No dejés que aquéllos te vean llorar, te van a hacer mierda si te miran, te van a [...]" (32). Ser hombre en este espacio social no sólo depende de la afirmación repetitiva de la masculinidad, sino también de la perpetuación del actual sistema por medio del cuestionamiento de la masculinidad de otros individuos. Ser hombre, en este contexto, a lo mejor signifique también ser un agente opresor del prójimo. En un final nostálgico, el narrador señala: "mientras Tulio conducía de regreso a mi casa, yo viajaba a su lado en absoluto silencio. Había subido mis piernas al asiento y colocado mis rodillas a la altura del cuello. Con mis brazos tomaba mis tobillos. Mi boca besaba los muslos y trataba de recordar una canción lejana que hablaba de lo que un niño haría cuando creciera y se convirtiera en un hombre" (33). Sin duda, ese niño ignoraba que en esta sociedad la masculinidad a través de la cual constituirá su subjetividad futura, funcionará también como una forma de opresión del individuo, un proyecto de violencia ideológica en el que sin duda, participamos todos, consciente o inconscientemente, de manera cotidiana.

En conclusión, esta colección de textos nos muestra a personajes que están atados por medio de un lazo pasional con la ley y con el sistema, que buscan obtener reconocimiento de parte de aquellos que también habitan su sociedad, y que para lograr ese reconocimiento están dispuestos a cualquier cosa, incluyendo a destruir su propio cuerpo, a dañar el espacio que les permitiría una cuota de poder, la posibilidad de resistencia, un tanto de agencialidad. Se trata de personajes que están dispuestos incluso al suicidio, si de esa forma logran garantizar el reconocimiento de los demás. En fin, son personajes esclavos del qué dirán, de la autoridad de los otros, y de la autoridad del poder.

Por consiguiente, se trata de una subjetividad constituida como subalterna *a priori*, una subjetividad que depende, que necesita, que ansía del reconocimiento de otros, una subjetividad que solamente se posibilita por medio de la esclavitud de ese sujeto que *a priori* se ha constituido como subalterno, y que lleva al individuo a buscar el reconocimiento de otros a cualquier precio, aunque le cueste su destrucción, su desmembramiento, su suicidio, literalmente hablando.

5

Anonimato, visibilidad y violencia en el espacio urbano centroamericano

¿Soy transparente?

Rodrigo Rey Rosa, "Gracia", *Otro zoo.*

A pesar del énfasis que la producción literaria centroamericana ha puesto en la vida en el espacio rural, particularmente durante los años ochenta, los movimientos masivos de la población se han dirigido hacia el espacio de la ciudad. Allí es donde se centra la atención de gran parte de las narrativas contemporáneas. El espacio urbano es un centro de concentración de las masas que puede ser entendido como un espacio de libertad en la medida en que le permite al sujeto una relativa experiencia de anonimato. Es un espacio donde puede satisfacer sus deseos más oscuros, pero es también el lugar donde, a pesar de estar rodeado por multitudes, el sujeto se encuentra en mayor estado de soledad.

Este capítulo presenta un análisis de la representación de la subjetividad en el espacio urbano centroamericano donde el sujeto puede negociar las versiones fragmentadas de sí mismo. La ciudad es también un espacio violento donde el poder del estado es cuestionado cotidianamente y donde hay una completa ausencia de seguridad personal. En este espacio, la posibilidad de que el sujeto resista las normas que la sociedad le impone se convierte en otra batalla en sí misma. En este capítulo exploro la obra del escritor salvadoreño Horacio Castellanos Moya, particularmente, la colección de relatos titulada *Indolencia*, así como las novelas *El asco* y *Baile con serpientes*.

En la cultura occidental contemporánea se considera a la intimidad como parte importante de la vida del individuo. La intimidad es vista como uno de los medios para que una persona pueda establecer lazos de unión con otros individuos, de tal forma que le permita alimentar su espíritu. Tras estos razonamientos, se encuentra una premisa raramente cuestionada: la idea de que la intimidad es posible, de que existe. Se cree que la conexión entre dos individuos es siempre factible, que la transparencia que el individuo protege en el espacio público puede compartirse con otro individuo en el espacio privado, durante un momento de intimidad. Es por esta razón que puede resultar chocante la siguiente propuesta de Mas'ud Zavarzadeh, la cual cuestiona la posibilidad de alcanzar dicha intimidad. Zavarzadeh propone que la intimidad no es más que un simulacro necesario para el proceso que mantiene vigente al sistema capitalista (116). Desde su perspectiva, la intimidad es únicamente una construcción social en la que se crea el simulacro de que una persona es completamente accesible a otra y, esto a su vez, crea un cierto tipo de subjetividad que termina reproduciendo las relaciones dominantes de producción y, por lo tanto, la reproducción del sistema social vigente (113). Zavarzadeh señala que la idea de la intimidad se ha construido como una experiencia emocional, de tal forma que se niega la posibilidad de racionalizarla (115). Es así que la imagen de claridad y transparencia que se genera por medio del simulacro de la intimidad, hace que la distancia y la opacidad parezcan inexistentes, y que el individuo crea posible explicar las lagunas que existen entre sí mismo y el otro (115). Este simulacro de intimidad hace, a su vez, que el individuo, que se había sentido "exhausto" del trajín diario, se sienta "reparado", una condición necesaria para que el sistema capitalista funcione (116). Para Zavarzadeh, el simulacro de la intimidad es una forma de producción, en sus palabras, es "la producción de esa fuerza productora de cosas" (116).[1] Siguiendo esa línea de pensamiento podríamos proponer que la pérdida de la fe en la intimidad, el desaparecimiento de su simulacro, deja al sujeto en completa soledad a la vez que le impide reponer sus energías para perpetuar su contribución al sistema social. *Indolencia*, la colección de relatos de Horacio Castellanos Moya, presenta varios ejemplos en los que el sujeto ha perdido todo interés, tanto en ocupar su lugar en la sociedad como en esforzarse por compartir esos posibles momentos de intimidad con aquellos individuos que le rodean.

"Indolencia", el texto que da título también al volumen, explora el fracaso personal de un individuo: su carencia de sueños, su utilización de aquellas personas que le rodean, la falsa imagen de acompañamiento que caracteriza su vida a pesar de que tiene plena conciencia de su infranqueable soledad. Por un lado, es evidente que las normas establecidas por la sociedad para garantizar el éxito personal y profesional de la persona carecen de efectividad. El protagonista del relato parece haberlas seguido al pie de la letra aunque con consecuencias negativas para su vida: el matrimonio con una mujer con la que no es feliz; la imposibilidad de reconocerse en su hija, ya que en su "inocencia se filtraban los genes más nefastos de su abuela materna" (16); su puesto de copywriter en una empresa de publicidad, que el protagonista percibe como el sitio en el que se "había podrido durante los últimos seis años" (14). Su decisión de renunciar a todas estas cosas llega demasiado tarde para

1. "[...] the production of that force which produces things".

reconstruir su vida en función de sus propios sueños, o peor aún, cuando el personaje ya ha perdido todos sus sueños. Para entonces su única salida había sido refugiarse en el apartamento de Estela, una de las secretarias de la firma publicitaria para la que trabajaba. El protagonista declara:

> Llevaba cinco días encerrado en ese apartamento, luego de haber abandonado abruptamente mi empleo, mi hogar, mis ganas de hacer algo. Había buscado explicaciones, desde esa hamaca, cuando ella estaba en el trabajo y las horas pasaban indolentes: era como si de pronto se me hubiera acabado la gasolina o como si me hubiera desenchufado de lo que le da sentido a la vida o algo así (15).

Y a pesar de todo, el individuo tiene plena conciencia de que este drástico cambio en su vida no va a poder transformar lo que él ahora es: "el apartamentito estaba en un cuarto piso, como si hasta el encumbramiento me hubiera hecho falta para escapar de lo que yo era, de lo que había sido, de lo que seguramente nunca dejaría de ser" (16). Tampoco en este espacio encuentra algo que verdaderamente le dé significado a su vida, acaso aquello que pueda darle significado a su vida, en este espacio, para este momento, ya no exista. Es así que a pesar de que el protagonista expresa su preocupación por la situación de deterioro del apartamento y se compromete con Estela a arreglarlo él mismo, en la narración confiesa:

> No me importaba. Ya me había acostumbrado al ruido del agua que escapaba, lo había incorporado a mi transcurrir sedentario, y cuando ella comenzara a quejarse porque su salario no alcanzaba simplemente yo desaparecería (14).

Al final del relato, el protagonista sale al balcón de ese apartamento en el que se había hospedado y siente la tentación de lanzarse al vacío. Sin embargo, no lo hace; incluso ese esfuerzo resultaría en vano:

> Pensé en lo que pasaría si me tiraba al vacío: mi cuerpo caería despanzurrado, más de algún vecino armaría el alboroto, vendría la Cruz Roja, seguramente no moriría sino que terminaría inválido en manos de la gorda, de la niña, de la suegra, y algunos colegas de trabajo irían a visitarme con su mejor mueca de conmiseración (18).

A pesar de que en su narración el personaje revela su falta de fe en su relación con Estela, no encuentra otra opción que resignarse a meterse con ella en la cama, en ese "nidito de amor" (14) que Estela había preparado con tanto esmero aunque a él le pareciera simplemente "el sitio más caluroso de ese minúsculo apartamento donde entonces [se] encontraba refugiado quién sabe de qué" (14). Así, este personaje jamás logra escapar de esa vida sin sentido. Tan sólo le queda el simulacro cotidiano de la intimidad con Estela que lo lleva a conformarse aquella noche en la terraza: "Aspiré profundamente. Abrí la puerta; luego cerré con doble llave. Fui a la habitación, me desnudé y con sigilo me deslicé bajo las sábanas" (18).

Los relatos de *Indolencia* examinan las relaciones de pareja en el espacio urbano, relaciones que siguen un patrón también dictado por la sociedad. A partir de la percepción de la virginidad como un valor supremo, una mujer que se entrega a un amante se cree poseedora de dicho valor: su cuerpo. Sin embargo, en estos relatos se cuestiona repetidamente dicho valor. Es así que el protagonista del relato "Indolencia" señala: "Hubiera debido conmoverme hasta las lágrimas, saltar de la hamaca para comérmela a besos, pero sólo me gustaba a ciertas horas. No en ese preciso instante" (15). Por el contrario, es el valor del cuerpo masculino el que se exalta. Ese mismo personaje, poco antes en la narración, había comentado: "Estela me llamó, que ya me fuera a la cama. Le dije que en un momento llegaría, aunque a esta altura tampoco a ella le importaba: había tenido su dosis de semen y en un par de minutos estaría dormida, plácida, feliz de lo que ella llamaba mi locura" (16-17). De la misma manera, el protagonista del relato titulado "Tonto y feo", Salomón, fija su mirada en la mujer que lo acompaña y recuerda repentinamente "las cerdas en el lunar de la barbilla, los pechos caídos, las piernas flacas, de una palidez sepulcral y el rasurado horrible. ¿Cómo se le había ocurrido que alguna vez podría acostarse con semejante cosa?" (58). No encuentra respuesta a su pregunta y decide no dirigirle la palabra a la mujer por el resto de ese viaje en automóvil de regreso hacia la ciudad en la que viven. La mujer, mientras tanto, creyéndose dueña de ese valor supremo, su cuerpo, que ella presupone siempre es deseado por su interlocutor, se dedica a insultarlo de manera repetida: "Sos tonto, Salomón[,][...] tonto y feo" (57). En esa situación de tensión intervienen factores extremos, hechos insólitos que llamarían a dos personas a solidarizarse ante la posibilidad inminente de su muerte: en la carretera en que transitan aparece una luz cegadora acompañada de un ruido de turbinas y un clima helado. Se especula la presencia de seres extraterrestres o el inicio de una guerra nuclear. Pero ni eso hace a nuestro protagonista cambiar de parecer. Su rechazo al cuerpo de la mujer, es definitivo. De igual forma, la posibilidad de que puedan comunicarse el uno con el otro es inexistente. Extraterrestres, guerra nuclear o lo que sea el origen de las luces que transforman el cielo, Salomón rechaza a esta mujer y opta, en cambio, por una cerveza, su casa, la soledad, el descanso.

Los personajes en estos textos no corren mejor suerte al pasar del espacio público al espacio privado.

En esta colección de relatos se expresa una cierta desilusión respecto a las posibilidades de realizarse que el individuo encuentra en el núcleo familiar. Jane Collier, al hablar sobre el tema, señala la ironía de la contradicción que existe entre el imaginario social de la familia como el lugar en el que el individuo recibe mayor apoyo y afecto incondicional y la realidad: el espacio privado de la familia es un lugar en nuestra sociedad en que se toleran, se protegen y ocultan niveles muy elevados de violencia (78). Es así que Collier señala:

> Aunque las familias simbolizan temas modernos profundos y destacados, las familias contemporáneas rara vez podrán satisfacer nuestras necesidades igualmente modernas de tener apoyo (80).[2]

Aunque el imaginario social de la familia la represente como el lugar ideal para que el individuo pueda satisfacer sus deseos y cumplir sus sueños, la institución de la familia no garantiza la satisfacción de los deseos del individuo, ni el cumplimiento de sus sueños. El relato "El pozo en el pecho" explora esos deseos interiores del protagonista a la vez que representa su imperante soledad. Se trata en este caso de un abogado divorciado, que a pesar de su éxito profesional, se siente fracasado a nivel personal: "Yo era [...] un hombre que se había prometido a sí mismo no volverse a involucrar con pecho y entrañas, demasiadas lastimaduras, desgarres; un hombre que prefería la soledad de un acostón eventual al amor que se volvía rutina" (31).

El relato cuestiona el aparente control que el individuo tiene sobre su destino, de tal forma que a pesar de sus promesas, el protagonista se ve arrastrado por la enorme pasión que siente por Ema, una de las meseras

2. While families symbolize deep and salient modern themes, contemporary families are unlikely to fulfill our equally modern nurturant needs.

del bar que frecuentaba, y vuelve a colocarse en una situación de vulnerabilidad: "Semanas después descubrí que ya no iba al bar con el mismo sosiego, que desde media tarde empezaba a pensar en Ema, en lo que le preguntaría, en sus profundos ojos verdes" (30). Nuestro narrador dice sobre Ema: "se me había metido quedito, cada vez más, hasta que en un desayuno me descubrí pensando en ella, y en seguida el deseo de posesión empezó a inundarme, a tiranizarme, de manera tal que su presencia se me hizo casi permanente" (31). Su pasión es una pasión compartida: Ema también se siente atraída hacia él. El problema reside en la dificultad que tiene Ema, dentro del espacio social que habita, para dejarse llevar por esta pasión. Ema es una mujer casada. Por lo tanto, señala que "no quería la mínima posibilidad de una coincidencia con alguna amiga o conocida que iniciara murmuraciones" (34).

El problema de Ema es que la institución del matrimonio, la base fundamental de la familia, y lo que esta institución representa a nivel social, le impiden dejarse llevar por la pasión que siente. El matrimonio funciona como una garantía, no necesariamente de la satisfacción de los deseos más intrínsecos del individuo, sino de la existencia de la familia, tal y como ésta es definida en términos sociales, y funciona también como una barrera para que el individuo pueda embarcarse en otras relaciones pasionales que acaso tengan un amplio potencial de satisfacción personal. El matrimonio no solamente no garantiza al individuo acceso al placer, sino que también lo obliga a renunciarlo en otros espacios fuera de la institución matrimonial. La vida comienza a vivirse en función de las normas sociales, de la decencia, de la rectitud. En raras ocasiones el sujeto se permite a sí mismo la satisfacción de sus deseos. Este relato termina con el rechazo de Ema, quien a pesar de haber disfrutado el frugal encuentro con el narrador, señala que "su matrimonio estaba por sobre todas las cosas" (41). El resultado es, sin duda, la imposibilidad de satisfacer sus deseos sin verse obligada a romper las normas sociales que rigen su vida y, por lo tanto, a enfrentar las consecuencias de dicho rompimiento. Se reafirma la soledad inescapable que el protagonista describe tras la pérdida de Ema: "un intenso dolor me fulminó la cabeza. Permanecí tirado en la cama, inmóvil, con un pozo en el pecho" (41).

"Amaranta" es la historia de un profesor universitario quien también lleva una vida solitaria. Su soledad adquiere dimensiones más profundas al final del relato, cuando se sugiere la posibilidad de que el protagonista esté sufriendo una situación de encarcelamiento, ya sea éste entendido de manera literal o metafórica. En su posición de aislamiento, todo lo que este individuo tiene para satisfacer sus deseos es la memoria de un pasado al que ya no tiene acceso. Se trata de un personaje en una situación límite, con la fantasía como único medio para mantener su humanidad. Lo significativo de su incursión en ese mundo al que sólo tiene acceso a través de su mente, es que le permite liberarse de una serie de trabas que lo limitarían en el espacio social, que limitarían su exploración del deseo. Así, este personaje logra para sí la posibilidad de explorar sus deseos de formas que en el espacio social lo colocarían al margen de la cordura. Uno de los aspectos más paralizadores del espacio urbano que habita, cuando se trata de explorar sus deseos, es la falta de privacidad. Este personaje tiene la suerte de contar con una vida independiente y una casa propia que le permite libertad en el espacio privado. Parece incluso tener plena conciencia de tal privilegio:

> Puntilloso como soy, delicado en extremo con mis tiempos y espacios, siempre he vivido solo, y aunque una que otra amante disponga pasar un par de noches consecutivas conmigo, mi temor a que otro ser humano pueda

> invadir y posesionarse de mi intimidad es más intenso que cualquier pasión o deseo (67).

A la vez, cuenta con la fortuna de explorar sus fantasías con un personaje invisible para el resto de habitantes del espacio urbano: el fantasma de una mujer desnuda, que lleva por nombre Amaranta. Solamente los ojos del narrador pueden ver a Amaranta, solamente él tiene el privilegio de explorar su cuerpo, de satisfacer sus deseos en compañía de Amaranta. Esta privacidad portátil, por así decirlo, libera al narrador de una pesada carga. En sus propias palabras: "Eso significaba que tampoco debía preocuparme porque algún vecino pudiera reconocerla [...] –un pensamiento, debo aceptar, que cuando ella habló de salir a desayunar cruzó mi mente" (78).

Dentro de esta fantasía, antes de haber establecido contacto con Amaranta, el narrador recuerda una experiencia previa, durante su adolescencia, "en la casa del bosque donde vivía [su] abuela materna, cuando una especie de gnomo se paró junto a [su] cama y [le] dijo 'amor' con voz de ultratumba" (70). Llama la atención el hecho de que esta previa aparición no haya despertado igual curiosidad y atracción que la que despierta en él Amaranta. Acaso fuera porque en aquel momento este personaje no se encontraba en una situación de encarcelamiento. Acaso sea porque el individuo tampoco es completamente libre en el ámbito de su propia fantasía. De cualquier forma, surge la interrogante respecto a si su temor se debe a la aparición del gnomo o a que este ser de apariencia masculina lo haya señalado como el objeto de su deseo. En otras palabras, acaso el individuo, incluso en sus incursiones por su mundo imaginario, se niegue la posibilidad de explorar con una fantasía de carácter homoerótico.

Con Amaranta es diferente. Con Amaranta parece poder compartir todo, excepto su interés por el pasado. El protagonista narra su reacción cuando logra por fin verla: "Cerré el libro. Me puse de pie. Fui hacia el baño, cautelosamente. No había nada. Apagué todas las luces. Fui a mi habitación. Me desnudé. Y me tiré sobre las sábanas, con las manos enlazadas bajo la nuca, a invocarla, a esperarla" (71). A lo largo de la narración, hay indicios de que él tiene plena conciencia de estar soñando: "Supe que soñaba, que sólo así ella podía estar junto a mí" (74). No es sino hasta después de una experiencia sexual colmada de placer que el narrador señala: "Y ahí, de pie, con ella enroscada a mi cintura, bajo el sol deslumbrante, hamaqueados por las olas, hicimos el amor de una manera que yo nunca volvería a conocer" (88). Entonces, surge la posibilidad de que todo sea un sueño. Particularmente cuando inmerso en un momento de placer, el protagonista despierta de ese sueño de manera repentina:

> Volví a lamer su ano, abriéndolo a medida que presionaba sus nalgas hacia afuera. Entonces sucedió algo maravilloso: ese hoyo pequeño y arrugado fue abriéndose y creciendo de una forma inusitada, como si de pronto el espacio se hubiese trastornado, y quién sabe de dónde tuve el impulso de irme metiendo, primero la cabeza, luego los hombros, hasta que de un empujón estuve del otro lado, y el hueco de luz que había quedado a mis espaldas se cerró en un parpadeo, dejándome en la oscuridad absoluta (89).

De esa manera, el narrador regresa al lugar oscuro y sórdido en el que se encuentra atrapado. Como la historia lo demuestra, conserva sus fantasías y la certeza de que "[le] quedaba la memoria, el recuerdo, el pasado que Amaranta tanto había despreciado" (90).

La situación del sujeto es todavía más difícil en el relato "Hipertenso", donde el protagonista ni siquiera tiene la posibilidad de explorar sus fantasías y de experimentar con sus deseos en su espacio interior. Este sujeto ha internalizado al máximo las normas sociales, y así lo expresa en la siguiente cita del texto:

> [E]n cierta posición, mientras pedaleaba, mis muslos rozaban mis órganos genitales. Fue sorprendente. De pronto me vi encaramado en la bicicleta con una erección. La incomodidad, y el rumbo que llevaban mis pensamientos, me obligaban a detener la marcha. Un hombre divorciado, que vive en casa de su anciana madre, no debe dar rienda suelta a sus fantasías sexuales (45-46).

Sin embargo, no se trata únicamente de sus fantasías sexuales. La narración de las aventuras del protagonista a medida que intenta establecer una rutina diaria de ejercicios que le permita recobrar su salud, se convierte en la narración de sus fracasos. El motivo es siempre el mismo: se trata del nefasto resultado de las maquinaciones de su mente. Su primer intento de hacer ejercicios en una bicicleta estática fracasó también debido a su:

> incapacidad de concentración. [...]No encontraba qué hacer con [sus] pensamientos mientras pedaleaba en ese minúsculo patio [...] encaramado en la bicicleta no encontraba en qué fijar la atención. Y en cuanto recordaba [sus] tareas pendientes en el periódico, dejaba de pedalear y bajaba del aparato. Pero lo hacía con remordimiento: no recuperaría [su] salud y, lo que era peor, tenía que reconocer [su] carencia de voluntad (44-45).

Tampoco salir a trotar por el vecindario le parecía una buena idea: "la colonia era extremadamente peligrosa, con una zona marginal a un lado, plagada de ladrones y criminales" (46). Sin duda la situación económica de la sociedad en la que vive el protagonista es mala y éste se ve obligado a idear constantemente numerosas estrategias de sobrevivencia. Pero los pensamientos de este personaje funcionan de manera opuesta: lo paralizan y le impiden disfrutar de sus actividades cotidianas. Durante una de sus excursiones matutinas por el vecindario, el protagonista tiene una experiencia que de nuevo lo limita a los confines de la casa de su madre: es secuestrado por una banda de sujetos armados que habita la zona marginal que linda con su vecindario. Lo más grave del asunto es que todo esto sucede en su imaginación, a consecuencia de su paranoia y de su hipertensión. Los sucesos de esa mañana para él son totalmente reales y lo obligan a regresar al pequeño patio de la casa de su madre y a la bicicleta estática que tanto detesta: "No quise acercarme a la ventana, sino que me dirigí a mi habitación, tomé la bicicleta fija, la llevé al pequeño patio y me encaramé a pedalear" (54). El individuo no sólo es presa de la violencia en la ciudad, sino también de algo mucho más peligroso: de su propia mente.

La novela *Baile con serpientes*, también de Horacio Castellanos Moya, ejemplifica el proceso mediante el cual, desde el discurso de la ficción, se hace una crítica al orden imperante en la sociedad salvadoreña. La novela ilustra la falta de valor por parte de quienes gobiernan, la incompetencia de las fuerzas de seguridad, el abuso del poder que parece ser un punto en común en todas las instituciones que se representan, la corrupción de la clase pudiente, la desigualdad generalizada en la sociedad salvadoreña, la falta de responsabilidad social por parte de los medios de comunicación.

Esta novela de Castellanos Moya nos proporciona un espacio para la desconstrucción de las jerarquías de poder y la identidad nacional. Es una sociedad donde los gobernantes no representan los intereses de la mayor parte de la sociedad y donde se celebra la crisis del poder.

Como lo señala un bebedor callejero al personaje principal, Eduardo Sosa: "Si usted fuera el tipo que ha puesto de culo a estos ricos y a este gobierno de mierda, aquí mismo me lo echaría en hombros" (*Baile con serpientes* 153). De tal forma que difícilmente puede hablarse de una identidad nacional que, instituida por esa clase gobernante e implantada por los medios de comunicación que esa misma clase pudiente tiene a su servicio, represente los intereses de gran parte de los salvadoreños. Ya un año antes, en un ensayo sobre el papel de los medios de comunicación en la sociedad salvadoreña de posguerra titulado "Hacia un periodismo investigativo", Castellanos Moya había señalado la necesidad de un periodismo que "permitiría vislumbrar, con imágenes y relatos que van más allá de la frialdad de las cifras, la cara oculta de la realidad social. Posibilitaría, además, forjar un más profundo conocimiento de la situación real y de las expectativas de la población" (*Recuento de incertidumbres* 89).

Los medios de comunicación aparecen en la novela como instituciones sin ningún interés por contribuir a ese conocimiento de la situación real. Por el contrario, sus intereses son de tipo individualista: cada uno de los participantes desea figurar en el espacio público, alcanzar la fama. En el caso de Rita, ella incluso espera ganar el premio de "La mejor reportera del año" (*Baile con serpientes* 126), para lo que está dispuesta a arriesgar el pellejo y también a utilizar en la medida de lo posible su apariencia personal. Así la describe el narrador: "Las minifaldas provocadoras, las piernas delgadas pero bien torneadas, sus blusas de seda donde se marcaban los pezones de aquellos pechos libres de sostenes" (*Baile con serpientes* 66).

Las fuerzas de seguridad, que para efectos prácticos han sido reconfiguradas a partir del final de la guerra, aparecen en el texto de Castellanos Moya como las antiguas fuerzas de seguridad con una nueva imagen ejemplificada por el agente Flores: "el más conocido como el 'suavecito' en el Palacio Negro, requetebuena gente para sacarle información a testigos y sospechosos, perteneciente a los detectives nuevecitos formados después de la guerra, con modales de gringo decente y carita de buen tipo" (*Baile con serpientes* 59). Tras personajes como éste, vemos que subsisten los viejos patrones de la institución. Así lo indica –una vez se encuentra bajo presión– la actitud del subcomisionado Handal, quien perdiendo rápidamente la paciencia al intentar cuestionar a una testigo, "ordena a Flores que hiciera gala de sus mejores modales para traer inmediatamente a esa vieja puta adentro del radiopatrulla" (*Baile con serpientes* 72).

Por otra parte, los salvadoreños que aparecen en el texto carecen de igualdad social. Las vidas de quienes mueven los hilos del poder, y las de sus familiares y amigos, tienen mayor importancia en esa sociedad que la vida de cualquier otro salvadoreño. Es así que los asesinatos de miembros de la familia Ferracuti, influyentes bancarios en el campo nacional, o el asesinato de la sobrina del director de la policía, tienen mucho más peso que las muertes de más de cien otros individuos que desafortunadamente carecen de conexiones en los altos círculos del poder. La presión que lleva al subcomisionado Handal a hacer todo lo posible por encontrar a Jacinto Bustillo proviene precisamente de esta desigualdad:

> El director estaba en la línea. Le temblaba la voz, de la rabia, o quizás del estupor, porque le acababan de informar que una de sus sobrinas, la más guapa, la que él más quería, había muerto a causa del veneno de las serpientes que la atacaron mientras departía con sus compañeros del bachillerato en la gasolinera Esso de la salida del puerto. ¿Qué putas había pasado? ¡Quería una explicación en este preciso instante, algo convincente, porque el cadáver de su sobrina, de la hija mayor de su hermana,

> estaba ahí, tirado en el estacionamiento! (*Baile con serpientes* 83-84).

Las jerarquías dentro de las fuerzas de seguridad siguen instituyendo la corrupción interna que a lo largo de la historia ha llevado a El Salvador a casos extremos de abuso del poder y de violencia institucionalizada. De ahí que ocupar una posición de poder dentro de las fuerzas de seguridad lejos de constituirse en una responsabilidad personal y en el compromiso de proporcionar el más positivo de los ejemplos para sus subalternos, provoca la falta de respeto y la corrupción. La narración nos proporciona detalles sobre el hecho de que Handal sí tiene la oportunidad para retirarse a descansar –"Aprovecharía para ir a casa, a darse una ducha, tomar una buena cena y descansar un rato; algo se le ocurriría mientras Flores y Villalta permanecían de guardia" (*Baile con serpientes* 77)– mientras sus subalternos apenas logran al día siguiente "solicitar una hora de permiso para ir a asearse a sus casas" (*Baile con serpientes* 95). Este ejemplo puede servirnos como punto de partida para pensar en otras posibilidades de abuso del poder mucho más trascendentales.

En una sociedad como la salvadoreña, fácilmente se puede hablar de una relación binaria entre el centro, representado por Eduardo Sosa, un sociólogo desempleado, y la periferia, representada por Jacinto Bustillo, un mendigo que habitaba en un Chevrolet amarillo. Al respecto, resulta significativo el paso que da Eduardo Sosa desde su posición en el centro –si bien no se trata del centro del poder sí podemos decir que se trata de un centro que alcanza el ámbito de lo culturalmente inteligible– a una posición al margen. Rafael Lara Martínez sugiere que *Baile con serpientes* "desbarata la relación de confianza que fundaba todo contrato testimonial" (9), pues desde su perspectiva, la relación entre los dos personajes debería reproducir un típico pacto testimonial" (10). Ya que Sosa termina asesinando a Bustillo y ocupando su lugar al interior del Chevrolet amarillo, Lara Martínez interpreta el texto de la siguiente manera:

> A través del crimen, del sacrificio ritual del informante y de la absorción de su personalidad, la fusión entre él y el transcriptor no podría ser más completa. El escritor se ha *apropiado* de todos los haberes, del personaje y carácter del testimoniante (10).

Por otro lado, la aparición de la periodista que busca reproducir el proyecto testimonial lleva a Lara Martínez a señalar que "quizás sea este anhelo de la nueva escritora, transcriptora y periodista por obtener un reconocimiento social gracias a su escrito, lo que motiva al testimoniante a ya no confiarle sus 'secretos' a nadie" (10), por lo que Lara Martínez concluye que "la novela de [Castellanos] Moya culmina en la desconfianza, en la destitución del contrato que fundaba el testimonio" (11).

Como sabemos, el contrato entre transcriptor y testimoniante que constituía la base del testimonio tal y como se comprendía desde la academia norteamericana durante la década de los ochenta pertenece al ámbito de la modernidad y desde siempre fue un contrato fallido que se imponía sobre el testimoniante. Por lo tanto, hacía mucho que este contrato había sido descartado, tanto a partir de la teoría sobre testimonio que se escribió desde inicios de la década de los noventa como a partir de los proyectos teóricos del poscolonialismo.

Me parece que *Baile con serpientes* no sugiere la ruptura entre transcriptor y testimoniante en un momento en que esta ruptura ya se había incluso institucionalizado por la misma academia norteamericana. Por el contrario, al igual que sucede con otras de las obras de Castellanos Moya, *Baile con serpientes* es un texto innovador que lleva el debate iniciado desde el espacio narrativo del testimonio al campo de la ficción (otro texto que propone un proceso similar y que viene a la mente es *Que me maten si...* del escritor guatemalteco Rodrigo Rey Rosa). Es decir, el texto vuelve a poner sobre la mesa de discusión la definición del centro como un espacio indeseable y el señalamiento de la necesidad imperante de trabajar en la reestructuración del texto social. Este proyecto descentralizador no requiere de la desarticulación de la relación entre transcriptor y testimoniante, es decir, entre centro y periferia. Al contrario, el proyecto se basa en la resemantización de dicha relación de tal forma que quede en evidencia que el centro no es un lugar deseado incluso para aquel que lo habita, por lo que esta relación se hace necesaria para desacreditar al centro en su posición de poder y en el lugar que ocupa como sujeto del discurso. Por otra parte, debemos recordar que la relación entre testimoniante y testimoniado nunca fue de confianza, de ahí que gran parte de la producción teórica sobre el testimonio gire alrededor de la desconfianza expresada a través de los mismos testimonios, como en el caso del texto de Rigoberta Menchú, en que la testimoniante reserva para sí numerosos "secretos" de su cultura. Resulta cuestionable asumir que Jacinto Bustillo es un representante de la subalternidad cuando él mismo había formado por muchos años parte del centro, y sólo se había posicionado al margen de ese centro por voluntad propia, una opción que, debemos recordar, la subalternidad no tiene. Finalmente, es importante señalar que Eduardo Sosa no pretende escribir la historia de Jacinto Bustillo; sus motivos para asesinarlo son, a mi parecer, más profundos. Hacia allí apunta la discusión que sigue.

Gayatri Spivak señala que hay un problema ideológico de base en el proyecto centralista del intelectual occidental que pretende representar al otro, tal y como se sugería durante la década de los ochenta respecto al testimonio. Ella interpreta el acto de reconocer al sujeto del primer mundo occidental como soberano, como una inauguración de éste, en caso de que no hubiera existido antes como tal. Con esto en mente, Spivak hace referencia al artículo "Intellectuals and Power: A Conversation between Michel Foucault and Gilles Deleuze"[3] porque en ese texto "[ellos] enfatizan las más importantes contribuciones de la teoría postestructuralista francesa: primero, que las redes del poder /deseo /interés son tan heterogéneas que su reducción a una narrativa coherente es contraproducente [...] y segundo, que los intelectuales deben intentar revelar y conocer el discurso del Otro de la sociedad" (272).[4] Es este segundo punto el que aquí nos concierne de manera particular. Tal como Spivak lo señala, la autodefinición de Foucault como "maoista" y de Deleuze como representante de "la lucha obrera" resulta, cuando menos, problemática porque al apropiarse para sí estos términos los dos intelectuales franceses, el término maoista deja de representar a Asia y la lucha obrera pierde su contexto internacional, ignorando así que existe una división internacional del trabajo en la que los obreros de Francia y del primer mundo resultan favorecidos y en la que los obreros marginados no pueden ser representados por un intelectual francés. Spivak propone que la posición del intelectual como el individuo capaz de definir la realidad contribuye a la consolidación de la división internacional del trabajo. Su propuesta es "que los intelectuales postcoloniales aprendan que su privilegio es su carencia"

3. "Intelectuales y el poder: Una conversación entre Michel Foucault y Gilles Deleuze".

4. "[...ellos] emphasize the most important contributions of French poststructuralist theory: first, that the networks of power/desire/interest are so heterogeneous that their reduction to a coherent narrative is counterproductive [...] and second, that intellectuals must attempt to disclose and know the discourse of society's Other".

(287),[5] es decir, que sus privilegios constituyen un obstáculo para percibir la perspectiva de la subalternidad. Esta propuesta tiene eco en *Baile con serpientes* de Castellanos Moya. No se trata de destruir la relación entre transcriptor y testimoniante. Se trata, por un lado, de afirmar que los privilegios del centro no son sino carencias que le impiden al individuo salir de ese círculo vicioso en el que se encuentra, tal como lo ilustra el caso de Sosa; y por otro lado, de denunciar nuevamente el proyecto oculto del centro al intentar utilizar al margen para incrementar sus privilegios.

Si el espacio que define los límites de la legibilidad cultural constituye un centro caracterizado por la desigualdad del poder, por la rigidez, por el enorme control social del qué dirán, por el estatus y demás, la irreverencia tan frecuente en los textos de Castellanos Moya tiene una importancia mayor. Sabemos que formar parte del centro le había impedido a Jacinto Bustillo realizar un amor que en el espacio del centro era un amor ilícito. De igual manera, formar parte del centro no solamente le impide a Sosa acceso a la visión del mundo que tiene Bustillo, el hombre que vive dentro del Chevrolet amarillo en compañía de sus cuatro serpientes, sino que también le impide acceso a lo que el centro calificaría de "perversiones". Es decir, le impide llevar a cabo todos esos actos que en el espacio público convierten al individuo en "un indeseable" y que llevan a la sociedad a marginarlo en un acto simbólico que autodefine a la sociedad a partir de su diferencia ante ese indeseable. Estos actos, solamente pueden llevarse a cabo en el espacio que ocupa el centro –y así sucede, con más frecuencia de la que quisiéramos admitir– a escondidas, es decir, bajo la protección del espacio privado. Así se

---

5. "[...] that postcolonial intellectuals learn that their privilege is their loss".

explica que Sosa no ocupe el lugar de Bustillo para saber más sobre su vida. La vida de Bustillo poco le importa a Sosa. Su interés se limita a la curiosidad, pues como vemos, más adelante utiliza lo que para Bustillo eran las preciadas cartas de su amante, para aspirar cocaína, y luego como sustituto de papel higiénico. Sosa ocupa el lugar de Bustillo para obtener acceso a aquellos actos que la sociedad califica de perversiones: la vida como pordiosero, la aventura, la falta de un plan maestro, la libertad de no tener que defender la buena reputación, e incluso el placer sexual –incomparable al placer que pueden experimentar aquellos que habitan el centro– que experimenta en ese baile con serpientes que tiene lugar en la periferia y que se inicia con el acto ritual de comerse a su objeto del deseo:

> Y vaya manera de disfrutar a Valentina: era como si toda su voluptuosidad se hubiese concentrado en cada trozo de su carne, como si me transmitiera su extrema capacidad de furia y placer en cada bocado, como si su espíritu lujurioso hubiera sido destilado en ese líquido espeso, quemante (*Baile con serpientes* 135).

Pero, ¿qué podría ser lo significativo de Edgardo Sosa? Quizá cuando menos, su señalamiento de la posibilidad de que el centro –con sus numerosos aparatos del poder y sistemas de vigilancia– nos impide acceso al placer. Quizá su personaje esté indicando que más allá del espacio de la legibilidad cultural se encuentra en espacio alternativo para el placer y que el lugar que ocupamos en el centro de legibilidad cultural no nos permite experimentar.

Esta irreverencia de Castellanos Moya aparece con más fuerza en su novela *El asco* (1997). En una reseña, Ernesto Vela señala, de manera muy acertada a mi parecer, que "*El asco* es una contribución [...] a la búsqueda [...] de la personalidad cultural y espiritual de los salvadoreños" (14). Esa contribución se lleva a cabo a partir de lo que Miguel Huezo Mixco llama "una empresa de demolición cultural" ("El asco en una aldea" s. p.). La irreverencia con que Edgardo Vega, el protagonista de la novela, se refiere a esos valores que tradicionalmente se han considerado como elementos "sagrados" de la identidad nacional, no solamente deja ese ideal de la identidad nacional que el lector pueda tener por los suelos, sino también pone en tela de juicio, y quizá de manera más severa, la identidad de Vega, quien habla. Huezo Mixco indica que "Vega es la quintaescencia de la pequeñez del país que aborrece. Es más, en muchos sentidos resulta ser un salvadoreño bastante típico, ya que su perorata es la condensación de las acusaciones recíprocas entre la derecha y la izquierda entre los pobres y los pudientes, y hasta entre vecinos" ("El asco en una aldea" s. p.). En la relación binaria centro /periferia Vega se autoconcibe como parte del centro. Una de las estrategias que Vega utiliza para posicionarse en el Centro es recalcar su nivel educativo. Vemos que Vega sigue siendo víctima de su rígido concepto de la identidad salvadoreña, pues hace un esfuerzo por definir sus intereses y sus gustos artísticos y culturales con base en su diferencia ante esa identidad estereotípica de lo salvadoreño que él mantiene fija en su mente. Como ejemplo podemos recordar la sentencia de Vega, que llega hasta el lector por medio de la transcripción de Moya, respecto al mal gusto de los salvadoreños:

> No tengo la menor duda de que la experiencia que he vivido en estos quince días podría sintetizarse en una frase: la degradación del gusto. No conozco ninguna cultura, Moya, oíme bien y considerá que mi especialidad consiste en estudiar las culturas, no conozco ninguna otra cultura que haya hecho de la degradación del gusto un valor, en la historia contemporánea ninguna cultura ha

> convertido la degradación del gusto en su máximo y más preciado valor, me dijo Vega (*El asco* 84).

Como ya sabemos, el "buen gusto" solamente puede ser definido desde la perspectiva de un Centro que se auto-adjudique la autoridad para distinguir lo bello, lo artístico, lo estético. Desde esta perspectiva, el otro, que no tiene la autoridad para defender su gusto –pues, no tiene acceso al discurso ni un título académico que lo califique como una autoridad en la materia– queda marginado del ámbito artístico.

La principal estrategia que Vega utiliza para negar su salvadoreñidad es colocar al resto de salvadoreños en la periferia y diferenciarse de ellos con base en cualquier detalle posible, y de la manera más frecuente posible. Los elementos que justifican su posición como parte de ese centro son tan frágiles que Vega se ve obligado a agredir a aquellos que le rodean. Hay dos personajes en la novela que cuestionan de manera particular la pertenencia de Vega a ese centro de legibilidad cultural: su hermano Ivo y Moya, su antiguo compañero del Liceo y además transcriptor del monólogo que leemos.

De acuerdo con los parámetros de Vega, Ivo se encuentra posicionado al margen de la legibilidad cultural. Debido a que Ivo y Vega no solamente son hermanos, sino también crecieron en la misma familia y se educaron juntos, el hecho de posicionar a Ivo al margen resulta peligroso para el proyecto de mantenerse al centro que tiene Vega. Por lo tanto, Vega se ve en la necesidad de marcar su diferencia con su hermano Ivo de la manera más drástica posible. Es así que Vega le indica a Moya que:

> Mi hermano Ivo y yo somos las personas más distintas que podás imaginar, Moya, no nos parecemos absolutamente en nada, no tenemos ninguna cosa en común, nadie creería que somos hijos de la misma madre, somos

> tan distintos que nunca llegamos a ser amigos, apenas un par de conocidos que compartíamos padres, apellidos y la misma casa, me dijo Vega (*El asco* 36).

Por otra parte, el hecho de que Moya se encuentre en el país llevando a cabo sus proyectos intelectuales y literarios pone en tela de juicio la visión de mundo de Vega. Debido a que Moya es un intelectual que reside y labora en la sociedad salvadoreña, el proyecto de colocarlo a la periferia se le dificulta a Vega. Es por esta razón que Vega es incapaz de comprender que Moya haya elegido por voluntad propia instalarse de nuevo en El Salvador después de la guerra. Desde la perspectiva de Vega, algo debe andar mal con Moya. Por lo tanto, Vega cuestiona la cordura de Moya y también su intelectualidad: "San Salvador [...] ahora es vomitiva, Moya, una ciudad realmente vomitiva, donde sólo pueden vivir personas realmente siniestras, o estúpidas, por eso no me explico qué hacés vos aquí, cómo podés estar entre gente tan repulsiva, entre gente cuyo máximo ideal es ser sargento" (*El asco* 21-22). Vega incluso cuestiona la vocación que tiene Moya como escritor, y comenta: "Moya, no entiendo cómo se te ha podido ocurrir venir a este país, regresar a este país, quedarte en este país, es un verdadero absurdo si a vos lo que te interesa es escribir literatura, eso demuestra que en realidad a vos no te interesa escribir literatura" (*El asco* 24). Los comentarios de Vega atacan directamente a Moya en un esfuerzo por justificar su visión binaria del mundo. Es así que Vega le hace la siguiente sugerencia a Moya:

> Lo que deberías valorar es si realmente tenés vocación de escritor, si realmente tenés el talento, la voluntad y la disciplina que se requieren para crear una obra de arte, te lo digo en serio, Moya, con esos cuentitos famélicos no vas a ninguna parte, no es posible que a tu edad sigás publicando esos cuentitos famélicos que pasan absoluta-

> mente desapercibidos, que no los conoce nadie, que nadie ha leído porque a nadie le interesan, esos cuentitos famélicos no existen, Moya, sólo para tus amigos del barrio, ninguno de esos cuentitos famélicos con sexo y violencia vale la pena, te lo digo con cariño, deberías mejor persistir en el periodismo o en otras disciplinas, pero estar publicando a tu edad esos cuentitos famélicos da lástima [...] por más sexo y violencia que les metás no habrá manera de que esos cuentitos famélicos trasciendan (*El asco* 79-80).

Por lo tanto, el texto pone en tela de juicio la identidad salvadoreña principalmente por medio del personaje de Vega. Es esa identidad salvadoreña, una identidad rígida y poco inclusiva, la que el texto cuestiona. Esta identidad está tan pobremente fundada, que en el texto la separación entre el protagonista y la identidad salvadoreña depende de un objeto: el pasaporte canadiense de Vega. En sus propias palabras: "el pasaporte canadiense es lo más valioso que tengo en la vida, Moya, no hay otra cosa que cuide con más obsesión que mi pasaporte canadiense, en verdad mi vida descansa en el hecho de que soy un ciudadano canadiense" (*El asco* 115). Y a pesar de los esfuerzos que Vega hace por mantener su pasaporte a salvo, por colocarlo bajo su almohada mientras duerme, por llevarlo a dondequiera que va, el pasaporte sigue siendo un objeto que puede desaparecer, y con él, su nueva identidad. Al contarle la experiencia de la pérdida de su pasaporte a Moya, Vega recuerda:

> El terror se apoderó de mí, Moya, el terror puro y estremecedor: me vi atrapado en esta ciudad para siempre, sin poder regresar a Montreal; me vi de nuevo convertido en un salvadoreño que no tiene otra opción que vegetar en esta inmundicia (*El asco* 114).

Lo más significativo de su discurso es el reconocimiento de que el simple hecho de perder su pasaporte tiene la capacidad de *convertirlo* nuevamente en un salvadoreño y de que aquello que lo distingue de los otros salvadoreños, que él coloca al margen, no es más que un objeto simbólico. La realidad es que Vega se mantiene al centro– y mantiene al resto de salvadoreños al margen– con base en un absurdo.

Al igual que sucede con Eduardo Sosa, desde su posición al centro Vega se ve obligado a negarse el acceso al placer que ese centro censura. Esto se hace evidente principalmente en dos de sus actitudes: por un lado, en su intento por reforzar su posición al centro, Vega sufre de una constante paranoia que le impide disfrutar su estadía en el país, y por otro lado, el discurso de Vega demuestra que éste es incapaz de experimentar placer. Durante su estadía en El Salvador, Vega cae víctima de un temor constante a ser asaltado, acribillado a balazos, asesinado, y demás. Si bien este miedo también es una crítica a la situación de impunidad imperante en la sociedad salvadoreña, la paranoia de Vega, incluso desde el mismo momento en que toma un taxi desde el aeropuerto, es extrema:

> Tuve el atisbo de una definición que en estos quince días he podido constatar cabalmente: el salvadoreño es ese cuilio que todos llevamos dentro. Aquel taxista era la mejor prueba: intentó sonsacarme la mayor cantidad posible de información, con preguntas maliciosas que me hicieron temer que estuviera midiendo si valía la pena asaltarme, me dijo Vega. Un polizonte que a la menor oportunidad muestra su vocación de ratero, en verdad un ratero que trabaja de polizonte, sólo en este país se utiliza la palabra "cuilio" para denominar a un ratero que trabaja de policía y en este caso a un taxista fisgón que me hacía cantidad de preguntas sobre mi vida para saber

> si yo era la víctima propicia para ejercer su vocación de ratero (*El asco* 94).

Más adelante, cuando Vega acompaña a su hermano a "ir a joder", vemos que fantasea constantemente respecto a la forma en que será atacado en cualquier instante por aquellos que lo rodean. Durante una visita a una cervecería, Vega imagina que los ocupantes de la mesa contigua están planeando lanzarle una granada de fragmentación. Esa misma noche, mientras espera en el carro de su hermano a que éste y su amigo salgan de la discoteca, Vega está convencido de que en cualquier momento será asesinado por un grupo de asaltantes.

En cuanto a su incapacidad para experimentar placer, primeramente vemos que Vega no puede soportar a la gente impuntual, por lo que le señala a Moya que hubiera preferido no pasar su momento favorito del día en ese bar; el único de su agrado en todo San Salvador, antes que compartir su momento de esparcimiento con un impuntual:

> No hay nada más dañino e irritante que tratar con seres impuntuales. Si vos no hubieras venido a las cinco en punto de la tarde, tal como convenimos, te aseguro que no te hubiera esperado, Moya, aunque me encanta permanecer en este sitio entre cinco y siete de la tarde tomando mi par de whiskies, aunque hubiera tenido que sacrificar este momento de sosiego, no te hubiera esperado porque el solo hecho de que vos te hubieras atrasado habría bastado para perturbar por completo la posibilidad de que nosotros mantuviéramos una plática constructiva, Moya, tu atraso hubiera distorsionado totalmente mi percepción sobre vos y tu hubiera ubicado de inmediato en la categoría más indeseable, en la categoría de la gente impuntual (*El asco* 105).

Por otro lado, tal como habíamos mencionado anteriormente respecto al sistema de control y vigilancia al que se someten aquellos que ocupan el espacio del centro, Vega tiene que someterse a ciertas normas, muchas de ellas autoimpuestas, para mantenerse en ese espacio de poder. Es por esta razón que Vega no puede arriesgarse a hacer el ridículo ante los demás. Tiene que preocuparse constantemente del qué dirán. Esto lo demuestran las razones que le impiden disfrutar de los paseos con la familia de su hermano a los lugares turísticos de El Salvador. En especial, respecto a su visita a la playa, Vega señala lo siguiente:

> Increíble, Moya, mi hermano pensaba que yo sería capaz de hacer el ridículo de esa manera [...] que yo sentiría placer de salir casi desnudo bajo ese sol embrutecedor a embadurnarme de arena sucia y agua salada, que yo tendría algún entusiasmo de irme a revolcar entre las olas y la arena mugrosa. [...] Sólo tipos con la mayor desfachatez pueden sentir algún placer al revolcarse en la mugrosa arena de esas abominables playas, así se lo dije a mi hermano, que por nada del mundo yo saldría a embrutecerme bajo ese sol, a quedar untado de arena mugrosa, a quedar pegajoso por la maloliente agua de esa abominable playa (*El asco* 69-70).

Finalmente cabe mencionar que la novela *El asco* fue recibida por numerosos lectores como una ofensa, como un insulto a la identidad nacional e incluso como una muestra de la falta de patriotismo del autor. Desafortunadamente, estos lectores han aceptado el discurso de Vega y se sienten ofendidos por la visión de mundo que este personaje propone. La novela permite formas alternativas de comprender su mensaje, pues podría decirse que su más fuerte crítica se dirige a quienes se reconocen en Vega, es decir, aquellos salvadoreños que se definen con base en su diferencia ante el resto de salvadoreños que ellos consideran incultos. En otras palabras, su crítica más dura es hacia aquellos salvadoreños que niegan el carácter diverso de la identidad.

6

El fin de la estirpe

> En el momento supremo para los amantes, él se salió para derramar su semen sobre un vientre suave con vellos finísimos, porque era un día peligroso y no quería tener hijos –de eso estaba seguro. Untó la sustancia blanca, viscosa y opaca en forma circular lentamente alrededor del ombligo de ella.
>
> Rodrigo Rey Rosa, *El cojo bueno.*

Una dimensión importante de lo que he llamado la estética del cinismo en la narrativa contemporánea es que retrata a las sociedades centroamericanas en el contexto de la posguerra por medio de personajes que se angustian y obsesionan principalmente por dos motivos: por un lado anhelan tener libertad o encontrar alguna forma de resistir la normatividad social; por otro lado, son personajes que desean por sobre todas las cosas obtener reconocimiento social. Se trata de una paradoja, pues se representa a la libertad como una forma de subyugar al individuo a las normas sociales, dejando al sujeto atrapado en un círculo vicioso. En estos textos de ficción, por lo tanto, el proyecto del cinismo se descubre como un proyecto fallido, pues el sujeto se representa como libre cuando es más sumiso: cuando cumple con las normas sociales y cuando disfruta de la aprobación de las autoridades y de la opinión pública incluso ante el precio de la destrucción, eliminación o desmembramiento de su propio cuerpo.

Varios de los personajes analizados en los tres capítulos anteriores han sido personajes dispuestos a todo con tal de ser reconocidos como sujetos con importancia y autoridad en el espacio social. Como hemos podido corroborar, para lograrlo están dispuestos incluso a atentar contra su propia integridad física, a mutilar su propio cuerpo y al suicidio.

Me parece importante también explorar el caso de algunos textos del escritor guatemalteco Rodrigo Rey Rosa donde el sujeto busca libertad y difícilmente logra escapar de ese mismo círculo vicioso pues en cierta medida también se trata de personajes que tienen que experimentar la destrucción de su propio cuerpo para ser reconocidos por la figura de autoridad como sujetos en su propio mérito. No obstante, hay una particularidad en estos textos que es sumamente importante. Son textos que proponen una alternativa para escapar la reproducción de una interminable cadena de sujetos dispuestos a imponer la normatividad social sobre los demás. Es decir, son textos cuyos personajes buscan resistir el mandato de la normatividad social, símbolo fundamental de un sistema de violencia y autoritarismo que invade el espacio personal y que se fija simbólicamente en la figura del padre. Este rechazo se expresa por medio de la desintegración de la familia o del cuestionamiento a la reproducción de la familia. Es decir, el sujeto se niega a reproducir en sí mismo a la figura del padre, lo cual requiere un diferente tipo de mutilación. Es una mutilación mucho más simbólica: la negación de participar en la reproducción de la estirpe. Es así que en la obra de Rodrigo Rey Rosa, se expresa un rechazo a la continuidad, no solamente de la estirpe, que es en sí un símbolo de la permanencia de la subjetividad, sino también al mandato de desempeñar y reproducir el papel de la autoridad que impone las normas sociales y morales sobre los demás. Por consiguiente, en varios de los textos de este autor los personajes expresan el temor de tener hijos y participar en ese proceso por medio del cual el sujeto pasaría a ocupar el lugar del padre en la familia.

El crítico francés Jacques Donzelot indica que "La familia en el sentido moderno surgió entre las capas burguesa y aristocrática del *ancien régime*, y después se diseminó en círculos concéntricos a todas las clases sociales, alcanzando al proletariado al final del siglo 19" (5-6).[1] En el ámbito de la emergente modernidad del siglo XIX, como Donzelot lo indica, en defensa de la familia se encontraban "[p]rincipalmente conservadores que estaban a favor de la restauración de un orden establecido centrado alrededor de la familia, un regreso al antiguo régimen idealizado; pero también estaban los liberales quienes veían a la familia como protectora de la propiedad privada, de la ética burguesa de la acumulación, así como garantizadora de la barrera en contra de las presiones del estado" (5).[2]

Al contrastar el concepto de la familia con el de la sociedad civil, Hegel en su texto *Filosofía del derecho*, indica que "La familia es la complejidad substancial que vela por el individuo tanto en lo que concierne a sus medios como a sus aptitudes [...] y su subsistencia y apoyo, en caso de estar incapacitado. Pero la sociedad

1. The modern sense of the family emerged in the bougeois and aristocratic strata of the *ancien régime*, then spread in concentric circles to all social classes, reaching the proletariat at the end of the nineteenth century (5-6).

2. [...] mainly conservatives who favored the restoration of an established order centering around the family, a return to an idealized former regime; but also liberals who saw the family as the protector of private property, of the bourgeois ethic of accumulation, as well as the guarantor of a barrier against the encroachments of the state (5).

civil separa al individuo de este contexto, aliena a los miembros de la familia, y los reconoce como personas autónomas [...] por cuanto, el individuo se convierte en *hijo de la sociedad civil*" (278).[3] Por consiguiente, Hegel introduce el concepto de sociedad civil como un concepto ampliado de la familia, indica que "[l]a sociedad civil [...] adquiere el carácter de una *familia general*, y como tal tiene la obligación y el derecho (incluso en contra de la *voluntad arbitraria* de los *padres*) de *educarle* en tanto a que la educación está relacionada con su transformación en un miembro de la sociedad [...] los límites entre los derechos de los padres y los derechos de la sociedad civil son muy difíciles de fijar" (278).[4]

Para Hegel, la familia no solamente constituía el bastión político y social en el que se fundaba el sistema de poder del estado, sino que también era un modelo de la corporación: "Además de la *familia*, la *corporación* constituye la segunda raíz *ética* del estado, la cual está basada en la sociedad civil. [...] La santidad del matrimonio y el honor de la corporación son los dos aspectos necesarios para la descentralización de la sociedad civil" (280).[5] Desde su perspectiva, "La corporación tiene, por con-

---

3. The family is the substantial whole which cares for the individual both as concerns his means and aptitudes [...] and his subsistence and support, if he is incapacitated. But civil society tears the individual from this context, alienates the members of the family, and recognizes them as autonomous persons. [...] Thus the individual becomes a *son of civil society* (278).

4. Civil society [...] acquires the character of a *general family*, and as such it has the duty and the right (even contrary to the *arbitrary will* of the *parents*) to *educate* him in so far as such education is related to his becoming a member of society. [...] The boundary between the rights of parents and of civil society is very hard to draw (278).

5. Besides the *family*, the *corporation* constitutes the second *ethical* root of the state which is based upon civil society. [...] Sanctity of marriage and honor of the corporation are the two aspects which the decentralization of civil society involves (280).

siguiente, bajo la supervisión del gobierno, el derecho de ocuparse de sus propios intereses, de elegir miembros de acuerdo con sus cualidades objetivas, tales como habilidad y rectitud, en números apropiados, para cuidar de ellos, para educarlos –como una especie de segunda familia" (278-279)–.[6] Más allá del ámbito de la corporación, desde la perspectiva hegeliana, se encuentra el ámbito del estado (280).

Marx, por su parte, en un texto titulado "El estado y la sociedad civil" propone que "la familia y la sociedad civil son las premisas del estado" (16)[7] y que "los ciudadanos del estado son miembros de familias y miembros de la sociedad civil" (17).[8] Es más, para Marx "La familia y la sociedad civil son componentes reales del estado, existencias espirituales reales de la voluntad; son formas de existencia del estado. La familia y la sociedad civil se constituyen *a sí mismas* como el estado. Son su fuerza de empuje" (17).[9]

Tras la muerte de Marx, Engels publica un texto en conversación con escritos no publicados de Marx donde critica de manera más abierta a la organización de la familia como un espacio de desigualdad, como un espacio patriarcal que Engels define como un concepto ligado a la explotación y a la esclavitud. Para Engels, el

---

6. The corporation has accordingly under the supervision of the government the right to attend to its own interests, to elect members in accordance with their objective qualities, such as aptitude and rectitude, in appropriate numbers, to take care of them, to educate them–a kind of second family (278-279).

7. Family and civil society are the premises of the state (16).

8. The citizens of the state are members of families and members of civil society (17).

9. Family and civil society are actual components of the state, actual spiritual existences of the will; they are modes of existence of the state. Family and civil society constitute *themselves* as the state. They are the driving force (17).

patriarcado se define como "la organización de un número de personas, atadas y libres, en una familia bajo el poder paternal del jefe de la familia" (737).[10] Engels va mucho más allá de esta crítica al definir a la familia como un espacio de explotación que está ligado a la esclavitud incluso desde los orígenes del uso del término:

> Entre los romanos, al inicio, no se refería a una pareja casada y a sus hijos, sino solamente a los esclavos. *Famulus* significa un esclavo de la casa y *familia* significa la totalidad de los esclavos que pertenecen a un individuo. Incluso en el tiempo de Gaius la *familia, id est patrimonium* (es decir, la herencia) era legada por testamento. La expresión fue inventada por los romanos para describir a un nuevo organismo social, la cabeza del cual tenía bajo sí a la esposa y a los hijos y a un número de esclavos, bajo el poder paterno romano, con poder de vida y muerte sobre todos ellos (737).[11]

Por otra parte, Engels enfatiza no solamente los lazos que históricamente unen al concepto del matrimonio con el de la esclavitud, sino también pone énfasis en el acuerdo económico y en la transacción generadora de un contrato que establece el matrimonio, y haciendo referencia al matrimonio tanto católico como protestante, Engels indica que "el matrimonio es determinado por

10. [...] the organisation of a number of persons, bond and free, into a family under the paternal power of the head of the family (737).

11. Among the Romans, in the beginning, it did not even refer to the married couple and their children, but to the slaves alone. *Famulus* means a household slave and *familia* signifies the totality of slaves belonging to one individual. Even in the time of Gaius the *familia, id est patrimonium* (that is, the inheritance) was bequeathed by will. The expression was invented by the Romans to describe a new social organism, the head of which had under him wife and children and a number of slaves, under Roman paternal power, with power of life and death over them all (737).

la posición de clase de sus participantes, y en este sentido siempre permanece como un matrimonio de conveniencia" (742).[12]

Esta crítica basada en el intercambio económico y social proporcionado por la familia se extiende también a una crítica basada en la opresión de género, tanto por parte de Engels en este caso, como por un amplio segmento de la crítica feminista en general. En las palabras de Engels, "La familia moderna individual está basada en la esclavitud doméstica abierta u oculta de la mujer" (744).[13] Esta crítica al sistema patriarcal que define a la familia en el contexto moderno de Occidente esta basada en el poder ilimitado que tenía el jefe de la familia desde el *ancien régime* el cual, tal como lo indica Donzelot:

> En compensación por su responsabilidad hacia las autoridades a las que se encontraba atado, el jefe de la familia tenía virtualmente poder *discrecionario* sobre aquellos que le rodeaban. Él podía hacer uso de todas las operaciones que estuvieran destinadas a extender su *état*; él podía determinar las carreras de sus hijos, decidir cómo deberían emplearse los miembros de la familia y cuáles alianzas deberían contraerse. Él también podía castigarles si no cumplían con sus obligaciones hacia la familia, y para esto él podía obtener el apoyo de las autoridades públicas que le debían a él ayuda y protección en su labor (49).[14]

12. Marriage is determined by the class position of the participants, and to that extent always remains marriage of convenience (742).

13. The modern individual family is based on the open or disguised domestic enslavement of the woman (744).

14. In compensation for his responsibility toward the authorities that bound him, the head of the family had virtually a *discretionary* power over those around him. He could make use of them for all the operations that were intended to further his *état*; he could determine the children's careers, decide how the family members would be employed and which alliances

En el caso de la sociedad de posguerra en Guatemala, el ámbito de la familia también funciona como un agente reproductor del poder del estado y, por tanto, de un sistema de violencia que mantiene los privilegios de unos por medios violentos. En la obra del escritor guatemalteco Rodrigo Rey Rosa hay numerosas críticas al sistema de coerción que la familia ejerce sobre el individuo pero, también a las expectativas que la familia impone sobre el individuo de reproducir el poder imperante o de mantener una subjetividad reconocida por el espacio social. Es así que en numerosas ocasiones, el temor más grande que expresan los personajes de estos textos no es el de reproducir la familia, sino el de reproducir en sí mismos el poder opresor del patriarcado burgués moderno de la sociedad violenta que recién surge del ámbito militarizado de la guerra y que arrastra tras de sí un legado colonial de siglos.

En términos generales, podría decirse que los personajes en la obra de Rey Rosa expresan sus ansiedades hacia la familia a partir de cinco perspectivas distintas. Por un lado, se expresa el temor de convertirse en un padre que impone sobre sus hijos los rígidos patrones de conducta social y de una construcción de la masculinidad que requiera de la representación pública de la violencia a cualquier precio, como es el caso de la novela *El cojo bueno*. En segundo lugar, se expresa el temor de convertirse en un padre que decepcione al hijo, como en el caso del personaje de la Coneja en *El cojo bueno* o el narrador en "El hijo de Ash" de la colección *Otro zoo*. Por otra parte, se expresa angustia ante la posibilidad de tener hijos y lastimarlos por accidente o de no cuidarlos apropiadamente, de abandonarlos y forzarlos a defen-

would be contracted. He could also punish them if they did not live up to their obligations toward the family, and for this he could get the support of the public authority that owed him aid and protection in his endeavor (49).

derse por sus propios medios como es el caso de los cuentos “Gracia”, “El hijo de Ash” y “Finca familiar” de la misma colección. En cuarto lugar se expresa la ansiedad de tener hijos y de perderlos debido a enfermedades, por un descuido o por razones del destino como en el caso del cuento “La niña que no tuve” de la colección *Ningún lugar sagrado* o del cuento “Otro zoo” de la colección publicada bajo el mismo título. Finalmente, se expresa la ansiedad de tener un hijo que no sienta deseos de vivir cerca de su padre o su madre como en el caso del cuento “Siempre juntos” de la misma colección.

De opresión

Tal vez la más profunda expresión de resistencia a reproducir la subjetividad violenta y autoritaria del padre en la obra de Rodrigo Rey Rosa pueda ilustrarse a través de la novela corta titulada *Caballeriza*, donde el padre mata al hijo que se niega a reproducir sus propios conceptos de masculinidad y de subjetividad. En una escena en que el hijo cautivo logra escaparse y enfrenta a su padre, también conocido como “La vieja”, el narrador nos indica que:

> La Vieja se levantó rápidamente, apartó a don Guido y se sentó a horcajadas sobre su hijo. Al mismo tiempo que lo sujetaba por el cuello con una mano, con la otra le arrancó la pistola y le quitó el seguro. [...] La Vieja tomó la blusa de Bárbara del escritorio, la colocó sobre la pistola para usarla como silenciador, y le dio un tiro al muchacho en la cabeza (*Caballeriza* 81).

Es en *El cojo bueno* donde esta situación de violencia se explora, tal vez con menos violencia abierta, pero con mayor profundidad sicológica. El personaje principal se llama Juan Luis Luna, y éste es secuestrado por unos ex compañeros de colegio que sabían que su padre tenía los medios para pagar un rescate:

> Los secuestradores eran cinco, pero sólo a tres reconocía: el Tapir Barrios, La Coneja Brera y el Horrible Guzmán, con quienes de niño había hecho y luego roto la amistad. Los otros dos, que debían de ser un poco mayores y al parecer se limitaban a cumplir órdenes, respondían a los apodos de Carlomagno y el Sefardí (29).

La novela nos permite vislumbrar la difícil relación de poder que existe entre Juan Luis Luna y su padre, la cual es amplificada por el dinero y los medios de acceso al poder que tiene el padre. Por un lado se encuentra la relación entre La coneja, uno de los secuestradores de Juan Luis Luna, y sus hijos, quienes no saben que La coneja, antes de reformarse, participó en el secuestro de Juan Luis.

Parte del problema en la relación entre Juan Luis Luna y su padre, don Carlos Luna, era que Juan Luis Luna se negaba a participar en los negocios de su padre, era bastante más irresponsable, y su padre lo consideraba en alguna forma, inútil. En pocas palabras, la relación del padre con el hijo carecía de respeto. Tampoco tenía confianza en su hijo, por esta razón, "[c]uando don Carlos Luna recibió noticias de los secuestradores, no hizo caso de ellas. No puso ningún anuncio en los diarios, como se lo pidieron, ni dio muestras de querer negociar" (30). El resultado de la falta de respuesta de don Carlos fue trágico para Juan Luis, pues ante la indiferencia de su padre, Juan Luis pierde primero el dedo pequeño de un pie (33-34), y más adelante, el pie (37-38), el cual "envuelto en una bolsa de plástico negro, se lo llevaron a la novia [de Juan Luis, Ana Lucía]" (39-40). Fue Ana Lucía quien contactó al padre, le explicó sobre el recibimiento del pie y la seriedad de la situación. La reacción del padre fue rápida, pero también fría: "Habrá que negociar, se dijo a sí mismo. Pensó con desgana que tendría que redactar una carta, pedir una rebaja. Pero aún no sabía cuánto exigían. ¿No sería justo que pagara menos cuando habían lisiado al rehén?" (46). No fue sino hasta que el padre tuvo ante sí el pie cortado de Juan Luis Luna que comprendió que no tenía espacio para negociar. Al recibir el paquete, el narrador explica que "[e]l contacto entre su mirada y la parte donde el pie había sido cortado, donde podía verse un círculo de carne roja, en los bordes ya un poco negruzca, con el círculo concéntrico del hueso blanco, vidrioso y lechoso al mismo tiempo, no era comparable al contacto de sus pupilas con otros objetos ordinarios ni con ningún objeto de arte" (48). Don Carlos abandona su plan de negociar, pues tras observar intensamente el pie mutilado de su hijo, nos explica el narrador, fue "como si le hubieran presentado una cuenta, benévolamente olvidada durante mucho tiempo, que ahora le convertía, de millonario en pobre" (49). A continuación, don Carlos "sacó una chequera de un banco extranjero" (51) y se dispuso a pagar.

El padre pagó el rescate de Juan Luis:

> El viejo se bajó con la bolsa de basura negra donde debía estar el medio millón. El Sefardí lo vio mirar de un lado a otro antes de cruzar la corriente variopinta de automóviles. [...] El viejo fue hasta el tonel con naturalidad y dejó caer la bolsa dentro. Luego volvió a mirar a su alrededor, giró sobre sus talones y se dispuso a vadear de nuevo la calle de cuatro carriles" (57).

Sin embargo, la liberación de Juan Luis no se debió al pago de su padre, pues desde un inicio del secuestro, "Juan Luis presentía que todo iría mal. Las historias de secuestros le eran familiares, y sabía que si el Tapir, la Coneja y el Horrible no se habían molestado en ocultar sus rostros era porque no pensaban dejarle salir de allí con vida" (30). Fue a partir de una serie de coincidencias que Juan Luis salió con vida, si bien con el pie mutilado, de la experiencia del secuestro, pues el plan de "el Sefardí" era otro:

> Según el plan, cuando el jeep apareciera calle abajo, él sacaría la bolsa del basurero y el Horrible le abriría la portezuela trasera del jeep para dejarle subir. [...] Y, según el plan, el Sefardí subiría y el jeep seguiría hacia el bulevar de la Liberación y la Avenida Roosevelt para desviarse a la calzada de San Juan (58).

El plan también incluía el asesinato del rehén (59). Por motivos inexplicables, el Sefardí cambió de opinión y "el plan que él mismo había trazado se convirtió en otro, que le convenía más" (59). Fue así que el Sefardí decidió tirar una granada de fragmentación al jeep en que se acercaban sus compañeros de operativo, solamente la Coneja sobrevivió al ataque mientras que Carlomagno, quien estaba cuidando del rehén fue el otro sobreviviente, y el único con quien el Sefardí compartió una parte del rescate (66). Como ni Carlomagno ni el Sefardí conocían a Juan Luis Luna, cuando Carlomagno le preguntó al Sefardí qué debía hacer con el rehén, éste respondió: "Soltarlo" (67).

Irónicamente, el secuestro y liberación de Juan Luis Luna también llega a desempeñar parte fundamental en el proceso de construcción de su propia subjetividad. Por un lado, Juan Luis Luna se convierte en un escritor profesional, proceso que simbólicamente inició durante el secuestro mismo, ya que fue durante ese traumático momento que se vio obligado a escribir cartas a su padre. Es todavía más irónico que su oficio de escritor dio inicio por órdenes de los secuestradores, es decir, fue por medio de un proceso de extrema violencia que Juan

Luis logra construir su subjetividad como escritor. En aquella oportunidad, uno de sus captores le había dicho:

> Vas a decirle que estás arrepentido de ser como sos, que al salir de aquí vas a lamerle lo que quiera, ¿me agarrás la onda? ¿Qué quisieras comer? ¿Un sángüiche? ¿Un cafecito? Te vamos a dar pluma y papel y después de comer te ponés a trabajar. A ver si te convertís en escritor (31).

Desafortunadamente, esa carta no tuvo el efecto esperado, entre otras razones, porque su padre nunca la leyó. Fue entonces que sus captores le demandan un nuevo intento de su recién inaugurado oficio de escritor:

> En su segunda carta, escrita en letra pequeñísima para ahorrar espacio, Juan Luis intentó conmover a su padre, y le prometió que si salía con vida trabajaría lo necesario para pagar su propio rescate (33).

Pero ese segundo intento, tampoco surtió efecto. Juan Luis pagó con el alto precio de la mutilación de su cuerpo, sus primeros fallos como escritor. Fue así que Juan Luis se esmeró, ya que literalmente era asunto de vida o muerte, en la escritura de su tercera carta:

> No puedes saber el efecto que ha tenido en mí el enterarme de que ninguna de mis cartas ha llegado a tus manos. [...] ¿Es verdad que te informaron que la última contenía un dedo mío y aun así no mandaste recogerla? Yo me niego a creerlo, por supuesto; pero si me equivoco, quisiera intentar de nuevo ablandarte el corazón. Ésta la escribo a sabiendas de que a primera hora mañana me amputarán el pie izquierdo, lo que espero sea suficientemente elocuente. Quizá la promesa de enmendarme sea demasiado vaga y abstracta para ser convincente, pero te prometo que si fuera necesario empeñaré el resto de mi vida en pagarte la deuda que por ésta contraigo contigo, si decides pagar. En la anterior te prometía hacer todo lo posible por vivir el resto de mis días sin avergonzarte

> como en el pasado. Hoy sólo te pido piedad. Mi vida está en tus manos. Me han dicho que el rescate que te piden es razonable. Y por último te pido, como en la anterior, que cuando mi pie llegue a tus manos lo congeles sin demora, por si fuera posible remendarme (38).

Uno de los aspectos más significativos de esta narración es que Juan Luis Luna, ya una vez mutilado, representa constantemente el valor que su padre le adjudicó al dinero por sobre la integridad física de su cuerpo, llevándolo a ganar así, quizá por medio de la culpa que su padre experimenta cada vez que lo mira, el reconocimiento de su padre como sujeto independiente de sí mismo.

De decepción

Uno de los temores que más fuertemente agobian a la Coneja Brera una vez que Juan Luis Luna ha logrado localizarlo es que su familia, especialmente sus hijos, puedan llegar a enterarse de que la Coneja Brera es un secuestrador, un criminal. Ese miedo es más fuerte que el miedo a enfrentarse a su antigua víctima, de tal forma que aprovechando una oportunidad en que su familia sale de la ciudad, la Coneja hace una cita para reunirse con Juan Luis Luna y contarle lo que éste quiere saber: de quién fue la idea de secuestrarlo, a quién se le ocurrió cortarle el pie –"al Horrible" (117); quién fue el ejecutor de su mutilación– "el Sefardí" (117); quién organizó la operación–"tu servidor" (119). Cuando le preguntó si pensaban soltarlo al recibir el dinero "[l]a Coneja juntó las manos, como alguien que se dispone para orar, y mirando fijamente a Juan Luis dijo no con la cabeza" (117).

Es significativo que la Coneja tiene la capacidad de decirle a Juan Luis su responsabilidad en el secuestro, pero no tiene el valor de hacer lo mismo con sus familiares. Durante su conversación con Juan Luis la Coneja explicó que sus padres "no se enteraron de nada, gracias a Dios. Creen que tuve un accidente, nada más. Salí del hospital a los tres meses. Te lo juro, vos, salí regenerado" (118-119). Juan Luis tal vez reconoce el enorme poder que tiene la relación familiar sobre la Coneja, y también sobre sí mismo porque siendo hijo de su padre su deber social hubiera sido vengarse. En un momento en que mira la foto de un bebé, a lo mejor el hijo de la Coneja, tuvo la certeza "de no querer descendencia, y le pareció que eso tenía algo que ver con el hecho de que ahora, cuando pudo tomarla, no había sentido más que un deseo demasiado débil de venganza" (120).

También en el cuento "El hijo de Ash" hay un padre que sufre ante la posibilidad de decepcionar a su hija, y la existencia de su hija se convierte en una fuerza que constantemente le recuerda que en cada oportunidad que él no sea la mejor persona que pueda ser, deberá responder por sus actos ante su hija. En este caso, se trata de un padre y una madre que están separados y que comparten su tiempo con su hija Faustina. El padre parece disfrutar enormemente su tiempo con Faustina, pues mientras espera la llegada de la niña al aeropuerto de Flores, indica que "uno de los placeres que todavía cuentan en la vida es *esperar* a Faustina, cuando sé que viene hacia mí" (61). En esta historia el padre de Faustina actúa, como veremos a continuación, de manera indiferente ante el abandono de otro niño, llenándose así de culpa. A partir de entonces, el conflicto que agobia al narrador es cómo explicar a Faustina lo que ha ocurrido sin cargar la culpa ante los ojos de su hija. Por esa razón, el narrador vuelve a la aguada en busca de Nicolás, el niño abandonado, con el propósito de "hacer algo por enmendar lo que había llegado a parecerme un pecado de omisión" (68). Su objetivo primordial era "volver a parecerle un padre impecable" (68) a Faustina. Pero ya era tarde, y el narrador se angustia pues sabe que "Faustina querría conocer el final de la historia" (72), pero sabe también que para ella, él cargaría con parte de la responsabilidad por la muerte del niño, por lo que señala: "mejor ocultárselo, por algún tiempo al menos" (72).

De descuido

El protagonista de este mismo cuento, "El hijo de Ash", es un niño abandonado que queda bajo el cuidado de extraños que no se preocupan por él de manera apropiada cuando su padre, de oficio traficante, y fugitivo, es capturado y la mujer de su padre lo abandona a su suerte en la casa frente a la laguna.

Ante la desaparición de Nicolás, el hijo de Wayne Ash, el narrador recuerda haber escuchado durante una fiesta a Mary, la pareja de Ash, decir que si él no volvía ella no velaría por el niño: "Recordé que la mujer de Ash había dicho que no se haría cargo de él" (62). Ante la preocupación de Faustina, hija del narrador, éste le propone "que diéramos una vuelta por la aguada, a ver si nos enterábamos de qué había sido del niño" (62). Durante esa visita encontraron al niño en la cabaña del guardián, estaba solo jugando con cenizas: "Los ojos de Faustina se acostumbraron antes que los míos a la oscuridad: me tiró de la mano e indicó con la cabeza un rincón de la choza. Un momento más tarde vi a Nicolás, en cuclillas junto a un fogón apagado. Desenterraba unas brasas de debajo de un lecho de cenizas" (66). Faustina se preocupa por la situación de Nicolás y comparte con su padre su angustia diciendo "pobrecito. Nadie lo cuida" (67). Y aunque el padre se siente "ligeramente avergonzado por nuestra indiferencia cómplice" (67), no hacen nada por salvar a Nicolás del estado de abandono y del peligro en que se encontraba, y éste eventualmente termina siendo devorado por los cocodrilos de la aguada.

Una experiencia similar le ocurre al personaje principal del cuento "Finca familiar", quien es hijo de un drogadicto que no puede tener la claridad de mente para defenderlo ni para defender a su madre. Por lo tanto, el niño queda en manos de una pareja de criminales que llega para deshacerse de sus padres con el propósito de reemplazarlos y tomar sus propiedades, aprovechando los problemas de drogadicción que sufría el padre. Ante el asesinato de sus padres, la pareja de extraños toma su lugar y el hijo permanece abandonado a la suerte que le ha tocado sin nadie que le ayude a salir del control de esta pareja de extraños.

Finalmente, tal vez el texto que mejor ilustra la angustia ante la posibilidad de que un hijo se lastime o se haga daño bajo el cuidado de sus padres es el cuento titulado "Gracia". Este cuento trata sobre una niña que amaba a un cordero. Pero el cordero era parte de las posesiones familiares, no le pertenecía a Gracia, sino que era propiedad privada de su hermano. Al darse cuenta de que el cordero había sido vendido para ser sacrificado para una ceremonia religiosa, Gracia "Se arrodilló a la cabecera de su cama, donde colgaba un crucifijo. Alzó los ojos y, juntando las manos, pidió a Dios que la aceptara a ella como víctima, a cambio del cordero. "Llévame en lugar de él", repetía. (43-44). Al igual que sucede en el cuento "La prueba", la distinción entre el destino y la mano de Dios no está clara, pues el destino hace realidad al pie de la letra las peticiones de Gracia. "Después de rezar el padrenuestro, con una calma de pequeña mártir se puso de pie, se cambió de ropa, y se metió en la cama.

Volvió a pedir a Dios que la aceptara como víctima. Apagó la luz de su mesa de noche, cerró los ojos, y se durmió" (44). Como si esto no fuera una broma suficientemente dura del destino, si las plegarias de Gracia se cumplen, cosa que no queda demostrada al final de la narración, se cumplirán por mano de su padre, Nander, quien preocupado porque Gracia no abría la puerta, "bajó al sótano, donde guardaban cachivaches y herramientas, y subió con el hacha para partir la leña" (49). Su objetivo era tirar la puerta del cuarto donde Gracia se había encerrado y permanecía inmóvil, mientras que él y Ana, la madre de Gracia, le suplicaban abrir la puerta (49). "Nander levantó el hacha, arqueándose hacia atrás, los ojos clavados en el punto donde asestaría el golpe, y entonces Ana vio la puerta que se abría: ahí, de pie, el miedo apenas superado, la manita alzada hacia el picaporte, estaba Gracia" (50).

De pérdida

El personaje del padre en el cuento "La niña que no tuve" explica que la niña "había sido condenada a muerte. Una extraña enfermedad cuyo nombre no quiero repetir, la disolvería en menos de ciento veinte días, según varios doctores" (117). A los ocho años, el padre sabía que la muerte prematura de la niña iba a impedirle experimentar tantas cosas, "Eran tantos los lugares a los que no habíamos ido" (118). También la niña expresa, a pesar de su corta edad, una angustia similar: "Perdimos el tiempo esta tarde. Debí quedarme leyendo o estudiando. No tengo tiempo que perder" (120). Por otra parte la niña expresa la pérdida de su adultez, de lo que no llegará a experimentar, es así que le dice: "Papi [...] antes de morirme, quiero saber lo que es el sexo" (120). El padre le promete que se lo explicaría otro día

(121). A pesar del mandato social de tener descendencia, ante la pérdida inminente de la niña, el padre se arrepiente, "Había sido un error que yo la concibiera, yo, que siempre tuve miedo a la descendencia" (118). La madre de la niña los había abandonado (118).

En cambio en el cuento "Otro zoo" la pérdida de la hija no se debe a una enfermedad que deja trunca su vida, sino por el contrario, la pérdida ocurre durante un viaje metafórico a un zoológico durante el que la pequeña niña que llegó correteando tomada de la mano del padre y siendo una niña pequeña, con silla infantil (11), de "dos años y meses" (12) y que pronto se convierte en una joven mujer que abandona al padre por decisión propia. El relato transcurre a medida que el tiempo fluye a velocidades diferentes, lentamente para la niña y a la velocidad de un rayo para el padre. En este período de tiempo pasa una transformación que obliga al padre a aceptar que él no podrá nunca visitar los mundos que su hija podrá visitar ni podrá nunca vivir en el tiempo en que su hija tendrá que vivir. Es un relato sobre la experiencia de un padre que se da cuenta que su hija lo ha sobrepasado.

La desaparición de la niña ocurre cuando el padre menos lo imagina, en una fracción de segundo –acaso la vida es tan breve– en que el padre explica su breve distracción: "Me detuve un momento y miré a lo alto" (11-12). Pero ese breve descuido fue suficiente para perderla: "Volví a mirar calzada abajo, y sentí mil punzadas de espanto en la espalda, en los brazos, en las manos. Yo estaba completamente solo en la vía de asfalto negro salpicada de flores lila y rosadas" (12). Su reacción fue inmediata: "Eché a correr hacia adelante, gritando una y otra vez su nombre" (12). Es interesante que busca a su hija en un mundo de animales: "A mi izquierda, las garzas y los flamencos dormidos sobre una sola pata, los cocodrilos inmóviles y el hipopótamo permanecían indiferentes a mis llamados. Intenté gritar más alto, lancé gritos en todas direcciones; hacia la jaula de los monos, de los venados, los búhos, los quebrantahuesos y las águilas, pero nadie contestó" (12). Es particularmente interesante porque por un momento el lector también se pierde en este relato donde un hombre grita entre los animales enjaulados, o un hombre enjaulado es animal entre los otros seres que lo miran indiferentes. "Volví a hacer la ronda de las jaulas, gritando el nombre de mi hija de vez en cuando, de manera casi maquinal. Miraba con envidia las parejas de venados, de monos, de ocelotes, de jaguares, y los ojos de sus crías me hacían pensar en los de ella. Las fieras estaban dentro, pero era yo el que iba y venía del otro lado de los barrotes, sin conciencia del tiempo" (18). La narración deshumanizada del padre continúa: "Recostado en el tronco de una ceiba, lancé un grito –a medio camino entre el rugido y el sollozo– hacia lo alto, un sonido que brotó con todas mis fuerzas desde mis entrañas" (18).

Al encontrar a su hija dentro del bote de basura que empujaba un barrendero que hizo al padre sentir miedo, le pregunta a la niña qué había pasado (23). En ese momento, explica el padre, "Me di cuenta entonces de que se había estirado varios centímetros desde la mañana, y estaba bastante más delgada" (23). La niña dijo que venía a despedirse (23).

El padre no parece ubicarse, no parece tener conciencia de que la niña se ha convertido en una adulta que ya sabe hablar por sí misma: "Tienes que darte cuenta, he crecido, y puedo hablar –dijo con esa voz rara–. Sé que no es fácil, pero tienes que reconocerlo, he estado en un sitio en el que tú no has estado y al que no podrás ir nunca. [...] Un lugar muy lejano con un cielo diferente sin luna ni sol" (24). Se trata, tal vez, de un lugar futuro donde el medio ambiente ha sido destruido pues, la niña indica que "Necesitan agua, mucha agua, agua de aquí, pero no de ahora" (24).

La niña indica que no volverá a ver al padre, pero dice también que no está sola: "Tengo un compañero, otro niño más o menos de mi edad. Crecemos juntos, y es posible que más tarde le dé un hijo" (25). El narrador primero rehúsa aceptar la explicación de la niña y le dice: "Pero, niña, vámonos a casa y déjate de babosadas" (25). Pero eventualmente se da por vencido ante el destino: "De todas formas –razoné ya sin esperanzas– tarde o temprano algo así iba a suceder. Es destino de padres perder a los hijos" (26). No podía sentir el tiempo que había pasado con tanta fugacidad, es así que al llegar a su automóvil, indica: "Al abrir la portezuela me vi fugazmente reflejado en la ventana, y sentí un consuelo inesperado al comprobar que en el espacio de aquel día larguísimo en el zoo mi cabellera que hasta entonces, salvando algunas canas, fue negra, se había puesto casi completamente blanca" (26-27). Y entonces el padre la deja ir sabiendo que la huella de los estragos del tiempo en su propio cuerpo, "[e]ra como la confirmación de que mi hija no me había visitado en sueños, de que su vida continuaría en otro mundo" (27).

Otra vez del abandono

Otro texto que ilustra una cierta angustia ante las relaciones de poder que se generan en una relación entre padre e hijo es "Siempre juntos", una historia kafkiana sobre dos escorpiones que parecen formar un grupo familiar y que viven en una casa de lago. Uno es grande y el otro es chico: "Se creía que eran madre e hijo, porque siempre estaban juntos" (137). Un día, el escorpión grande se cae por accidente del sitio en el entretecho donde estaban juntos al suelo del interior de la casa donde estaba una familia de humanos con una pequeña niña. El escorpión grande tiene el instinto de sobrevivir para volver junto al escorpión pequeño que lo espera en el tejado. Cuando al escorpión grande lo atrapan las personas de la casa lo ponen bajo un vaso para proteger a la bebe y las hormigas se lo comen. Sólo es en ese momento en que nos damos cuenta del alivio que siente el escorpión pequeño ante la pérdida del escorpión grande: "«No volverá», pensaba el escorpión en lo alto, contento porque al fin tendría un lugar sólo para él" (141). En fin, se trata de personajes que construyen su subjetividad no mutilando su cuerpo, sino rompiendo para siempre sus lazos familiares, dando fin a su estirpe.

7

Más allá de los confines del cinismo: la práctica de la alegría. Homenaje *in absentia*

¿En qué me he convertido?

Ayer no pude matar
una culebra en el estanque,
la tenía a mi alcance
un golpe hubiera bastado
un golpe con el remo
y me contuve.

Algo fascinante ocurrió:
perdí sin darme cuenta
la voluntad de aniquilar.

Róger Lindo, *La fragua de abril.*

En los capítulos anteriores he explorado la expresión de cinismo en la literatura centroamericana con una sensibilidad de posguerra. En vista de las normas que las sociedades centroamericanas imponen sobre el individuo, el cinismo que caracteriza el período de la posguerra centroamericana puede ser interpretado como positivo porque nos permite enfrentar estas normas con irreverencia, empoderarnos y obtener acceso al ámbito del deseo. En otras palabras, abre espacios para vivir y para explorar la pasión. Sin embargo, el cinismo tiene sus limitaciones: mientras que nos permite reír de nuestras propias faltas, de nuestros miedos, de nuestros deseos, al final, tal como lo hemos visto expresado a través de los textos literarios, el cinismo lleva al individuo a su propia destrucción. El suicidio, como una forma extrema de escapar de la normatividad social, se convierte en el máximo acto de cinismo, en el acto culminante de la irreverencia contra la sociedad y contra uno mismo. Este hecho tiene gran importancia, ya que implica que el proyecto del cinismo es un proyecto fallido porque llena al individuo de pasiones que no lo llevan a experimentar alegría, sino muy por el contrario, que lo llenan de dolor. Es así que el cinismo se vislumbra como una trampa que constituye la subjetividad por medio de la destrucción del ser a quien constituye como sujeto. Mi objetivo es, por lo tanto, dar visibilidad a esta dinámica de la estética del cinismo, ante la que como cuerpo social somos esclavos.

Podemos encontrar un ejemplo en la novela *El desencanto* de Jacinta Escudos. Nuestra primera impresión, al abordar el texto, es que la novela es provocadora y refrescante. No es común encontrar textos centroamericanos en los que las mujeres estén dispuestas a discutir el deseo, textos que intenten definir el placer desde una perspectiva femenina. Si la intención de la novela es invitar al lector a reflexionar sobre estos asuntos e ir más allá de la moral tradicional en Centroamérica para acompañar a la protagonista a lo largo de una vida de experimentación, la novela es muy exitosa. Sin embargo, al final nos deja con el mal sabor de promesas rotas: Arcadia, la protagonista, nunca logra experimentar placer. El final de la novela lleva al lector a preguntarse si los hombres que fueron amantes de Arcadia durante diferentes períodos de su vida, no han podido lograr darle placer, como la protagonista lo indica, o si por el contrario, es ella misma quien, a pesar de su aparente libertad y de su campaña de experimentación, no ha podido escapar de la construcción tradicional de *mujer* en el imaginario social del espacio urbano que ella habita. En otras palabras, al final nos preguntamos si Arcadia tiene incluso la capacidad de experimentar placer. Es más, más allá de la denuncia que hace el texto respecto a que el placer es una construcción cultural elaborada a partir de una perspectiva masculina y de que la mujer es excluida del ámbito del placer e incluso del lenguaje del placer en las sociedades centroamericanas, hay un descubrimiento mucho más trágico: que el concepto de mujer, su imaginario erótico y la construcción cultural de su deseo no han escapado de los confines que la sociedad ha dibujado para la mujer. Desafortunadamente, estos confines definen su exclusión del ámbito del placer.

La novela *El desencanto* es una reconstrucción antierótica de los encuentros sexuales de Arcadia, su protagonista, quien explora su fracaso tanto en la búsqueda del placer como en su intento de realizar sus sueños en el campo del amor. El texto da inicio con el siguiente epígrafe: "Fuiste un gusano / devorando / las entrañas / de mi corazón. / Mientras / yo / fingía placer" (*El desencanto* 7). Luego, la narración sigue el recorrido de una larga serie de encuentros sexuales que abarcan desde la juventud hasta la edad adulta de Arcadia.

En el primer relato, titulado "El hombre que tiene manos de mujer", la protagonista, quien carece de experiencias en el campo sexual, se encuentra en una situación desventajosa: carece de conocimientos sobre lo que debe hacer al encontrarse a solas con un hombre. Como lo indica la narradora, Arcadia "apenas sabe lo que ha visto en las películas, lo que ha leído en los libros, lo que ha escuchado en las canciones" (*El desencanto* 14). Su experiencia no se parece en nada a aquella que ha construido en su imaginación a partir de sus limitados conocimientos. Se trata de una experiencia más bien repulsiva pero que Arcadia "soporta", pues una vez se encuentra a solas con este hombre, "no sabe cómo decirle 'no' sin que eso la haga parecer descortés, grosera" (*El desencanto* 15). A partir de ese momento, Arcadia acepta desempeñar el rol de objeto del placer masculino. Su papel es el de actuar en función del placer masculino, y en cierto sentido, esto la lleva a adoptar el silencio respecto a su propia insatisfacción, pues solamente aquel que desempeña el papel de sujeto del deseo tiene derecho a tomar medidas para obtener acceso al placer. De esta forma, la primera experiencia sexual de Arcadia, es decir, su participación en un acto de sexo oral, culmina con "los gemidos de placer del hombre en contraste con el cada vez más creciente asco de ella, con su desconcierto, con las arcadas inevitables cuando siente que el falo la ahoga" (*El desencanto* 16).

La falta de información en el espacio público es significativa porque contribuye en gran medida a mantener a la mujer en una posición de subordinación en el ámbito del placer. Incluso aquella información que existe en el espacio público le es vedada a la mujer por medio de un proceso de vigilancia por parte de la sociedad, e incluso, por parte de la mujer misma. Así, al inicio de la novela nuestra narradora señala que "Arcadia nunca ha tocado el miembro de un hombre. Nunca ha visto uno, más que en alguna revista, de las que puede hojear a veces en los kioscos del centro de la ciudad. Las hojea en secreto, para que nadie la vea, para que nadie tenga una impresión equivocada de ella" (*El desencanto* 15-16).

El relato titulado "El hombre de la primera vez" viene intercalado por textos en itálicas representativos del discurso oficial respecto a la sexualidad femenina, es decir, aquel discurso cuyo objetivo es justificar la necesidad de la virginidad femenina: "*no puedes permitirle a nadie que te haga eso si no se casa contigo*" (*El desencanto* 28). Arcadia transgrede las normas y pierde la virginidad con un hombre desconocido al que apoda Lobo. Así es como la narradora describe su experiencia: "Arcadia...siente ganas de reír por todas las tonterías que están ocurriendo pero también empieza a desear que ocurra algo o que todo termine pronto, porque aquello la tiene, francamente, muy aburrida" (*El desencanto* 30). Desafortunadamente, la experiencia de placer nunca llega para Arcadia. A estas alturas de su vida todavía conserva la esperanza de que el amante verdadero llegue: "la primera vez no obliga el amor ni ata para siempre. Lobo no era 'El príncipe azul'" (*El desencanto* 34). Y aunque su "Príncipe azul" tarda en llegar, Arcadia habita un mundo rico en sueños en los que sí explora el placer y experimenta el orgasmo. Por ejemplo, en el relato de "El sueño del caballo negro que le hace el amor" Arcadia tiene una experiencia de placer mientras hace el amor con el enorme caballo, convencida de que "con ningún hombre, ha sentido tanta sensualidad como la que siente con el caballo" (*El desencanto* 37).

El texto hace énfasis en la necesidad que siente la mujer de fingir placer. Esa necesidad se debe, por un lado, al silencio al que se encuentra relegada respecto a su experiencia sexual; por otro, se debe a su temor de poner la masculinidad de su pareja en tela de juicio. Tal como lo señala una de las jóvenes que participa en una conversación sobre intimidades: "es vital para él y su virilidad creer, que has tenido un orgasmo" (*El desencanto* 46). En este círculo vicioso se sugiere la posibilidad de que el hombre también finja: "fingen que te creen aunque en el fondo, saben la verdad, pero es preferible fingir porque la verdad resultaría algo penosa y generaría discusiones sin sentido" (*El desencanto* 46).

Uno de los aspectos más interesantes del texto es la exploración del concepto de sexo, de la posibilidad de concebir de maneras diferentes al acto sexual. Entre otras cosas, se explora la posibilidad de concebir al sadomasoquismo como medio para obtener y proporcionar placer. En el relato titulado "El hombre de las bofetadas" se describe a un amante atractivo con el que Arcadia se involucra a pesar de tener una relación estable con otro hombre, con el que vive. El hombre de las bofetadas quiere pegarle a Arcadia, pues "ésa es la manera en que a él le gusta el sexo" (*El desencanto* 78). Después de unos momentos de duda, Arcadia acepta, por lo que:

> [e]l hombre se alegra mucho. La penetra eufórico, le dice que no tenga miedo, se mueve dentro de ella y le habla mucho, le dice que se siente tan feliz de estar con ella y que lo comprenda tanto. Y de pronto él se retira un poco, se yergue y le suelta la primera bofetada con la mano izquierda sobre su mejilla derecha (*El desencanto* 78).

Parte de la crítica que se ha hecho al sadomasoquismo está relacionada con los juegos del poder que éste representa, con el claro establecimiento de un papel activo y un papel pasivo para cada uno de los dos individuos que participan en el acto sexual. Sin embargo, el sadomasoquismo también abre la posibilidad para cuestionar la asignación permanente de esos papeles a los individuos que participan en una relación sexual ya que les permite alternar e intercambiar los roles. A pesar de que podría funcionar como un juego –hasta cierto punto seguro– en el cual explorar y compartir el lado oscuro del individuo, sus deseos secretos y sus pasiones más sórdidas, el sadomasoquismo también podría tener la clara función de reproducir en la intimidad la violencia contra la mujer que ya existe en todos los ámbitos de la sociedad. Desafortunadamente, el texto nos describe el placer que experimenta Arcadia a partir de su participación en esta relación con el hombre de las bofetadas. En su caso, el placer no proviene de compartir un espacio seguro para la experimentación sexual, sino de internalizar la idea de que el lugar de la mujer –incluso en el sexo– es subsirviente al lugar del hombre: "Los golpes no la excitan. Pero cuando toma conciencia de que el hombre siente un placer ilimitado con aquello, la mujer también goza" (*El desencanto* 79). Nuevamente, la experiencia de placer de Arcadia ha quedado supeditada a la de su contraparte masculina.

Otro concepto rígido en el espacio social que el texto cuestiona es el de "mujer". Sucede en la sala de espera del consultorio de un dentista, como puede suceder en cualquier otro espacio social. La conversación entre las pacientes que esperan su consulta médica excluye a Arcadia de la categoría 'mujer', tal y como es definida por las mujeres que conversan. Ellas hablan sobre una mujer que ha dado a luz por medio de una cesárea:

> Sólo cuando se paren los hijos por entre las piernas, entonces se es mujer de verdad. Pero en todo caso, es mucho más mujer que las que no tienen hijos. Esas no son mujeres. Siguen siendo niñas, aunque ya hayan tenido hombre (*El desencanto* 91).

Esta conversación revela la definición de la categoría "mujer" que se construye en función de las normas patriarcales que rigen el espacio social. Da indicios también de la forma en que la gran mayoría de mujeres que habitan este espacio ha internalizado dichas normas y ha pasado a desempeñar el papel de la más inflexible vigilante de ese concepto patriarcal de "mujer". Arcadia, que las escucha, "teme que le pregunten, teme tener que contestar que no, que ella no tiene hijos, que no quiere tenerlos" (*El desencanto* 91).

A pesar de la riqueza y variedad de sus búsquedas, el concepto de la relación ideal que tiene Arcadia sigue siendo bastante tradicional. Acaso nunca abandona la idea de encontrar un príncipe azul que la ame para siempre. Es perturbador darse cuenta de que el narrador expresa también su posición de acuerdo con la visión de Arcadia:

> Sueña Arcadia, como todas las niñas / muchachas / mujeres / viudas y ancianas que conozco, con la llegada de un famoso personaje, conocido en el mundo de la zoociedad romántica como "El Príncipe Azul" (*El desencanto* 21).

Como resultado, la experimentación de Arcadia no es más que una forma activa del papel tradicional de la mujer que espera por su "príncipe azul'. Esto se confirma cuando, al encontrar a Sean, su antiguo amante, y reanudar sus encuentros sexuales con él, Arcadia "asume una expresión de tristeza. Aquel hombre es un mujeriego y donde quiera que se encuentre, tendrá mujeres en abundancia a su disposición. Al igual que la tuvo a ella, esa tarde" (*El desencanto* 98). De igual manera, señala respecto a L., "el hombre que bebía ginebra por las mañanas", que "por su condición de hombre casado, lo único que puede caber con él es una relación meramente sexual que, tarde o temprano, se agotará. Por lo tanto, es algo muerto de antemano, algo que no tiene perspectivas de nada" (*El desencanto* 103). A partir de este momento, el objetivo que se había trazado Arcadia se vuelve imposible de lograr. Arcadia nunca va a poder encontrar amor, ni placer, experimentando de la forma como lo ha hecho a lo largo de su vida porque lo que ella está buscando es una relación estable, permanente, monógama. Su propio programa de experimentación, por lo tanto, la lleva por el camino contrario a sus objetivos ya que la lleva a buscar placer con gente que no quiere lo mismo que ella anhela. Por eso a Arcadia también le molesta saber "que lo único que desea L. de ella es tenerla sexualmente. Sin sentimientos, sin compromisos, sin pactos de ningún tipo" (*El desencanto* 104). En el fondo, Arcadia también ha internalizado el concepto idealizado por la sociedad de lo que debe ser una relación de pareja: permanente, monógama, exclusiva, heterosexual, y esta visión contrasta con sus acciones tan poco tradicionales.

De no ser por sus propios comentarios –que sugieren que uno de los obstáculos entre la protagonista y el placer es su propio imaginario– podría decirse hay indicios de libertad en su manera de vida. Acaso el indicio más significativo de esto sea su rompimiento con la idea de que la mujer debe involucrarse en relaciones amorosas con un sólo hombre, de ser posible, a lo largo de toda su vida. A pesar de que la protagonista busca una relación exclusiva y monógama, al no encontrarse satisfecha con un amante, siempre está dispuesta a lanzarse en busca de nuevas posibilidades, de un nuevo encuentro, de un nuevo amante. Si encuentra el amante ideal o no, no es tan significativo como la forma en que sus actos ponen en tela de juicio la idea de la monogamia como la única situación apropiada para vivir una relación amorosa. Esto es positivo en la medida en que le permite una salida de las relaciones que no le proporcionan placer en vez de resignarse a permanecer en una de ellas fingiendo placer: "Buscamos a alguien que nunca encontramos. Buscamos algo que necesitamos con mucha urgencia. Buscamos el amor. Y nunca perdemos la confianza en que vamos a encontrarlo. Y la única manera de encontrar el amor es probando, buscando" (*El desencanto* 114).

Al final del texto, en el apartado titulado "Despojos", Arcadia "tiene 35 años y está sola. Después de tantos hombres, después de tanto tiempo" (*El desencanto* 199). Tiene también la conciencia de no haber encontrado el amor ideal, tal como ella lo había concebido desde siempre: "el amor cuesta, ... el amor es algo excitante, vibrante. Y...es para toda la vida" (*El desencanto* 142). Por otra parte, tal parece que para Arcadia, la posición que ocupaba como objeto del placer y la mirada masculina era importante. Es por esa razón que recuerda con nostalgia la época en que "parecía que todos, absolutamente todos los que conocía, querían tener algo con ella" (*El desencanto* 199). Ahora se siente desplazada, pues señala que los hombres que la rodean "prefieren a las muy jóvenes, a las muchachas de 19, 20 años" (*El desencanto* 199). A pesar de ser un final negativo para la protagonista, puede ser leído como un final positivo en términos de su señalamiento de la necesidad de que la mujer deje de ocupar de manera exclusiva el papel de objeto del deseo masculino y de que se desligue de ese rígido concepto del amor que impone la sociedad sobre el individuo, y que acaso lo marca, desde el inicio del camino, con la impronta del fracaso que le guarda como destino. Desde este punto de vista, la protagonista difícilmente hubiera podido escapar del desencanto que la abarca toda; acaso ese desencanto es producto de su propio proceso interior, un proceso que se puede atisbar a partir de su definición del amor:

> Amor, lo que se llama "El Amor", pienso que sólo ocurre una vez en la vida. Pienso que la promiscuidad de los seres humanos se debe a esa búsqueda, que no todos queremos admitir a nivel racional ni consciente. Pero estamos buscando algo que nos hace muchísima falta. Buscamos al socio, la contraparte, el compañero. Buscamos lo que complemente todas nuestras necesidades afectivas, las que cargamos desde que somos niños. Todo lo que nos negaron desde nuestra infancia, todo lo que nos torcieron los adultos y la zoociedad en el camino del crecimiento. Buscamos compensar todo ello con el mito del amor (*El desencanto* 142-43).

La necesidad de liberar el concepto del amor de esa rigidez, la necesidad de idear nuevas maneras de concebir el amor es evidente si es que el individuo quiere escapar ese destino fatal que, de no ser así, seguramente le está esperando a la vuelta del camino.

Otro ejemplo de la imposibilidad de experimentar placer se encuentra en el cuento largo "Ningún lugar sagrado", publicado en el volumen bajo el mismo título por Rodrigo Rey Rosa. El relato está escrito en forma de un monólogo del protagonista, un inmigrante guatemalteco, frente a su siquiatra en Nueva York. El relato en sí, es decir, la escritura del monólogo, da testimonio del resultado positivo del tratamiento psiquiátrico que recibe el protagonista, ya que cuando éste solicita la ayuda de la doctora al inicio del relato, se quejaba de tener dificultad al escribir. En esa oportunidad, le dice: "No, no soy poeta, soy cineasta. Escribo guiones. Bueno, eso es parte del problema. Ya no quiero escribir, pero no sé qué hacer en vez" ("Ningún" 67).

Lo más significativo del relato es que presenta la situación de inseguridad y de riesgo en que viven la gran mayoría de centroamericanos, incluso aquellos que se encuentran exiliados fuera del territorio centroamericano. Se trata de una situación extrema para cualquiera que viva ajeno a la realidad centroamericana, pero para nuestro protagonista y sus compatriotas, se trata de la norma. La vida política de Centroamérica es parte de la vida cotidiana de estos centroamericanos, incluso en el exilio. La siquiatra, por el contrario, no comparte las experiencias de estos exiliados, por lo que le pregunta de manera insistente a nuestro narrador si la persecución de la que tanto él como su hermana son víctimas le hace sentir miedo, si le preocupa el hecho de que los amigos de su hermana estén involucrados en asuntos de política. Al hablar sobre los amigos de su hermana en Nueva York, el protagonista le dice a la siquiatra:

> Claro que es posible que estén metidos en política. ¿Política norteamericana? No lo creo, pero puedo preguntar. ¿Que cómo me siento acerca de eso? Cada cual debe hacer lo que cree que deba hacer. En eso apoyo a

> mi hermana, ya se lo dije. Ya sé que es peligroso, pero es una razón válida para existir. ¿Miedo? Estamos acostumbrados al miedo. Normal, tal vez no. ¿Adictos? Claro que no me gusta sentir miedo. Pero hay cosas... ("Ningún" 80).

Es el protagonista quien sobresale entre los centroamericanos que aparecen en el relato, y esto se debe precisamente a su posición al margen, a su falta de participación activa en la política centroamericana. El protagonista es consciente de ello y este hecho es una de las fuentes del sentimiento de culpa que lo acongoja: "Es que me siento un poco culpable, ya se lo he dicho. Tal vez la llegada de mi hermana me ha hecho recordarlo. Porque ella sí ha hecho, o ha intentado hacer algo, mientras que yo sólo me vine para acá. Le di la espalda a todo eso" ("Ningún" 75). Más adelante, cuando su hermana y el grupo de resistencia pasiva al que ella pertenece comienzan a ser perseguidos, el protagonista considera la posibilidad de participar de manera más activa en la lucha de sus compatriotas: "Le dije [a mi hermana] que tal vez tenía razón. Tal vez yo también debía hacer algo. Claro, me dijo, usted podría hacer algo. Le dije que escribir un guión acerca de todo aquello sería inútil. No lo sabrá hasta no intentarlo, replicó. Me quedé pensando" ("Ningún" 85).

La persecución continúa y esa noche un individuo entra al apartamento en el que vive nuestro narrador y en el que ahora también se encuentra su hermana. Sin embargo, el tipo se queda atrapado en un armario y el protagonista logra atraparlo allí:

> Le pegué con el martillo en la cabeza. No había otro lugar. En la frente. Sonó muy feo. Le quedó como un hoyo. Pero no se desmayó. Siguió tratando de salirse. Gemía. Le di otro, esta vez creo que en la sien, y ahí sí se quedó quieto. Saqué un brazo y le di un empujón para

> que cayera dentro y después cerré la reja y la aseguré con un par de martillazos ("Ningún" 87).

A pesar de esta experiencia, y de la certeza de que está siendo perseguido por las calles de Nueva York, el protagonista permanece relativamente calmado. Es precavido, por lo que le pide autorización a la siquiatra para quedarse un rato en la sala de espera de su consultorio. Pero ella, movida por un interés mucho más personal que profesional, le da las llaves de su apartamento, que está en ese mismo edificio. El narrador comenta: "Supongo que [...] no haría algo así, no podría, quiero decir, si se tratara de cualquier paciente. ¿No? ¿De veras? Me halaga mucho, doctora. Es usted un ángel, realmente. Pierda cuidado. Nos vemos dentro de unas horas" ("Ningún" 89). Para cuando la siquiatra lo alcanza en su apartamento, el protagonista comenta: "Por supuesto que estoy preocupado. Pero no es a mí a quien buscan realmente. Ya se cansarán. Supongo que vigilarán mi apartamento un par de días. No creo que sean tan pacientes. Ya lo veremos. Pero desde luego, tengo que cuidarme" ("Ningún" 90-91).

Esas horas que el narrador pasa a solas en casa de la siquiatra resultan claves, pues es entonces que este individuo que se quejaba de su imposibilidad para escribir escribe el monólogo que conforma el relato. La restauración de su condición de escritor es particularmente importante para la doctora, quien quiere poner punto final a su relación profesional para dar inicio a una relación de tipo personal con su paciente. Ante la sugerencia de la siquiatra, nuestro narrador señala: "¿Qué? ¿De veras lo cree? Sí, después de todo ésa era mi queja, que no quería escribir. Y mire esto. Graforragia, sí" ("Ningún" 90). Es así que los problemas del protagonista mencionados durante sus conversaciones con la siquiatra y que daban indicios de trastornos mucho más graves que la dificultad al escribir, quedan descartados. La noche avanza. Nuestro narrador y la doctora, quien le ha pedido que deje de llamarla doctora y que la tutee, disfrutan de la cena, aprovechan la ausencia del novio de la doctora para bailar boleros y tangos, para soñar con la posibilidad de viajar juntos y terminan en la recámara oscura de la doctora, donde el narrador la encuentra desnuda sobre la cama. Su monólogo continúa, asignándonos el papel de observadores furtivos de su encuentro sexual:

> Ummm. Qué lengua más rica. Sí. Por donde quieras. No, ningún lugar sagrado... ¿Ya quieres? Sí, más que listo. ¿Así? Hazte un poco para acá, que nos vamos a caer. ¿Tú crees? ¿Más? ¿Qué fue eso? ¿Agua? Un chorro de agua. Qué has hecho. ¿Yo? Increíble. ¿Puedo seguir? Ahh. Qué delicia. Ya. Uf. Muerto, sí. Da miedo, no te parece, tanta felicidad (92).

La percepción que tiene el protagonista de la violencia cotidiana y la vida al margen de la seguridad personal como la norma natural permanece en vigencia e incluso se confirma al final del relato cuando el narrador logra por fin identificar aquello que verdaderamente le hace sentir miedo. No es la violencia de la que ha estado rodeado toda su vida la que le produce miedo, sino este fugaz momento de felicidad, junto a la que antes fue su siquiatra, el que verdaderamente le hace sentir miedo e incluso comentarlo de manera espontánea.

La filosofía de Spinoza sobre la forma en que el individuo puede posicionarse más allá de la normatividad social e incursionar en el ámbito de la pasión para experimentar la alegría tiene relevancia aquí. En sus escritos cuestionaba las ataduras de tipo contractual, ya sea verbales o escritas, que limitaban al individuo con base en la construcción legal del derecho en la emergente sociedad moderna de su época. En vez de creer en los derechos que le son asignados a los individuos con base en la ley, los cuales son también derechos que le pueden ser quitados al individuo por medio de un proceso igualmente legal, Spinoza creía en el derecho natural del individuo, el cual no está basado en el concepto del contrato, sino en el deseo del individuo. Por consiguiente, este derecho natural no es transferible ni reducible. Para Spinoza, el cuerpo es el punto de referencia que define el derecho natural: lo que el cuerpo de un individuo puede hacer es su derecho natural. La pasión y el deseo son lo que mueven al cuerpo a actuar. Spinoza hace una clara distinción entre lo que él llama pasiones tristes y pasiones alegres. Las pasiones tristes son aquellas que dependen de una fuente externa al individuo y, como resultado, están fuera de su control. Por lo tanto, son pasiones que incrementan la vulnerabilidad del individuo y que reducen su poder de actuar, que colocan al individuo en una situación de impotencia. Por otra parte, las pasiones alegres están bajo el control del individuo y, por esta razón, incrementan su poder. Para Spinoza, la búsqueda de estas pasiones que mueven al individuo a actuar más allá de la normatividad de la moralidad y el control social es la única posición ética que un individuo puede tomar en su vida. Como Michael Hardt lo explica:

> Sabemos que la condición humana está caracterizada predominantemente por nuestra debilidad, que las fuerzas que nos rodean en la naturaleza sobrepasan en gran medida nuestra propia fuerza, y por lo tanto, que nuestro poder de ser afectados está colmado la mayor parte del tiempo por afectos pasivos en vez de activos. Y esta devaluación es también una afirmación de nuestra libertad. Cuando Spinoza insiste en que nuestro derecho natural es coextensivo con nuestro poder, quiere decir que ningún orden social puede ser impuesto por ningún elemento trascendente, por nada que esté fuera del inmanente campo de fuerzas. Por lo tanto, cualquier concepto de

> responsabilidad o de obligación o cualquier mecanismo de contrato o de representación debe ser secundario a y dependiente de la afirmación de nuestro poder. La expresión del poder libre de cualquier orden moral es el principio ético primordial de la sociedad (29).[1]

Más que seguir el mandato de la moralidad, Spinoza rechaza los conceptos del bien y del mal, los cuales no son más que abstracciones, y opta por los conceptos del bien y el mal en referencia a individuos concretos. De esta forma, Spinoza invita al individuo a resistir la normatividad social y, en cambio, a escoger lo que es bueno para esa persona en particular, o lo que va a poder incrementar su poder. Así es como él define el bien y el mal: "Cualquier objeto cuya relación concuerde con la mía (*convenientia*) será llamado bueno; cualquier objeto cuya relación destruya la mía, aunque concuerde con otras relaciones, será llamado malo (*disconvenientia*)" (33). En la ausencia del bien y el mal, el juicio moral no puede mantenerse. Para Spinoza, es la ética la que reemplaza la moralidad. Como Deleuze lo explica, para Spinoza, "la moralidad es el juicio de dios, el sistema de juicios. Pero la *ética* derroca al sistema de juicios. La oposición de valores (bien-mal) es suplantada por la diferencia cualitativa de formas de existencia (bueno-malo)" (De-

1. We know that the human condition is characterized predominantly by our weakness, that the forces surrounding us in nature greatly surpass our own strength, and hence that our power to be affected is filled largely by passive rather than active affections. This devaluation, however, is also an affirmation of our freedom. When Spinoza insists that our natural right is coextensive with our power, this means that no social order can be imposed by any transcendent elements, by anything outside of the immanent field of forces. Thus, any conception of duty or obligation or any mechanism of contract or representation must be secondary to and dependent on the assertion of our power. The expression of power free from any moral order is the primary ethical principle of society.

leuze, *Spinoza*, 23).[2] Por lo tanto, Deleuze encuentra en Spinoza una filosofía de vida que denuncia todo lo que le impide al individuo experimentar alegría y disfrutar la vida: "Lo que envenena la vida es el odio, incluyendo el odio que se dirige hacia nosotros mismos en la forma de culpabilidad" (Deleuze, *Spinoza*, 26).[3] Como resultado, Spinoza rechaza aquellas pasiones que producen tristeza y que reducen el poder del individuo, en cambio, escoge la vida y aquellas pasiones que producen alegría y que incrementan el poder de acción del individuo. Para Deleuze, por lo tanto, la ética de Spinoza "es necesariamente una ética de la alegría: sólo la alegría vale la pena, la alegría permanece, acercándonos a la acción, y a la dicha de la acción. Las pasiones tristes siempre equivalen a impotencia" (*Spinoza*, 28).[4]

Es más, Spinoza enfatizaba que los contratos verbales y escritos que atan al individuo, como parte del sistema que busca forzarlo a actuar en contra de sus deseos, presentan una amenaza a su derecho natural y disminuyen su poder de actuar. La moralidad es parte de esa construcción contractual y, por consiguiente, Spinoza rechazó la moralidad arguyendo que el bien y el mal son normas socialmente construidas que obligan al individuo a transferir su derecho natural al sistema de poder vigente. Como alternativa, Spinoza arguye que el contrato social necesita estar subyugado a los deseos del individuo. En las palabras de Michael Hardt, "La nega-

2. Morality is the judgment of God, the system of Judgment. But *Ethics* overthrows the system of judgment. The opposition of values (good-evil) is supplanted by the qualitative difference of modes of existence (good-bad).

3. What poisons life is hatred, including the hatred that is turned back against oneself in the form of guilt.

4. [Spinoza's ethics] is necessarily an ethics of joy: only joy is worthwhile, joy remains, bringing us near to action, and to the bliss of action. The sad passions always amount to impotence.

tiva de Spinoza ante la transferencia o alienación de los derechos [...] implica un rechazo del poder de los contratos, o más bien, una constante subordinación del contrato a la voluntad cambiante del sujeto" (25).[5] Por lo tanto, Spinoza propone que la única posición ética del individuo es romper con los contratos sociales que lo desempoderen. En su *Tratado político*, señala:

> La promesa de fe a cualquier persona, cuando uno ha simplemente prometido verbalmente hacer esto o aquello, lo cual uno puede con todo derecho dejar sin hacer, o *vice versa*, permanece válido mientras la voluntad de quien dio su palabra siga sin cambiar. Pues él, quien tiene la autoridad de romper promesas, no ha separado nada de su propio derecho, sino que simplemente ha hecho un regalo de palabras. Si, entonces, él, siendo por derecho natural juez en su propio caso, llega a la conclusión, equivocada o correctamente [...] de que más daño que beneficio resultará de su promesa, por el juicio de su propia mente decide que la promesa debe ser rota, y por su derecho natural la romperá (296).[6]

Las representaciones literarias de la cultura de posguerra en Centroamérica demuestran que en este contexto el contrato moral continúa atando al individuo. Estos textos literarios representan a un sujeto que ope-

5. Spinoza's refusal of the transfer or alienation of rights [...] implies a refusal or the power of contracts, or rather a constant subordination of the contract to the changeable will of the subject.

6. The pledging of faith to any man, where one has but verbally promised to do this or that, which one might rightfully leave undone, or *vice versa*, remains so long valid as the will of him that gave his word remains unchanged. For he that has authority to break faith has, in fact, bated nothing of his own right, but only made a present of words. If, then, he, being by natural right judge in his own case, comes to the conclusioin, rightly or wrongly [...] that more harm than profit will come of his promise, by the judgment of his own mind he decides that the promise should be broken, and by natural right he will break the same.

ra dentro del ámbito de la modernidad y, como resultado, su pensamiento está subyugado a la obligación social de cumplir con las normas de la ley y la moralidad. Además, son textos en que el deseo no es una fuerza que mueve al individuo a actuar fuera de las normas sociales abiertamente, sino por lo contrario, es una fuerza que el individuo necesita suprimir o que, en el mejor caso, le permite cuestionar la normatividad social, pero nunca colocarse más allá del ámbito de la moralidad. Como resultado, los textos que he discutido en este estudio están poblados por personajes que no pueden experimentar placer, que viven agobiados por la culpa, que rompen las reglas de la sociedad solamente cuando están fuera del alcance de la mirada y los juicios de la sociedad, o que ven su propia destrucción como la única forma de escapar de la normatividad social y, por lo tanto, están dispuestos a destruir el espacio que mantiene su poder: sus cuerpos, y con ellos, su habilidad de actuar. Mientras que el cinismo libera al individuo de la normatividad social a través de la práctica de la irreverencia, lo que la literatura centroamericana de la posguerra muestra es que los pensamientos y acciones del sujeto, particularmente en su intimidad y dentro del ámbito del espacio privado, siguen atados por la moralidad y, como resultado, el individuo se mueve hacia su auto-destrucción. En otras palabras, uno de los aspectos más significativos de esta producción literaria es que ilustra la forma en que el sujeto, incluso el sujeto irreverente, sigue estando bajo el control social porque sus actos siguen respondiendo a las expectativas sociales de obediencia que la sociedad le impone al individuo. En las palabras de Deleuze:

> En cada sociedad, Spinoza señala, uno debe obedecer y nada más. Es por esta razón que las nociones de la culpa, del mérito y desmérito, del bien y el mal, son exclusivamente sociales, teniendo que ver con la obediencia

> y la desobediencia. La mejor sociedad, por lo tanto, será aquella que esté exenta del poder de pensar a partir de la obligación de obedecer, y que se preocupe, en su propio interés, de no sujetar su pensamiento al control del estado, el cual sólo aplica a las acciones. Mientras que el pensamiento permanezca libre, por lo tanto vital, nada ha sido comprometido (Deleuze, *Spinoza*, 4).[7]

La pasión expresada en la literatura centroamericana de posguerra le permite al individuo romper, dentro del espacio privado, con las normas morales que controlan al espacio público. Como resultado, el sujeto adquiere la posibilidad de obtener acceso al placer. Desafortunadamente, el individuo no puede sobreponerse a las normas de la moralidad que ha internalizado y que controlan su propio espacio privado dentro del ámbito de la intimidad. Por lo tanto, su acceso al placer es relativo. En la ficción centroamericana de posguerra se demuestra que en numerosos casos los deseos del sujeto en las sociedades centroamericanas contemporáneas están informados por pasiones tristes, particularmente, por las ansias de obtener reconocimiento como sujeto por el cuerpo social. Éste es un deseo que está más allá del control del individuo y, por consiguiente, que disminuye su poder de actuar. Mientras que el sujeto siga ansiando obtener reconocimiento social seguirá atado al contrato moral social. Por consiguiente, la agenda del cinismo en la literatura centroamericana de posguerra presenta una paradoja: solamente le permite al individuo

7. In every society, Spinoza will show, it is a matter of obeying and nothing else. This is why the notions of fault, of merit and demerit, of good and evil, are exclusively social, having to do with obedience and disobedience. The best society, then, will be one that exempts the power of thinking from the obligation to obey, and takes care, in its own interest, not to subject thought to the rule of the State, which only applies to actions. As long as thought is free, hence vital, nothing is compromised.

resistirse a las normas de la moralidad dentro de los confines establecidos por el ámbito del espacio privado. Como resultado, la culpa, el sacrificio, y las necesidades que el individuo siente de obtener reconocimiento social de su propia subjetividad lo mantienen atado a la misma moralidad a la que intenta resistirse. Como Deleuze lo explica,

> La vida está envenenada por las categorías del Bien y el Mal, de la culpa y el mérito, del pecado y la redención. Lo que envenena la vida es el odio, incluyendo el odio que se vuelve hacia uno mismo en la forma de culpa. Spinoza delinea, paso a paso, la terrible concatenación de pasiones tristes; primero, la tristeza misma, luego el odio, la aversión, la burla, el miedo, la desesperación, la mala conciencia, la lástima, la indignación, la envidia, la humildad, el arrepentimiento, la auto destrucción, la vergüenza, el lamento, el enojo, la venganza, la crueldad (*Spinoza*, 26).[8]

Mientras que la estética del cinismo nos presenta a individuos que sufren de impotencia, Spinoza nos presenta una filosofía de la vida. Como Deleuze lo hizo notar, "[Spinoza] denunciaba todas las falsificaciones de la vida, todos los valores en cuyo nombre menospreciamos la vida. No vivimos, simplemente llevamos una semblanza de la vida; solamente podemos pensar en cómo evitar morir, y nuestra vida entera es un culto a la

8. Life is poisoned by the categories of Good and Evil, of blame and merit, of sin and redemption. What poisons life is hatred, including the hatred that is turned back against oneself in the form of guilt. Spinoza traces, step by step, the dreadful concatenation of sad passions; first, sadness itself, then hatred, aversion, mockery, fear, despair, *morsus conscientiae*, pity, indignation, envy, humility, repentance, self-abatement, shame, regret, anger, vengeance, cruelty.

muerte" (*Spinoza*, 26).[9] Como es de esperarse, es en la labor de aquellos filósofos que rechazaron la moralidad donde se enfatiza el valor de la vida. Spinoza defiende el derecho natural del individuo de experimentar alegría. Nietzsche empodera al individuo a través de su voluntad de actuar. La obra de Kierkegaard sobre la religión rechaza la razón, por ejemplo, la práctica de la razón que nos llevaría a creer que nuestra religión es la correcta. En cambio, él opta por la experiencia de la pasión como camino a la propia religión. Deleuze, en sus últimos escritos coloca al poder más allá de la construcción de la subjetividad tal como la define el proyecto de la modernidad, en las inmanentes posibilidades comprendidas en una vida. Es decir, no en *la* vida de cierto individuo, sino en cualquier vida antes de que las limitaciones de la emergencia de la subjetividad individual sean impuestas sobre ella. Es en el plano de la inmanencia, definido por una vida, donde se encuentran las ilimitadas posibilidades sin las ataduras de la normatividad. Para Deleuze, "La inmanencia absoluta es en sí misma [...] no depende de un objeto ni le pertenece a un sujeto" ("Immanence", 26).[10] Por el contrario, señala que "la inmanencia pura [...] es UNA VIDA, y nada más. No es inmanencia *a* la vida, sino que lo inmanente que existe en la nada es en sí mismo una vida. Una vida es la inmanencia de la inmanencia, la inmanencia absoluta: es poder completo, felicidad completa" (27).[11] De la misma forma en que Spinoza había movido a la moralidad hacia su con-

9. [Spinoza] denounces all the falsifications of life, all the values in the name of which we disparage life. We do not live, we only lead a semblance of life; we can only think of how to keep from dying, and our whole life is a death worship.

10. Absolute immanence is in itself. [...] [I]t does not depend on an object or belong to a subject.

11. Pure immanence [...] is A LIFE, and nothing else. It is not immanence *to* life, but the immanent that is in nothing is itself a life. A life is the

cepto de la ética, definiendo lo que es bueno o malo de acuerdo con los deseos de cada individuo en particular, es decir, de acuerdo con su derecho natural, Deleuze se mueve más allá de la perspectiva de la ética hacia el plano de la inmanencia pura donde el bien y el mal ya no pueden ser definidos en la ausencia del individuo, antes de la definición de la subjetividad y, por lo tanto, del reconocimiento social de esta subjetividad. Es en este espacio de ambigüedad y de posibilidades donde Deleuze encuentra lo que él llama "una vida de inmanencia pura", la cual define como "neutral, más allá del bien y el mal, porque sólo el sujeto que la encarnaba en medio de todas las cosas era el que la hacía buena o mala. La vida de dicha individualidad se desaparece para dar lugar a la singular vida inmanente de un ser que carece de nombre, aunque no puede ser confundido por ningún otro. Una esencia singular, una vida" (29).[12] Desde esta perspectiva, lo que muestran los personajes que habitan los textos literarios producidos en la posguerra centroamericana es la incapacidad del sujeto de ir más allá del ámbito de la subjetividad. Este plano de inmanencia pura puede ser comparado con lo que Judith Butler ha llamado un proceso de desubjetivación crítica.[13] Pero la desubjetivación crítica de Butler puede entenderse como la destrucción de un individuo en particular, o la destrucción de su propio cuerpo, en un intento desesperado de resistir su necesidad de obtener reconocimiento social. En el caso de la inmanencia de Deleuze, es im-

---

immanence of immanence, absolute immanence: it is complete power, complete bliss.

12. A life of pure immanence [...] neutral, beyond good and evil, for it was only the subject that incarnated it in the midst of things that made it good or bad. The life of such individuality fades away in favor of the singular life immanent to a man who no longer has a name, though he can be mistaken for no other. A singular essence, a life.

13. Véase una discusión más extensa al respecto en el capítulo 4.

posible llevar a cabo la destrucción del sujeto ya que no hay individuo que desubjetivar porque el plano de la inmanencia pura tiene lugar fuera de la definición moderna de la subjetividad, en las múltiples posibilidades que presenta una vida. Con esto en mente, puede argumentarse que la estética del cinismo en la ficción centroamericana de posguerra refleja una realidad social que sigue estando atada por la subjetividad y que continúa operando dentro de los confines de la moralidad. En este contexto, la resistencia está limitada por el deseo del individuo de ser reconocido como sujeto por el cuerpo social, lo que lo mantiene atado por la normatividad social y por la moralidad. Como hemos visto por medio de numerosos ejemplos, en el más extremo caso de resistencia, la desubjetivación crítica del individuo solamente puede llevarlo a realizar el último sacrificio en nombre de la moralidad: la destrucción de su propio cuerpo, que equivale a la auto destrucción, al suicidio. En otras palabras, esta producción literaria revela lo que está ausente en la cultura de posguerra en Centroamérica, es decir, la práctica de la alegría, el derecho que tiene un cuerpo de actuar, la prevalencia de la vida por sobre la muerte, la inmanencia del poder.

La novela *Y te diré quién eres: Mariposa traicionera* del escritor guatemalteco-nicaragüense Franz Galich presenta una alternativa a la retratada en el corpus textual que he definido como la estética del cinismo. "Pancho Rana, menos conocido como Francisco de Jesús González Macís" (23), el personaje central de *Mariposa traicionera,* no quiere reconocimiento, y aunque vive constantemente poniéndose en riesgo, tanto que en un inicio podría parecernos hasta suicida, busca siempre sobrevivir. Pancho Rana era "Un ex combatiente [de las] Tropas Especiales del Ejército Popular Sandinista" (30). Estaba marcado por esa historia, incluso en su cuerpo, ya que tenía un tatuaje con "una calavera y las siglas TEEPS" (30). Así nos lo describe el narrador:

> Francisco de Jesús González Macis, hijo de la señora Tomasa Candelaria González Macis, de padre desconocido, oriundo de Chichigalpa. Se enroló en la insurrección contra el dictador en el año de 1978, cuando tenía catorce años. Al triunfo en 1979, pasa a formar parte, primero del Ejército Popular Sandinista, fue movilizado a las montañas del norte, en la zona de Jinotega, primero, y después al puesto fronterizo de Mokorón. Luego pasó a formar parte de las Tropas Especiales "Pablo Úbeda", todo ello por sus excelentes capacidades como combatiente, lo que le valió el ascenso a teniente y la medalla al valor, "Camilo Ortega". Posteriormente, en el año 1987, fue transferido a las filas de la seguridad, donde actuó en operaciones encubiertas, en territorio hondureño, donde siempre demostró una alta disposición combativa, valor y moral revolucionario. Fue dado de alta, cuando se firmaron los acuerdos de paz y se procedió a la transición, durante el gobierno de doña Violeta (35).

Como excombatiente Pancho Rana nunca iba a poder completamente incorporarse a la vida civil, particularmente dados los niveles de violencia, corrupción y descomposición de la sociedad en la que vive. Veamos algunos ejemplos que ilustran esto.

Al narrar un asalto que ha sufrido, este personaje de la *sociedad civil* explica:

> Como manejaba una bayoneta escondida, como pude me arrastré y poco a poco fui cortando el mecate. [...] Me terminé de desamarrar y con cuidado fui quitando el cielo raso y luego quité los clavos de una lámina. Cuando ya la pude levantar, fui a buscar el otro revólver que manejaba embuzonado y me dispuse a salir. [...] ¿Qué cómo los maté? [...] antes de que otra cosa pasara, le quebré el cuello (25-26).

La misma guerra de antes también sigue, así lo demuestra por ejemplo el asesinato de Medallita, un pusher de la Calle Ocho que resultó ser de la contra, "del Comando Yalagüina. Que cuando se desmovilizó lo trajeron de Honduras, que ya venía con los cables cruzados, dicen que quedó así después del operativo Danto 88" (79). Las investigaciones revelaron también que "Francisco de Jesús González Macís, era su jefe. [...] que una vez tuvo una discusión con Medallita porque fumaba marigüana andando en servicio y él, Medallita, le gritó que lo palmaría. Cuando desertó, dicen que una fuerza de tarea de la Contra lo capturó y que Medallita contó y cantó todo lo que sabía" (85).

La muestra más espectacular de que la guerra sigue fue el ataque llevado a cabo por Pancho Rana al restaurante exclusivo El Choteadero a la orilla de la laguna Tiscapex donde se reunirían "varios políticos y empresarios" (91). Para llevarlo a cabo, Pancho Rana regresó a uno de los sitios donde tenía un entierro de armas de reserva:

> A eso de las doce de la noche, extrajo el entierro –como decían los ex-camaradas de armas, los mismos con los que se habían tomado el pueblo ya hacía cuanto?, dos, cuatro, cinco, ocho años? ni se acordaba, ni le interesaba– lo desempacó de los sacos macen, luego del plástico engrasado y luego de comprobar el estado procedió a separar un lanza cohetes RPG-7. Sacó tres proyectiles con sus respectivos detonadores y un AK-47 (91).

El resultado: "cinco muertos y veinte heridos! Dos meseros, un cantinero, un guardaespaldas y un hombre no identificado. Entre los heridos se encuentran varios hombres de negocios, políticos y mujeres que los acompañaban" (100).

Pancho Rana no refleja al sujeto cínico de otros textos contemporáneos. Por el contrario, es un sobreviviente que tiene fundamentalmente dos razones para vivir, ambas pasionales: la venganza y el deseo. Su deseo de venganza lo explica su perspectiva sobre la posguerra:

> Se detuvo y por primera vez se quedó viendo la gran escultura de acero, bautizada por la gente como El Muñecón, o Hulk, a la estatua del Combatiente Heroico, nombre que le pusiera a saber quién, tal vez la Dirección Nacional [...]. Entonces leyó las letras de la base: "Sólo los obreros y campesinos irán hasta el fin! A. C. Sandino" ¡Ve que deacá! claro, sólo los obreros y campesinos llegaron al fin, pero del mundo, porque quedaron hechos mierda, en el mero fin: muertos, heridos, mutilados o locos y lo peor, en la miseria porque donde quedamos sólo queda el infierno (48).

También su deseo de venganza se debe a la corrupción de la que es testigo:

> Cuando pasó por la Asamblea lanzó una sarta de improperios, pensando en que ahí estaban los que lo habían embarcado en esa guerra estúpida, pues ahora ellos ganan un cachipil de reales, en dólares, carros, tarjetas, celulares, gasolina, viajes, viáticos, oportunidades de negocios, queridas, queridos y quién sabe cuántas chochadas más, mientras que nosotros, los que mordimos el leño, los que pusimos los muertos, nos dejaron güeliéndonos el dedo. No sería malo una pasadita de cuentas, además de que todos son chanchos. Es la nueva chanchera, sólo que con diferentes chanchos pero con el mismo rabo (49).

Vive en un contexto desencantado, pues ahora en la posguerra sabe que ha sido traicionado. Él que fue miembro de las fuerzas especiales del ejército sandinista, y que puso su vida en riesgo por los ideales revolucionarios, tiene que vivir como testigo de la corrupción del liderazgo político y de la traición de sus ex-compañeros de lucha, todos ahora, reincorporados a la vida civil de Nicaragua. Pero esta vida civil no es parte de un período democrático ni de un proceso de paz. Por el contrario, la narración muestra cómo dentro del contexto de paz en el que vivimos en estos momentos en Centroamérica, la guerra sigue. A diferencia de otros textos, en éste la violencia no es gratuita sino una extensión directa de la guerra. Como lo indica la problemática definida por los reportes de la verdad, especialmente por el reporte de la Comisión para el Esclarecimiento Histórico (CEH) de Guatemala, parte del problema de la posguerra es que no ha habido un proceso de responsabilización por los actos de violencia y por la indiferencia ante las víctimas de esta violencia. Esta narración nos presenta otra forma de asignar responsabilidades y reparaciones, la venganza.

Por otra parte, también Pancho tiene motivos para vivir debido al deseo y la pasión que siente por una mujer, Tamara, también conocida como la Guajira. Ella es lo único que le devuelve las posibilidades de creer nuevamente en otros, después de que tantas veces ha sido traicionado. Esto no ocurre sin dificultades: "Puso la radio y como intencional sonaba: *Ay mujer, cómo haces daño, pasan los minutos cual si fuesen años... Mariposa traicionera...* ¡no, no, mi Tamara no es mariposa traicionera!" (51) se trata de convencer a sí mismo.

Es así que parte del mensaje que este texto nos permite ver es que obtener reconocimiento puede llevar al sujeto a su propia destrucción moral, emocional, e incluso física. Sobrevivir también puede llevar al sujeto a su propio fin. Uno que quiere reconocimiento vive esclavo de la mirada del otro, mientras que el que es motivado únicamente por motivos pasionales no depende de los demás para lograr sus objetivos de placer, de pasión. Pero más importante aún, nos muestra que la lógica de la paz y la democracia, es decir, la lógica de la inauguración de un período de paz y democracia donde se dice que impera la justicia y donde se dice que hay amplia participación de la sociedad civil coloca al individuo en una trampa donde habita en una sociedad permeada por la violencia que reproduce los patrones de exclusión de siempre y que tanto en la vida pública como en la vida privada lleva al sujeto a desear, por sobre todas las cosas el reconocimiento de los demás. Por lo tanto, lleva al sujeto a reforzar el status quo, a reproducir el sistema de exclusión del que intenta escapar y a perpetuarlo excluyendo a los demás. En contraste, en *Mariposa traicionera* lo que vemos es un sujeto irreverente, pero no solamente consigo mismo, sino también con los demás. Es un sujeto que no participa del festín de la posguerra sino que busca visibilizar en su venganza la corrupción que la permea. Es así que este sujeto que podría simbolizar el fin del cinismo también encuentra su propia muerte, pero lo hace ya no en ausencia de la alegría, ya no en la ausencia del placer, ya no en un esfuerzo por obtener el reconocimiento de otros. Este sujeto entiende que la guerra sigue y que ha sido engañado, embaucado y por eso se pregunta:

> De qué sirve tener o hacerse la idea de pertenecer a una patria, donde los que han luchado por la patria, por los ideales de una nación, somos constantemente expulsados por un grupito de vivos para quienes la patria es sólo un pastel que hay que repartirse entre pocos y de ser posible, agarrar la tajada más grande, y si caen migas, hay que hacer todo lo posible porque no las agarren los pendejos de abajo, los que a la vez lucharán a muerte por agarrar la mayor cantidad de migas posibles, sin importar a quién hay que joder (103-104).

Finalmente, como es de esperarse, Pancho Rana muere cuando él mismo, el sujeto que había sido usado como herramienta para la destrucción del otro, como arma humana de la guerra, utiliza el entrenamiento recibido para sus propios propósitos. Muere cuando el caos que genera desnaturaliza el caos que ha definido Centroamérica desde mediados del siglo XX. Muere pero se lleva consigo la naturalidad con que entendimos la guerra y la posguerra. Porque en sus últimos momentos logra dar visibilidad a la guerra que sigue existiendo en la posguerra, es decir, logra dejar testimonio de la ausencia del estado de derecho en el que se basa el discurso de la posguerra, con el que se legitima el nuevo estado democrático del período de la así llamada paz:

> En ese momento, Francisco de Jesús González Macís, mejor conocido como Pancho Rana, vio con claridad muchas cosas que hasta la fecha le habían parecido incomprensibles y por ello misteriosas: el Capitán Anastasio Cerna, ahora alto jefe de la Policía nacional, era el mismo Cerna que en los años de la guerra había sido un simple recluta, cachorro, como les decían, que habían intentado desertar y que luego de darles información a los de la Contra, había vuelto a huir, temiendo que lo asesinaran por soplón. Era el mismo que había contado el cuento de que se había extraviado en la montaña, era el mismo que había embarcado a Medallita para que traicionara y como recompensa, lo dejaba operar impunemente en el negocio del tráfico. Era el mismo Cerna que cinco años después había participado en los combates contra los comandos que se habían tomado Esteliana y que ejecutaron a un grupo de prisioneros con el consabido balazo en la nuca, todo para quedarse con el monto del asalto al banco: más de cien mil dólares y varios millones de córdobas. También era el mismo Cerna que formaba parte del finísimo tejido de una red de corrupción que involucraba a personas del gobierno, la policía y particulares (200).

Pancho Rana muere en busca de su venganza y muere cuando la encuentra, en el espacio de tiempo que tarda una bala en destrozar su cráneo: "Pancho Rana vio cuando la bala salió del cañón del revólver Astra, girando a una velocidad menor a la del sonido, pensó, pues ya no la escuchó. Pero inmediatamente reparó en sus percepciones pues casi al mismo tiempo escuchó otra detonación, de AK, [...]" y viendo a Cerna dice:

> liberoconservadorsandinistamarxistacomunistacapitalistaneoliberalfascista de mierda... [...] Pero no había terminado de decir esto cuando una bala le partió la frente. La frente del Capitán Cerna voló por los aires en mil pedazos, seguido de la masa encefálica, mezclada con sangre. La mueca de burla y sarcasmo de hacía apenas una milésimas de segundo se disipaba en la máscara que caía fría, como el telón después de una obra teatral que llegaba a su fin (207).

Pancho Rana también muere, pero abre la posibilidad de que otros vean lo que hay detrás del telón de la paz.

Obras citadas

Althusser, Louis. "Ideology and Ideological State Apparatuses (Notes towards and Investigation)". *Lenin and Philosophy and Other Essays.* Trans. Ben Brewster. New York: Monthly Review Press, 1971. 127-186.

Agamben, Giorgio. *Estancias. La palabra y el fantasma en la cultura occidental.* Valencia, España: Pre-Textos, 1995.

Barnet, Miguel. *Cimarrón: Historia de un esclavo.* Madrid: Ediciones Siruela, 2006.

Barthes, Roland. *Camera Lucida: Reflections on Photography.* Trans. Richard Howard. New York: Hill and Wang, 1982.

Benjamin, Medea. *Don't Be Afraid, Gringo: A Honduran Woman Speaks from the Heart.* San Francisco: Food First, 1987.

Beverley, John. "Anatomía del testimonio". *Revista de crítica literaria latinoamericana* 13.25 (1987): 7-16.

_____. "The Margin at the Center: On *Testimonio*". *The Real Thing.* Ed. Georg M. Gugelberger. Durham: Duke University Press, 1996. 23-41.

_____. "The Real Thing". *The Real Thing.* Ed. Georg M. Gugelberger. Durham: Duke University Press, 1996. 266-286.

Beverley, John y Marc Zimmerman. *Literature and Politics in the Central American Revolutions.* Austin: University of Texas Press, 1990.

Bewes, Timothy. *Cynicism and Postmodernity.* Londres: Verso, 1997.

Bhabha, Homi. *The Location of Culture.* New York: Routledge, 2004.

Blaise, Clark. "Your Nearest Exit May Be Behind You: Autobiography and the Post-Modernist Moment". *The Seductions of Biography*. Eds. Mary Rhiel y David Suchoff. New York: Routledge, 1996. 201-09.

Bolaño, Roberto. *2666*. Barcelona: Anagrama, 2004.

Butler, Judith. *The Psychic Life of Power: Theories in Subjection*. Stanford: Stanford University Press, 1997.

_____. "Imitation and Gender Insubordination". *The Material Queer: A LesBiGay Cultural Studies Reader*. Ed. Donald Morton. Boulder: Westview Press, 1996. 180-192.

Burgos, Elisabeth. *Me llamo Rigoberta Menchú y así me nació la conciencia*. México: Siglo XXI Editores, 1995.

Cabezas, Omar. *La montaña es algo más que una inmensa estepa verde*. Managua: Editorial Nueva Nicaragua, 1983.

Canjura, Salvador. *Prohibido vivir*. San Salvador: Istmo Editores, 2000.

Castellanos Moya, Horacio. *El arma en el hombre*. México, D. F.: Tusquets Editores, 2001.

_____. *El asco. Thomas Bernhard en San Salvador*. San Salvador: Editorial Arcoiris, 1997.

_____. *Baile con serpientes*. San Salvador: Dirección de Publicaciones e Impresos, 1996.

_____. *Indolencia*. Antigua Guatemala: Ediciones del Pensativo, 2004.

_____. *Recuento de incertidumbres*. San Salvador: Ediciones Tendencias, 1993.

Castillo, Otto René. *Informe de una injusticia*. 2ª ed. San José, Costa Rica: EDUCA, 1982.

Castillo, Roberto. "Anita, la cazadora de insectos". *Anita la cazadora de insectos*. Por Roberto Castillo e Hispano Durón. Tegucigalpa: S.e., 2002. 9-26.

Castro, Carlos. *Libro de los desvaríos*. San Salvador: Dirección de Publicaciones e Impresos, 1996.

Colás, Santiago. "What's Wrong with Representation?: *Testimonio* and Democratic Culture". *The Real Thing*. Ed. Georg M.

Gugelberger. Durham: Duke University Press, 1996. 161-171.

Collier, Jane, Michelle Z. Rosaldo y Sylvia Yanagisako. "Is There A Family?: New Anthropological Views". *The Gender / Sexuality Reader: Culture, History, Political Economy.* Eds. Roger N. Lancaster y Micaela di Leonardo. New York: Routledge, 1997. 71-81.

Comisión para el Esclarecimiento Histórico. *Guatemala: Causas y orígenes del enfrentamiento armado interno.* Guatemala: F&G Editores, 2000.

Cortez, Beatriz. "Cinismo al final del siglo". *Búho.* 8 (1999): 8.

_____. "Los *Cuentos sucios* de Jacinta Escudos: la construcción de la mujer como sujeto del deseo". *Afrodita en el trópico: amor y erotismo en la obra de autoras centroamericanas.* Ed. Oralia Preble-Niemi. Potomac, MD: Scripta Humanistica, 1999. 111-22. (Reimpreso en *Cultura* 84, 1999, 184-92).

_____. "El desencanto de Jacinta Escudos y la búsqueda fallida del placer". *De la guerra a la paz. Perspectivas críticas sobre la literatura moderna centroamericana.* Eds. Ricardo Roque Baldovinos and Roy Boland Osegueda. Melbourne /San Salvador: Antípodas /UCA, 2003. 151-158.

_____. "Estética del cinismo: la ficción centroamericana de posguerra". *Ancora: Suplemento Cultural de La Nación.* San José, Costa Rica, March 11, 2001. http: //www.nacion.com/ancora.2001 /marzo/11/historia3.html.

_____. "La estética pasional en la poesía de Roque Dalton, Róger Lindo y Miguel Huezo Mixco". *Literaturas centroamericanas hoy: Desde la dolorosa cintura de América.* Eds. Karl Kohut and Werner Mackenback. Frankfurt, Germany: Vervuert Verlag, 2005. 217-232.

_____. "La ficción salvadoreña de fin de siglo: un espacio de reflexión sobre la realidad nacional". *Cultura.* 85 (1999): 66-93.

_____. "La identidad nacional es una ficción". *La prensa gráfica.* San Salvador, El Salvador, 11 de junio, 2000.

_____. "Mapas de melancolía: La literatura como medio para la homogeneización del sujeto nacional". *Intersecciones y transgresiones: Propuestas para una historiografía literaria en*

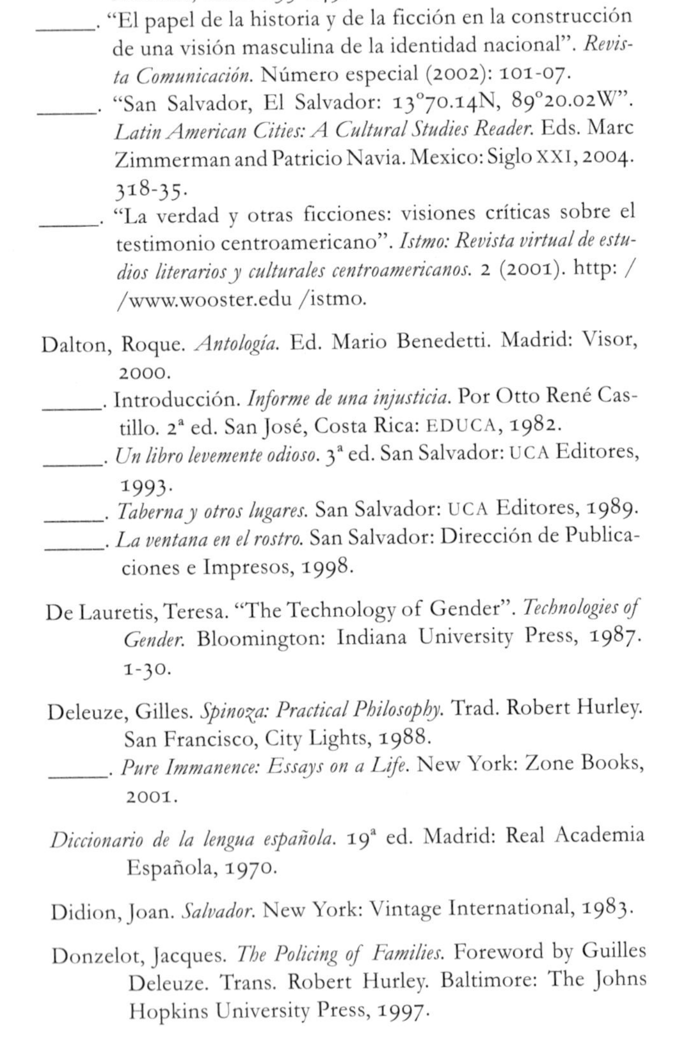

Centroamérica. Werner Mackenbach, ed. Guatemala: F&G Editores, 2008. 135-149.

_____. "El papel de la historia y de la ficción en la construcción de una visión masculina de la identidad nacional". *Revista Comunicación*. Número especial (2002): 101-07.

_____. "San Salvador, El Salvador: 13°70.14N, 89°20.02W". *Latin American Cities: A Cultural Studies Reader*. Eds. Marc Zimmerman and Patricio Navia. Mexico: Siglo XXI, 2004. 318-35.

_____. "La verdad y otras ficciones: visiones críticas sobre el testimonio centroamericano". *Istmo: Revista virtual de estudios literarios y culturales centroamericanos*. 2 (2001). http: / /www.wooster.edu /istmo.

Dalton, Roque. *Antología*. Ed. Mario Benedetti. Madrid: Visor, 2000.

_____. Introducción. *Informe de una injusticia*. Por Otto René Castillo. 2ª ed. San José, Costa Rica: EDUCA, 1982.

_____. *Un libro levemente odioso*. 3ª ed. San Salvador: UCA Editores, 1993.

_____. *Taberna y otros lugares*. San Salvador: UCA Editores, 1989.

_____. *La ventana en el rostro*. San Salvador: Dirección de Publicaciones e Impresos, 1998.

De Lauretis, Teresa. "The Technology of Gender". *Technologies of Gender*. Bloomington: Indiana University Press, 1987. 1-30.

Deleuze, Gilles. *Spinoza: Practical Philosophy*. Trad. Robert Hurley. San Francisco, City Lights, 1988.

_____. *Pure Immanence: Essays on a Life*. New York: Zone Books, 2001.

Diccionario de la lengua española. 19ª ed. Madrid: Real Academia Española, 1970.

Didion, Joan. *Salvador*. New York: Vintage International, 1983.

Donzelot, Jacques. *The Policing of Families*. Foreword by Guilles Deleuze. Trans. Robert Hurley. Baltimore: The Johns Hopkins University Press, 1997.

Doty, Alexander. *Making Things Perfectly Queer: Interpreting Mass Culture.* Minneapolis: University of Minnesota Press, 1993.

Escudos, Jacinta. *Cuentos sucios.* San Salvador: Dirección de Publicaciones e Impresos, 1997.

Spinoza, Baruch de. *A Theologico-Political Treatise / A Political Treatise.* Trad. R. H. M. Elwes. New York: Dover, 1951.

_____. *Ética: Demostrada según el orden geométrico.* Trad. Vidal Peña. Madrid: Ediciones Orbis, 1980.

Foster, David William. "Homoeróticas: Teoría y aplicaciones". *Filología y lingüística* 23.1 (1997): 85-96.

Foucault, Michel. *Power /Knowledge: Selected Interviews & Other Writings, 1972-1977.* Ed. Colin Gordon. Trans. C. Gordon *et al.* New York: Pantheon Books, 1980.

_____. "Truth and Power". *Critical Theory since Plato.* Eds. H. Adams y L. Searle. Fort Worth: Harcourt Brace Jovanovick College Publishers, 1992. 1134-1145.

_____. *Discipline and Punish: The Birth of Prison.* Trans. Alan Sheridan. New York: Vintage, 1977.

Freud, Sigmund. "Mourning and Melancholia". *The Freud Reader.* Ed. Peter Gay. New York: Norton, 1989. 584-589.

Galich, Franz. *Y te diré quién eres. Mariposa traicionera.* Managua: Editorial Ananá, 2006.

García, Pablo. *Canto palabra de una pareja de muertos.* Guatemala: F&G Editores, 2009.

Gerardi, Juan. "Discurso durante la presentación del Informe de Recuperación de la Memoria Histórica". Catedral Metropolitana de Guatemala, 24 de abril de 1998.

Golden, Tim. "A Legendary Life: Is Rigoberta Menchú's Personal History Too Bad to Be True?" *The New York Times.* 18 de abril, 1999.

Grinberg Pla, Valeria. "El laberinto como modelo narrativo en *El año del laberinto* de Tatiana Lobo". *Cultura* 86 (2002): 59-80.

Gugelberger, Georg M. *The Real Thing*. Durham: Duke University Press, 1996.

Hardt, Michael. "Spinoza's Democracy: The Passions of Social Assemblages". *Marxism in the Postmodern Age: Confronting the New World Order*. Eds. Antonio Callari, Stephen Cullenberg y Carole Biewener, New York: Guilford Press, 1995. 24-32.
_____. *Gilles Deleuze: An Apprenticeship in Philosophy*. Minneapolis: University of Minnesota Press, 1993.

Hardt, Michael y Antonio Negri. *Empire*. Cambridge, MA: Harvard University Press, 2000.

Hernández, Claudia. *Mediodía de frontera*. San Salvador: Dirección de Publicaciones e Impresos, 2002.
_____. "Vaca". *Cultura* 84 (1999): 152-153.

Holden, Robert. "Constructing the Limits of State Violence in Central America: Towards a New Research Agenda". *Journal of Latin American Studies* 28 (1996): 435-459.

Huezo Mixco, Miguel. *El ángel y las fieras*. San José, Costa Rica: EDUCA, 1997.
_____. *La perversión de la cultura*. San Salvador, Editorial Arcoiris, 1999.
_____. *Comarcas*. Panamá: Universidad Tecnológica, 1999.
_____. "Dos poemas", *Cultura* 85 (1999): 109-112.
_____. "El asco en una aldea centroamericana". *El diario latino*. s. p.
_____. "Jorge Semprún: el olvido y la memoria". *Jornada Semanal*. 25 de marzo, 2001.
_____. *Travesía*. MS.

Jameson, Fredric. "De la sustitución de importaciones literarias y culturales en el tercer mundo: El caso del testimonio". *Revista de crítica literaria latinoamericana* 18.36 (1992): 117-33.

Jagose, Anamarie. *Queer Theory: An Introduction*. New York: New York University Press, 1996.

Keepers of the Forest. Dir. Norman Lippman. Brookline, Massachusets: Umbrella Films, 1985.

Kierkegaard, Søren. *The Essential Kierkegaard.* Eds. Howard V. Hong y Edna H. Hong. Princeton, NJ: Princeton University Press, 2000.

Lara Martínez, Rafael. "La tormenta entre las manos. Del testimonio a la nueva *mimesis* literaria en El Salvador". *La tormenta entre las manos: Ensayos sobre literatura salvadoreña.* San Salvador: Dirección de Publicaciones e Impresos, 2000.

Larsen, Neil. Introduction. *Reading North by South: On Latin American Literature, Culture, and Politics.* Minneapolis: University of Minnesota Press, 1995. 1-22.

Lesage, Julia. "Women's Rage". *Marxism and the Interpretation of Culture.* Eds. Cary Nelson y Lawrence Grossberg. Urbana: University of Illinois Press, 1988. 271-313.

Lindo, Róger. *Los infiernos espléndidos.* San Salvador: Dirección de Publicaciones e Impresos, 1998.

______. *El perro en la niebla.* Bilbao: Editorial Verbigracia, 2006.

______. *La fragua de abril.* MS.

Lobo, Tatiana. *El año del laberinto.* San José: Editorial Norma, 2000.

Mackenbach, Werner. "Después de los pos-ismos: ¿Desde qué categorías pensamos las literaturas centroamericanas contemporáneas?" *Istmo* 8 (2004): s. p.

Martínez, Ana Guadalupe. *Las cárceles clandestinas de El Salvador.* 3ª ed. San Salvador: UCA Editores, 1993.

Menen Desleal, Álvaro. "El hombre marcado". MS.

Menjívar Ochoa, Rafael. *Los años marchitos.* San José: EDUCA, 1991.

______. *Los héroes tienen sueño.* San Salvador: Dirección de Publicaciones e Impresos, 1998.

______. *Terceras personas.* MS.

______. *Trece.* 2ª ed. Guatemala: F&G Editores, 2008.

Molina Velásquez, Carlos. "Novela, arraigo y nihilismo". *Cultura* 80 (1997): 166-169.

Naciones Unidas – Comisión de la Verdad para El Salvador. *De la locura a la esperanza: La guerra de 12 años en El Salvador.*

Informe de la Comisión de la Verdad para El Salvador. San Salvador: Editorial Arcoiris, 1993.

Neruda, Pablo. *Odas elementales.* 2ª ed. Barcelona: Editorial Seix Barral, 1981.

Nietzsche, Freidrich. *Unfashionable Observations.* Trad. Richard T. Gray. Stanford: University of Stanford Press, 1995.

_____. *Ecce Homo.* Trad. R. J. Hollingdale. New York: Penguin, 1992.

Ortiz Wallner, Alexandra. "Transiciones democráticas / transiciones literarias: Sobre la novela centroamericana de posguerra". *Istmo* 4 (2002) : s. p.

Oficina de Derechos Humanos del Arzobispado de Guatemala (ODHA). *Guatemala: Nunca Más. Informe del Proyecto Interdiocesano de Recuperación de la Memoria Histórica.* Guatemala: ODHA, 1998.

Payeras, Mario. *Los días de la selva.* Managua: Editorial Nueva Nicaragua, 1982.

Paz, Octavio. *El laberinto de la soledad y otras obras.* New York: Penguin, 1997.

The Philosophy of Hegel. Edited with an Introduction by Carl. J. *Friedrich.* New York: Random House, 1954.

Poniatowska, Elena. Prólogo. *Un libro levemente odioso.* Por Roque Dalton. 3ª ed. San Salvador: UCA Editores, 1993.

Ramírez, Sergio. *Adiós muchachos: una memoria de la revolución sandinista.* Madrid: Aguilar, 1999.

Rey Rosa, Rodrigo. *Caballeriza.* 2ª edición. Antigua Guatemala: Ediciones El Pensativo, 2006.

_____. *El cojo bueno.* Madrid: Alfaguara, 1996.

_____. *Ningún lugar sagrado.* Guatemala: Editorial Piedra Santa, 2005.

_____. *Otro zoo.* Barcelona: Seix Barral, 2007.

Rousseau, Jean Jacques. *Emile, or Treatise on Education.* Trad. William H. Payne. Amherst, NY: Prometheus Books, 2003.

Rohter, Larry. "Nobel Winner Accused of Stretching Truth in Her Autobiography". *The New York Times*. 15 de diciembre, 1998.

Said, Edward. *Representaciones del intelectual.* Trad. Isidro Arias. Barcelona: Paidós, 1996.

Schopenhauer, Arthur. *The Works of Arthur Schopenhauer: The Wisdom of Life and Other Essays*. Roslyn, NY: Black, 1935.

Semprún, Jorge. *La escritura o la vida*. Barcelona: Tusquets, 2002.

Sloterdijk, Peter. *Critique of Cynical Reason*. Minneapolis: University of Minnesota Press, 1987.

Sommer, Doris. *Proceed with Caution, When Engaged by Minority Writing in the Americas.* Cambridge, MA: Harvard University Press, 1999.

Spivak, Gayatri Chakravorti. "Can the Subaltern Speak?" *Marxism and the Interpretation of Culture*. Eds. Cary Nelson and Lawrence Grossberg. Urbana: University of Illinois Press, 1988. 271-313.

Stephen, Lynn. Introducción. *Este es mi testimonio.* Por María Teresa Tula. Trad. Marisol Alvarenga, Alejandro Cantor y Narciso de la Cruz Mendoza. Ed. Lynn Sthephen. San Salvador: Editorial Sombrero Azul, 1995.

Stoll, David. *Rigoberta Menchú, and the Story of All Poor Guatemalans.* Boulder: Westview Press, 1999.

Taylor, Diana. "Opening Remarks". *Negotiating Performance: Gender, Sexuality, and theatricality in Latin/o America.* Eds. Diana Taylor y Juan Villegas. Durham: Duke University Press, 1994. 1-16.

Torres-Rivas, Edelberto. "La metáfora de una sociedad que se castiga a sí misma. Acerca del conflicto armado y sus consecuencias". Prólogo. Comisión para el Esclarecimiento Histórico. *Guatemala: Causas y Orígenes del Enfrentamiento Armado Interno.* Guatemala: F&G Editores, 2000.

Tucker, Robert C. *The Marx-Engels Reader.* 2nd edition. New York: W. W. Norton, 1978.

Tula, María Teresa. *Este es mi testimonio*. Trad. Marisol Alvarenga, Alejandro Cantor y Narciso de la Cruz Mendoza. Ed. Lynn Stephen. San Salvador, Editorial Sombrero Azul, 1995.

Vela, Ernesto. "Nuestros ascos". *Tendencias* 71 (1998): 13-14.

Villalobos, Joaquín. "Sin vencedores y sin historia". *El Diario de Hoy en línea*. 24 de mayo, 2000. <www.elsalvador.com>.

Yúdice, George. "*Testimonio* and Postmodernism". *Latin American Perspectives* 18.3 (1991): 15-31.

Yúdice, George. "Testimonio y concientización". *Revista de crítica literaria latinoamericana* 18.36 (1992): 207-27.

Zavarzadeh, Mas'ud. *Seeing Films Politically*. New York: suny Press, 1991.

Zimmerman, Marc. "*Testimonio* in Guatemala: Payeras, Rigoberta, and Beyond". *The Real Thing*. Ed. Georg M. Gugelberger. Durham: Duke University Press, 1996. 101-29.

Estética del cinismo. Pasión y desencanto en la literatura centroamericana de posguerra de Beatriz Cortez se terminó de imprimir en julio de 2010. F&G Editores, 31 avenida "C" 5-54 zona 7, Colonia Centro América, 01007. Guatemala, C.A. Telefax: (202) 2439 8358 Tel.: (502) 5406 0909 informacion@fygeditores.com www.fygeditores.com